La colère millénaire des femmes
Fais-moi rêver

Marie Russo-Piccolo

La colère millénaire des femmes
Fais-moi rêver
Roman

LE LYS BLEU
ÉDITIONS

© Lys Bleu Éditions – Marie Russo-Piccolo

ISBN : 979-10-377-7892-5

Lettre ouverte à ma fille
et à mon fils, de la part d'un père

Ce qui suit vous déconcertera autant que moi. Néanmoins, c'est ce qui m'est arrivé. Je peux décrire ce qui s'est passé, comment cela s'est produit, mais aujourd'hui je ne peux toujours pas expliquer pourquoi. Je n'ai pas de réponses, et pourtant j'ai beaucoup de questions. Je vous les laisse en guise d'héritage spirituel.

J'ai repris mes notes de ces dernières années et je les ai simplifiées pour les rendre plus compréhensibles. Je ne suis pas un écrivain, je suis quelqu'un qui témoigne de ce qu'il a vécu. C'est grâce à Ève si j'ai pu mettre de l'ordre dans notre folie à deux, c'est elle qui m'a tendu les clés de lecture d'une culture perdue.

Croyez-moi, la vie est encore plus mystérieuse que ce qui se voit, que ce qui se touche, la vie n'est pas faite que de matière, la vie n'est pas prisonnière de la matière ni forcément du temps. Je ne sais pas quand vous serez en mesure de lire ces notes, je vais me livrer à votre jugement, comme rarement un père le fait devant ses enfants ; j'espère que vous les lirez avec bienveillance.

Votre père

Chapitre I
Une autre réalité

Le dépouillement

Paris, été 2012, minuit
La fille de l'air

Je me revoyais, enfant de sept-huit ans, tourbillonnant de jeunesse et d'énergie, autour de mon grand-père assis sur un banc de pierre devant la maison. Il avait mal aux genoux et, dans ma naïveté, je lui avais conseillé de mettre des cailloux sur ses genoux en guise de cataplasme. Comment avais-je pu penser qu'un caillou pouvait guérir la chair ? Les enfants ont l'imagination fertile ou alors ils ont des mémoires qui se bousculent en eux. Ce temps-là est révolu. Je suis devenu grand, j'ai quitté ma ville de naissance pour aller voir ailleurs. Je m'appelle Pierre, j'habite à Paris, j'ai trente ans et je ne crois qu'aux choses naturelles, qui s'expliquent par la science et les mathématiques. Je n'aime pas les religions, les mystiques, les allumés de l'esprit qui font plus de mal que de bien, parfois à eux-mêmes et parfois à d'autres.

J'étais en couple, j'avais une famille, l'avenir était devant moi, qu'est-ce que j'en avais fait ? Est-ce que je venais de dilapider mon avenir ?

En cet été 2012, j'étais comme un con sur un banc, dans un square de Paris, sans un rond ou presque, sans papiers pour prouver mon identité et ma condition de personne normale. Juste un sac dans lequel j'avais fourré vite fait quelques affaires pour dire que je n'étais pas sans change et sans brosse à dents. Jusqu'à ce matin, j'avais un bon job dans l'informatique, une secrétaire, une voiture et un appartement avec une famille dedans. Je n'aurais pas su donner un prix à ma vie. Maintenant, je sais qu'une vie, ça n'a pas de prix.

Il n'y avait pas que moi sous la pleine lune ; d'autres types se baladaient à la recherche d'embrouilles. Quand ils m'ont vu assis sur mon banc, à minuit, ils ont rappliqué direct. Avec mon blouson, mon jean, mes cheveux un peu longs, je pouvais donner à penser que je trempais dans des magouilles. Comme ils insistaient, je me suis levé pour faire de l'air autour de moi. Quand ils ont vu que je n'étais pas d'humeur à discuter, ils se sont cassés. Je peux avoir un air très mauvais quand on me cherche. J'étais sur un banc, et alors ? J'ai bien le droit de méditer sur un banc, non ? Qu'est-ce qu'il y a de louche à ça ? C'est à cause de mon sac ? Ça fait trop SDF ? Pourquoi les connards circulent-ils la nuit ? Putain, merde !

Je venais de perdre le fil de mes pensées à cause d'eux ! J'en étais où ? J'essayais de récapituler les faits : je vivais ma fin du monde perso, en solo, dans mon coin. Simple. Un truc se passait dans ma tête. Compliqué.

Les gens flippaient leur race pour la fin du monde en décembre 2012 à cause d'un calendrier maya. Je suis même allé dans un bar à Paris, qui s'appelait « Le bar de la fin du monde », très sympa, d'ailleurs, mais la fin du monde c'est souvent la fin d'un monde, pourquoi en faire une tragédie ? Les choses bougent dans la vie, sans arrêt, les gens meurent, d'autres naissent, certains déménagent parce qu'ils ont acheté une maison ou un appartement, ou parce qu'ils n'ont plus d'argent pour payer la maison ou l'appartement. D'autres changent de ville ou de pays à cause du travail, des enfants ; les techniques évoluent et modernisent la vie : les ordis, les téléphones portables, les tablettes. Tout va plus vite. Tout change tous les dix ans.

En ce qui me concerne, une voix de femme me parlait dans la tête depuis quelques mois ! Je sais, c'est à peine croyable et, pourtant, c'est ce qui m'est arrivé.

Ça m'arrivait à moi qui n'avais rien demandé à personne et qui vivais ma vie pépère, entre boulot et famille. C'est fou, non ? Impossible d'en parler à un pote, ce n'est pas le genre de choses qu'on se raconte entre potes. J'aurais eu l'air de quoi ? Cette voix de femme voulait que je fasse une chose pour elle et elle insistait lourdement, jour après jour, elle m'obsédait. Elle me parlait partout et n'importe quand : le matin au réveil, à mon boulot dans la journée, le soir, la nuit, même sous la douche ou aux chiottes. J'étais jamais tranquille.

Elle me chuchotait dans le creux de la tête, je ne sais pas à quel niveau un cerveau c'est creux, mais cette voix de femme avait trouvé le chemin. Elle disait que la femme avec laquelle je vivais n'était pas la femme de ma vie. Une autre m'attendait, « la femme de mes rêves » ! Sauf que cette femme de mes rêves ne le savait pas ! Moi non plus, d'ailleurs, je venais de l'apprendre. Je n'avais pas de femme dans mes rêves. Je ne rêvais pas. L'irruption de cette voix dans ma vie était une drôle de surprise puisque j'avais déjà une famille et que j'étais parfaitement heureux. Mauvais timing pour le coup, et très mauvaise surprise. Je crois que je n'aimerai plus les surprises.

En résumé, cette voix me donnait une mission : je devais chercher la femme à partir de laquelle elle émettait, la trouver et l'accompagner quand elle débarquerait chez cette femme avec son soleil intérieur. Déjà, ce n'était pas banal, mais le mieux c'est la suite. Pour accomplir ma mission, il fallait que je quitte tout : mon travail, mon salaire, mon train de vie, ma femme, mes enfants. Quel cinglé ferait ça ?

Moi !

On m'a forcé, c'est vrai, mais tout a basculé quand mon instinct s'est mis en travers de mes pensées et m'a fait douter de ma vie.

C'était bien une voix de femme qui me parlait et elle semblait même capter toutes mes pensées secrètes. Je retournais la chose dans tous les sens sans arriver à comprendre l'existence de cette voix en moi. Je devenais fou ? Mais si je devenais fou, les autres devraient remarquer des déviances dans mon comportement ou ma manière d'être ; rien à signaler. Tout se passait bien avec ma famille, mes amis, mes collègues. Chacun aurait pu dire de moi : « Non, on n'a rien remarqué de différent, il était normal. »

Au cours de ces derniers mois, en me sentant hésiter, la voix m'a dit que si je renonçais à l'écouter, je pourrais tomber malade plus tard. Ça craint. J'avais le sentiment qu'elle disait vrai. Une voix qui vient du dedans donne plus de poids à son instinct. C'est peut-être l'instinct de survie qui m'a fait partir de chez moi. Qui sait ?

Le problème est de savoir qui était derrière tout ça. Je ne crois pas aux fables, il y a forcément une explication plus naturelle que cette fille de l'air qui me parle dans ma tête et qui disparaît de temps en temps. D'où elle me connaît ? D'où elle vient ? Elle ne s'est même pas présentée. Je ne sais rien d'elle.

Je suis hanté par une femme. Dans les films, on est hanté par un fantôme. Moi, c'est un esprit de femme qui me parle. Je ne suis pas mystique, je suis du signe du taureau, alors plus terre-à-terre que moi, je ne vois pas. Je ne crois pas aux signes astrologiques, mais l'image du taureau me plaît. Elle me définit bien. J'essaie de comprendre ce qui m'arrive. En attendant, j'étais sur un banc, prêt à passer la nuit à la belle étoile. Heureusement que c'était l'été. C'est toujours ça.

Je passais d'une émotion à l'autre : si ça se trouve, je venais de faire la pire des conneries de ma vie, je venais d'abandonner le domicile conjugal en coup de vent et contre mon gré. Pour qui ? C'est grave d'entendre une voix ? Dans quel merdier je m'étais fourré ! À trente ans, j'avais l'impression d'avoir la vie derrière moi au lieu de l'avoir devant. Je prenais la mesure de mes actes. Comment pourrais-je expliquer à ma femme que je suis parti à cause d'une autre femme que je n'ai jamais vue, qui, en plus, parle dans ma tête ? Elle me prendrait pour un dingue et si elle me prenait pour un dingue, elle ne me ferait jamais revoir mes enfants. Je préférais passer pour un salaud.

J'étais encore sous le choc de mon départ précipité, ma raison était engourdie par la scène de la séparation que je revivais comme une hallucination : ma femme qui criait et moi qui partais tout penaud ! Comment j'allais annoncer la nouvelle à mes parents ? Rien ne parlait en ma faveur. Putain, merde ! Pourquoi ça m'arrivait à moi ?

Comment définir cette voix de femme si ce n'est par son absence physique ? Je l'ai appelée « la fille de l'air » parce que je ne vois pas comment appeler une fille qui ne se laisse pas voir, mais qui me parle directement dans ma tête. À quelle femme appartenait la voix que j'entendais ? Comment elle pouvait être ? Quel âge elle pouvait avoir ? Où elle habitait ?

Je cherchais des repères pour me prouver que je n'étais pas à côté de mes pompes. Je ne me suis jamais raconté de salades ; pourtant, cette fille de l'air a réussi à me faire abandonner ma famille ! Je suis d'accord avec elle, je dois retrouver la femme depuis laquelle elle émet. D'après moi, cette voix est obligée d'émettre à partir du corps d'une femme, vu que je ne crois pas aux extra-terrestres. Alors, comment elle fait ? Elle est télépathe ? Ça existe ?

Une voix sans nom, c'est comme un chien sans collier, on ne sait pas à qui il appartient. Je me demandais à quel genre de femme, cette voix pouvait appartenir. Est-ce que cette femme était consciente qu'elle émettait des pensées et que ces pensées m'obligeaient à la chercher ? C'est une bonne question, non ? J'aurais aimé la voir en chair et en os, mais elle restait une énigme parce que la voix ne s'était pas présentée. Elle m'a dit que je devais chercher une « Ève », comme si ce prénom cachait une femme en série. C'est peut-être ça, nos prénoms font de nous des personnes en série.

Cette voix me dit que je suis quelqu'un à HPI. C'est quoi ?

Il paraît que je serais une espèce de surdoué dans mon genre. HPI ça veut dire « à haut potentiel intellectuel ». Si j'étais HPI, ça se saurait non ? J'aurais déjà fait des trucs et des machins de fou. Ce n'est pas le cas, je suis un type tout ce qu'il y a de plus ordinaire.

En guise de réponse, la voix m'a fait voir une partie de mon avenir. J'ai vu une partie de mon avenir en couleurs ! En plus, elle m'a annoncé plein de trucs incroyables qui allaient changer ma vie en mieux. Je n'ose même pas la croire. En l'honneur de quoi je devrais être comblé de cadeaux ? En échange d'un service : que je trouve la femme depuis laquelle elle émet.

Sans quoi mon avenir était compromis. Rien de tout ce qu'elle m'avait montré n'arriverait. Bon, je ne suis pas vénal, mais promettre monts et merveilles et après dire que rien n'est sûr, ça m'a contrarié.

Cette voix me montre que j'étais dans le même cas qu'un héros grec célèbre qui était marié comme moi, avec des enfants, quand il a dû abandonner sa famille pour suivre lui aussi la voix d'une fille de l'air. Intéressant. C'était qui ?

Héraclès

C'était Héraclès, et la femme qui lui parlait dans le creux de l'oreille était la déesse Héra.

Héraclès ? Celui que les Romains appellent Hercule ? Je crois que la voix me prend pour un débile. Hercule, c'est un mythe, ça n'existe pas. Sérieux ?

La voix continue à me faire l'article sur Héraclès sans s'inquiéter de ce que je pense. D'après la fille de l'air, le vrai nom d'Héraclès était Alcide, qui veut dire « le balaise ». Elle m'a raconté deux ou trois trucs sur sa vie. Pour elle, un Héraclès était un homme fait en série : un type d'homme fort, mais très buté-borné. Est-ce qu'elle voulait dire que le bornage mental était mon défaut ? Elle me répond que la plupart des hommes sont bornés par leur masculinité.

Ben, tiens ! Et le contraire ? Les femmes ne seraient pas aussi bornées par leur féminité ? On n'arrête pas d'en faire tout un plat depuis quelque temps. On dirait que l'homme est devenu la bête à abattre.

Silence. Je m'en doutais.

La voix me laisse réfléchir et revient. Elle raconte que les vrais héros sont ceux qui se battent pour un monde meilleur, et le monde meilleur passe par la femme.

Depuis quand ? Je vois beaucoup de héros, mais je ne connais pas trop les héroïnes… Je préfère les héros de Marvel, ou alors les lanceurs d'alerte. Je ne vois pas pourquoi elle me ramène en arrière dans des mythes qui n'ont jamais existé.

Cette femme invisible continue son discours. Elle dit que ce qui l'intéresse dans les mythes, c'est la pensée du féminin qui s'est perdue. Du coup, elle veut m'exposer son point de vue de femme.

Si je comprends bien, cette voix qui me parle est une espèce de féministe.

D'après elle, Héraclès avait un très gros défaut à part le fait d'être orgueilleux et colérique : ses rapports avec les femmes. C'était un vrai queutard. Il ne faisait pas la différence entre une femme et une autre, et quand il avait bu, c'était encore pire. Il ne s'embarrassait pas de consentement, il allait droit au but. Aujourd'hui, on appellerait ça un viol. Autrefois, les femmes y étaient exposées même dans leur vie conjugale.

Super, merci de me comparer à ce faux modèle de héros. Pourquoi me parler de cet Hercule s'il était aussi nul ?

Elle me répond qu'elle doit repartir d'un modèle pour que je puisse constater l'évolution à travers les temps, et le modèle grec est encore enseigné dans les écoles grâce à son histoire simplifiée et aux bandes dessinées sur lui. Sinon, elle m'aurait parlé de Gilgamesh.

Qui c'est celui-là ?

Un autre contre-exemple pour nos mentalités d'aujourd'hui : un jeune barbu venu tout droit de Mésopotamie. Un autre sale type.

Super ! Je ne capte rien à ce qu'elle dit.

Elle me demande si je connais le scandale américain « me too » et le « manspreading » dans les transports en commun ? Et le scandale des sportifs ou des entraîneurs sportifs qui profitent des adolescentes et adolescents qu'on leur confie ? La pédophilie dans l'Église catholique ?

Non. Jamais entendu parler de tout ça.

Elle m'annonce que ces scandales seront à la une des journaux télévisés à partir de 2017, pour dénoncer les abus faits à l'encontre des femmes ou des enfants, au nez et à la barbe des lois.

Elle a dit à partir de 2017 ? On est en 2012... Dans cinq ans ? Pourquoi elle me demande si je connais alors !

C'est pour que je constate que grâce à elle je pourrai lire l'avenir. J'aurais tout le temps de m'en rendre compte. Cette voix souffleuse poursuit son discours et me dit qu'elle allait m'emmener dans un voyage vers le passé, un voyage à travers le temps et l'espace, pour que je comprenne sur ma peau l'atrocité masculine.

Bah non, pas besoin, je venais d'un pays en guerre et j'en avais déjà assez vu. Merci.

J'étais en pleine méditation, assis sur mon banc. Ce qu'elle me disait avait un drôle d'impact sur moi. On dirait que ça m'allait droit au cœur. C'est la première fois que ça m'arrivait. Je comprenais avec mon cœur des choses qui auparavant me passaient au-dessus de la tête.

Une présentation tardive : Mémoria et la fabrique des dieux

Je me suis demandé : pourquoi moi ? Pourquoi maintenant ? Il paraît que c'est la question de routine. Je n'ai toujours pas de réponse. Ce que j'allais comprendre bien plus tard c'est que la voix que j'entendais n'était pas la voix d'une déesse, mais la voix de la mémoire millénaire du féminin. En d'autres mots, une entité étrangère à ma culture d'homme. Pour le moment, cette voix n'avait pas de corps et pas de nom, c'était agaçant, mais aussi intrigant. J'ai cru comprendre que je pouvais l'appeler « Mémoria », vu qu'elle allait me parler de mémoires collectives des femmes.

Il y a un truc pas clair. Ces mémoires collectives des femmes, ça n'allait pas se retourner contre moi, vu que je suis un homme ?

Ce qui m'arrivait, d'après la voix, c'était la chance de ma vie. C'était mon destin qui se présentait à moi.

Mon destin ? Ces révélations me mettaient dans un état second, entre la merveille et l'incrédulité.

Elle voulait revenir aux bases gréco-romaines parce qu'elle disait que je n'avais pas les bases occidentales.

Memoria m'apprend qu'Héraclès a commencé son apprentissage à la mémoire des femmes en tuant sa femme et ses enfants dans un coup de folie parce qu'il ne pigeait rien à ce qui lui arrivait. Il a cru que sa femme était un handicap pour son destin. Je suppose qu'on lui a fait le coup de la femme de ses rêves qui l'attendait quelque part. Il paraît que les Grecs ont accusé la déesse Héra de l'avoir rendu fou. Les hommes, ajoute Mémoria, ont du mal à prendre leurs responsabilités, à assumer leurs choix quand ils se trompent. Ils aiment accuser les femmes de leurs maux.

D'après sa version féminine, j'ai retenu qu'Héraclès était si colérique dans sa jeunesse qu'il avait tué son prof d'un coup de tabouret. Du coup, les deux attributs qui définissent Hercule c'est la peau de lion sur ses épaules et la massue : l'orgueil et la force brute. Elle ajoute aussi à son actif un appétit sexuel démesuré. Héraclès était un des fils de Zeus, on va traduire peut-être par « fils de roi ». Il avait reçu une éducation réservée à l'élite. Il paraît que la déesse Héra était en colère quand Zeus lui a dit de faire d'Héraclès un dieu.

Question : pourquoi Zeus ne transformait-il pas lui-même son fils en dieu ? Si c'est un grand dieu... Il y a un détail qui m'échappe.

Bonne question, me dit Mémoria. Elle me révèle que c'est toujours le féminin qui a eu le pouvoir de créer des dieux à partir d'hommes ordinaires. Un dieu est, à la base, un homme quelconque, c'est un humain, souvent ignorant, comme moi en ce moment. Quand cet homme quelconque est pris en charge par le féminin, par une Mémoria qui est incarnée par une femme en chair et en os, il est éduqué et élevé au-dessus du lot par le savoir du féminin. Voilà comment on fabriquait un dieu autrefois. C'était une tradition archimillénaire qui remontait à l'origine de la transformation du singe en homme pensant.

Minute... J'étais un peu perdu dans ce passé lointain. Qu'est-ce que je devais comprendre ? Qu'elle allait faire de moi un dieu ?

Non. Plus maintenant. Les temps n'étaient plus aux dieux. En revanche, elle ferait de moi un homme.

Un homme ? Je suis un homme ! J'ai deux enfants, une femme, une famille... Je ne sais pas ce qu'il lui faut.

Non. D'après cette fille de l'air, ce n'est pas parce que j'ai fait des enfants que je suis un homme. N'importe qui peut faire des enfants.

Ce qui fait la différence entre un homme élevé par elle et un homme ordinaire, j'allais le vivre sur ma peau. Pas la peine d'en parler.

O.K. Que de mystères !

Mémoria s'est arrêtée de raconter l'histoire à sa manière et m'a fait un compliment. Elle m'a dit que j'étais cent mille fois mieux qu'Héraclès puisque je n'avais pas tué ma famille quand elle a voulu me mettre à son service. J'avais franchi cette première étape sans problème. J'avais fait le bon choix sans qu'elle ait besoin de « retenir mon bras ».

Il ne manquait plus que ça ! On est au 21e siècle quand même !

Elle me signale qu'elle connaît quelqu'un en France qui a commis la même erreur qu'Héraclès et qui se cache pour ne pas avoir à payer sa faute. Héraclès a dû exécuter des travaux pour payer ses crimes. Il paraît que ce type se cache pour ne pas purger sa peine. Il est protégé. Mémoria dit que si cet homme ne fait pas face à la justice aujourd'hui, ce sera après sa mort et là, il allait être surpris... Personne ne peut protéger son esprit coupable dans l'au-delà. D'après Mémoria, il paraît que l'inconscient a une espèce de boîte noire, comme les avions, qui s'ouvre dès qu'on meurt et toute notre vie est étalée comme un film. On ne peut rien cacher. Il y a de bons films et il y a de mauvais films.

C'est flippant, non ?

Il paraît que l'inconscient représente quatre-vingt-dix pour cent du psychisme humain et le conscient, seulement dix pour cent. On est en plein obscurantisme psychique ! C'est notre moyen-âge, et dire qu'on se croit intelligents !

Pour me pousser hors de chez moi, avant que je passe le cap, Mémoria n'arrêtait pas de me chuchoter que si je refusais, elle reviendrait vers moi dans une autre vie et qui sait ce qui m'attendait dans une autre vie ! Elle avait l'air de dire que ça serait moins facile. Alors que si je l'écoutais, moi aussi j'aurais son soleil intérieur et ce soleil est le laissez-passer pour un autre univers. Je ne crois pas aux autres vies, mais ça fout les jetons de penser que je peux hypothéquer ma prochaine vie si elle existe. Cette voix avait fini par me convaincre. D'où ma situation sur ce banc de pénitence où une partie de moi pensait que je venais peut-être de foutre ma vie en l'air. En tout cas, moi je priais pour que ça ne soit pas le cas.

La voix ensorceleuse me chuchotait qu'il fallait que j'oublie pour le moment ceux que je laissais derrière moi. Elle s'occuperait de ma famille et de son bien-être. Je ne devais m'inquiéter de rien.

Bah si, un peu quand même ! Elle en a dc bonnes ! J'étais triste à en crever, la séparation était trop fraîche. Sur ce, tout est remonté et je me suis mis à chialer. Je chialais sans fin. Je me suis senti perdu de chez perdu. Putain, merde, qu'est-ce que je venais de faire ? J'étais con ou quoi ? Je cachais mon visage dans mes mains et je pleurais sans pouvoir m'arrêter. J'avais mal pour mes enfants, j'avais mal pour ma femme. Je me sentais mal de leur faire tout ce mal et en plus je m'en faisais à moi-même. Pour qui je venais de gâcher ma vie ? Qu'est-ce qui allait se passer maintenant ? J'ai senti que mon mental vrillait comme si tout m'échappait. C'était trop. J'allais crever de tristesse.

Du fond de mon désespoir, soudain, j'ai senti monter en moi une chaleur bienfaisante, réconfortante, consolante. Une main invisible m'a effleuré la tête. C'était une caresse surnaturelle et magique à la fois : quelqu'un me touchait la tête du bout des doigts et ce toucher est arrivé jusque dans mon cœur. Ça m'a fait l'effet d'un super calmant. Mon esprit a complètement commuté sur la position zénitude. Je me suis senti protégé et j'ai eu confiance. À qui appartenait cette main ?

On m'a soufflé que c'était la main consolante et bénissante du féminin.

Jamais entendu parler.

En tout cas, cette caresse avait des vertus apaisantes immédiates. Je me suis senti plus léger, libéré du poids des sentiments contradictoires qui m'oppressaient. J'ai soupiré de soulagement. La vie m'a semblé tout à coup plus souriante et pleine d'espoir. J'étais jeune, trente ans, j'avais la vie devant moi. J'ai repris confiance.

Quelque chose d'extraordinaire était en train de m'arriver, je devais l'accepter dans la joie. Je n'ai pas pu m'empêcher de penser à ma vie. Si un pote était venu me dire qu'il entendait une voix, je lui aurais conseillé : « Gros, va te faire exorciser » ou bien « Saoule-toi, la voix ne te saoulera plus », ou encore, « Va brûler un cierge à tes ancêtres pour qu'ils te protègent ». C'est vrai, quoi, entendre une voix, c'est louche. Si en plus, elle te pousse au crime, laisse tomber ! Ce n'était pas le cas, mais j'allais pas me vanter d'entendre une voix.

Ma mission

Cette nuit s'annonçait longue en prises de tête, mais le toucher angélique continuait à faire son effet. Je me sentais euphorique comme si j'avais reçu une dose d'optimisme en comprimé. De toute façon, j'étais loin de trouver le sommeil ! Je voulais bien traverser le dénuement, la solitude, voire le vide, mais je n'ai pas signé pour oublier ma famille ! Je n'avais pas vendu mon âme !

Pour Mémoria, il était évident que j'allais m'occuper de mes enfants, mais à distance. J'allais commencer par payer leur pension alimentaire régulièrement. Si on me séparait d'eux, c'était pour que je ne les perturbe pas avec ce qui m'arrivait. J'allais traverser des turbulences dont ils ne devaient pas être témoins. Ils étaient trop petits. Ce qui ne m'empêcherait pas de penser à eux ni de fêter leur anniversaire et si possible de leur envoyer un cadeau, selon mes nouveaux moyens économiques. Elle me connaissait du dedans, j'étais un type bien, j'allais rebondir et retrouver du travail dans ma nouvelle vie, et sa protégée allait m'aider.

Si elle le dit…

En attendant, elle allait me parler de ma mission. Mieux, j'allais lire ma future mission dans le journal de sa protégée. « Sa belle au bois dormant » écrivait un journal et Mémoria choisirait au fur et à mesure les pages qui me concernaient.

Peut-être, mais en quoi consistait ma mission ? Et combien de temps allait-elle, durer parce que j'espérais bien retrouver ma famille au plus tôt. Et puis j'étais pressé de dire à ma femme que je l'aime, je ne l'avais quittée que par obligation. Pour elle, je dirais autre chose. Je trouverais une excuse valable.

— J'aime ? avait repris dubitative la voix.

— Oui, j'ai confirmé, sûr de moi.

Mémoria m'a alors dit des trucs sur ma vie passée que moi seul je connaissais et après, quand elle s'est tue, tout ce qu'elle a dit, a pris des proportions incroyables. L'infidélité par exemple. Elle a l'air d'en faire tout un drame, pourquoi ? Perso, je trouve que c'est bien que les hommes et les femmes n'en fassent plus tout un drame, surtout parce que nous sommes tous concernés. Il faut accepter notre condition humaine, on n'est pas des saints. L'important c'est d'être discret et de toujours respecter son conjoint.

Fort de ces considérations, toujours sous l'effet calmant de la main consolante, le sommeil commençait à gagner mon esprit. J'ai calé mon sac en appuie-tête et je me suis allongé. Mon esprit s'engourdissait, mais la conversation continuait entre Mémoria et moi. Je glissais vers un rêve éveillé, sa voix était plus nette. Je ne filtrais plus rien et j'ai laissé sa voix orienter ma pensée. Ça me berçait. Cette étrange entité immatérielle, qui me parlait par concept, a attiré mon attention vers un autre sujet.

Si je voulais bien faire un pas de côté, dit-elle, dans ma tête, elle allait m'ouvrir à un autre monde, le monde des ténèbres…

C'est-à-dire ?

Elle me répond qu'elle va gentiment pousser le gardien de ma porte, celui de mon inconscient profond, me faire voir ce que personne ne voit de son vivant, avec ses yeux de chair. Il est d'habitude intraitable, mais étant donné qu'elle vient des profondeurs des temps, elle a ses entrées dans le monde de l'inconscient, il ne peut pas se mettre en travers. Elle me signale que l'accès à ce monde se fait de l'intérieur. Elle allait ouvrir mes yeux intérieurs et tout serait plus clair pour moi.

De quoi elle parlait ? J'étais loin de me douter de ce qui m'attendait…

Un aperçu de l'enfer : le monde des ténèbres

Mémoria me signale que ses sœurs vont prendre le relais et s'occuper de moi. Elles vont me libérer des illusions du monde de la matière et je vais être baptisé de lumière, pour parler à la manière des chrétiens. Dans son langage à elle, ce serait plutôt un éveil soudain à tous mes esprits. C'est ce que j'allais vivre sur moi.

Elle a des sœurs ?

J'ai eu un détail qui vaut ce qu'il vaut : ses « sœurs » sont des Furies ! J'ai un souci avec l'imaginaire de Mémoria. Les mythes, c'est mytho et compagnie. Ça part dans tous les sens. Elle m'a répondu que ses sœurs sont des gardiennes un peu spéciales, elles n'interviennent pas sur la terre, uniquement dans le monde des ténèbres. Ses sœurs, les Furies, allaient me montrer leur univers. Elles m'emmenaient faire un tour en enfer !

Quoi ? Pourquoi j'irais en enfer ? Je n'ai rien fait de mal ! Je suis gentil.

Pour répondre à ma crainte, j'ai senti le vent tourner autour de moi, une onde de froid m'a envahi en plein été, je me suis recroquevillé sur mon banc comme un fœtus et j'ai senti tout à coup des yeux m'observer dans le noir. Ça fait drôle. Non seulement je me les caillais, mais le plus étrange était cette sensation d'être surveillé. J'avais déjà dormi à la belle étoile, jamais je ne m'étais senti observé sans savoir par qui. Je regardais autour de moi, il n'y avait personne. Je ne sais pas comment expliquer cette sensation dérangeante. J'étais dans un square, il y avait des arbres et on aurait dit que les arbres avaient tout à coup des yeux, leur feuillage avait plein d'yeux qui me regardaient comme les yeux des paons sur leur plumage. Je ne sais pas pourquoi j'ai fait cette association. Il paraît que le paon est un symbole du féminin, il est lié au monde des ténèbres.

Soudain, j'ai entendu : « Bienvenue dans le monde des ombres ! »

Pourquoi j'avais si froid ? C'est quoi le monde des ombres ?

L'enfer est froid, on me dit en « voix in », parce que le monde des ombres appartient à la nuit, et la nuit est froide. Quand le soleil se retire, il ne reste que le noir cosmique. Si on éteignait les lumières de la ville, tous les espaces publics seraient noirs comme autrefois et personne n'oserait sortir dans ce noir.

Un silence inhabituel a envahi mon espace. J'avais choisi un banc dans un square pour être tranquille, mais tout me semblait bien sombre tout d'un coup et un peu trop bizarre. Je me sentais toujours observé. Par qui ?

Ses sœurs m'observaient. Elles observaient en particulier quelque chose en moi que je ne pouvais pas voir. C'était quoi ?

Mon ombre ? J'avais une ombre en moi ? J'étais possédé ?

Non. L'information m'est arrivée aussitôt : nous, les humains, nous avons chacun et chacune une ombre noire en nous. Et en confirmation de leurs propos, j'ai vu des ombres bouger autour de moi. Est-ce que c'était un phénomène d'optique ? Avec quels yeux je voyais des ombres furtives glisser autour de moi ? Je n'en avais jamais vu avant. C'est clair, j'étais dans une autre dimension.

Dans les histoires, on raconte que l'enfer c'est chaud bouillant, qu'on entend des cris partout et que c'est un aller sans retour. Mais moi j'étais vivant ! À moins que je ne sois mort sur ce banc sans m'en apercevoir. C'est pour ça que j'avais froid ? Je regardais de tous mes yeux ouverts ce noir. Je voyais du noir sur du noir. Comment c'était possible ? Et plus, je sentais bien sur ma peau que l'enfer n'était pas chaud et je voyais bien qu'il n'y avait pas de feu éternel. On était en plein été et j'étais glacé. J'étais presque en apnée de surprise. Si l'enfer existe, c'est pour les mauvais, non ? Alors pourquoi je serais en enfer ? Je suis gentil.

J'ai pensé que tout ça n'était qu'un mauvais rêve, il n'allait rien m'arriver, c'étaient juste les pensées de Mémoria qui traversaient ma tête. Des idées, ce n'est rien. J'allais m'endormir et demain j'aurai tout oublié. Peut-être même que je faisais un cauchemar… Les yeux ouverts ou les yeux fermés, j'avais toujours aussi froid et je me sentais toujours surveillé. Je ne me sentais pas en danger, mais plutôt étudié sous tous les angles, comme si on prenait mes mesures. Bizarre.

Je sentais des présences tout autour de moi. Comment j'avais fait pour arriver en enfer ? Je n'ai pas vu de porte, ni de passage secret, ni de miroirs, ni de souterrain… On ne m'a pas donné de pilule ni fait boire une potion… J'essayais de faire de l'humour, mais en attendant, je n'étais pas trop à l'aise. C'est intimidant de se sentir observer sans voir personne.

J'ai essayé de faire le point. Je me disais que j'avais peut-être été égoïste, je m'étais barré comme un lâche de chez moi, sans explications, alors maintenant je n'avais plus qu'à la fermer et à assurer. C'était bien fait pour ma gueule. Mais est-ce que ça existait l'enfer ou bien, pris de culpabilité, j'étais en train de me faire un film ? D'après ce que je voyais, j'étais toujours sur terre. J'étais toujours sur mon banc, dans mon square, sauf que les choses étaient différentes. Tout était animé, même les murs, à la manière des dessins animés. Pourtant, il ne me semblait pas être devenu fou. Étrange situation, indéfinissable. Ça pourrait paraître inquiétant, mais au final j'étais surtout surpris. Je ne sentais pas de mauvais esprits autour de moi.

Qui était derrière tout ça ? Pourquoi on me ferait quitter ma femme pour me dire après que j'avais commis une grave erreur et que j'allais être puni ? Ça serait injuste ; s'il y a un endroit où la justice doit exister, c'est bien en enfer ! Non ? Ou je me trompe ? Toutes ces fantaisies perturbaient mon rapport à la réalité. Est-ce que j'étais vraiment passé dans le monde des ombres ? Je sentais qu'un esprit fouillait dans ma tête pour en sortir des épisodes de ma vie, des épisodes qu'on préfère en général garder pour soi. Je n'aime pas déballer ma vie intime devant les autres, mais là, je ne pouvais pas fermer ma tête à clé. J'ai appris que le rôle des Furies était de procéder à la fouille des esprits.

Plus précisément, elles ouvraient mon inconscient comme si c'était une boîte noire d'avion et elles faisaient sortir tout ce qu'il y a dedans, tout ce que j'avais caché pour diverses raisons. Je n'avais ni tué ni volé ni fait du mal et pourtant, le peu que j'avais fait, me semblait manquer terriblement de cœur. Bien sûr que je regrettais de pas avoir été serviable quand j'aurai pu, mais une fois que c'est fait, ça sert à quoi d'y revenir ?

Ça s'appelle le repentir, me souffla une Furie.

Bon, d'accord... Je reconnais mes fautes... J'avais été aussi très rancunier, pour ne pas dire vindicatif. Oui, je regrettais beaucoup ce que j'avais fait. On dit que « faute avouée est à moitié pardonnée ». Bah non ! Je voyais très bien que je ne pouvais rien avouer aux intéressés pour me faire pardonner. Si j'allais dire aux personnes concernées ce que je leur avais fait par rancune, jamais elles ne me pardonneraient. Ce serait terminé entre nous et ça, je ne pouvais pas l'accepter. Je ne voyais qu'un moyen pour y remédier : me montrer meilleur envers les personnes que j'avais lésées et faire en sorte de devenir meilleur. L'enfer donne de bons sentiments. Promis, juré, je ferais de mon mieux à l'avenir !

Les Furies se sont marrées et m'ont fait arriver cette communication « l'enfer est pavé de bonnes intentions ». Ah ! ça venait de là l'histoire des intentions ! Les Furies m'avertissaient de ne pas oublier mes promesses, une fois que je serais revenu à mon quotidien.

Pour bien marquer le coup, les Furies me torturaient le cœur en me remettant le film de mes fautes en boucle. Je me sentais mal. Je ne pouvais pas crier, tout était intérieur. Je me sentais perdu, enfermé dans ma tête, bloqué par les étranges sœurs de Mémoria. Ça pour un truc infernal, il n'y a pas mieux ! Je ne peux pas dire que les Furies étaient mauvaises, elles ne me criaient pas dessus, elles ne me menaçaient pas, elles utilisaient cette chose qu'on appelle le cœur et me mettaient sous les yeux mes actions qui avaient manqué de cœur. Pourquoi ça faisait si mal ? J'étais tout seul sur mon banc comme sur le banc des accusés et j'étais le seul en jugement ; c'était un jugement privé et je n'avais pas d'avocat pour me défendre.

Dans un sursaut, je me suis demandé : « Et le bien que j'avais fait ? Ça ne comptait pas ? »

Ce n'est pas la peine. Le « bien » ne compensait pas « le mal ». Les Furies ne s'occupaient que des fautes. Face au cœur, il n'y a aucune atténuante : ni le contexte social ou familial ni une autre excuse minable comme nous autres les humains, nous savons en trouver. Il ne restait qu'un mot dans mon cœur : coupable ! Mon cœur m'accusait. Il s'était mis au diapason de l'amour infini, inhumain, inimaginable, de ces entités d'un autre univers.

Je n'avais personne à qui parler, un pote à qui confesser mon angoisse. J'aurais eu besoin d'un psychologue pour qu'il m'explique ce qui m'arrivait. Quoique... Il m'aurait envoyé chez un psychiatre qui, lui, m'aurait sédaté ou envoyé dans un hôpital psychiatrique. Le monde scientifique est en retard. Quant aux religieux, je commençais à douter sérieusement de leurs savoirs. Je ne connaissais que de vagues choses au sujet des chrétiens. Ils avaient tellement parlé d'enfer, de punitions, de « péchés » et d'interdits que j'essayais de me souvenir s'il y avait un purgatoire pour moi ou un truc de ce genre.

Tout seul de mon côté, j'essayais de retrouver les dix péchés qui donnent des maux de tête, mais je n'étais jamais allé au catéchisme, j'étais athée. Je savais que je n'avais ni tué ni volé. Ça me faisait deux commandements que j'avais respectés. Il m'en manquait huit autres. Qu'est-ce que ça pouvait être ? Il doit y avoir un truc autour du père et de la mère. J'en connais qui abandonnent leurs parents une fois qu'ils sont vieux, avec ou sans héritage. En même temps, il y a des parents qui sont difficiles à aimer. Je ne parle pas pour ma famille, ça va. J'aime mes parents, je leur téléphone souvent et eux aussi. Je leur rends visite dès que je peux.

Je continuais à méditer. Quand on se met à avoir des pensées profondes, on voit bien le fond et les limites de notre race humaine. Et là, autre « flash info », l'insight des Furies : le véritable enfer, c'est notre vie sur terre, et l'enfer, en comparaison, sans dire que c'est le paradis, faut pas exagérer, c'est peut-être son antichambre. C'est une question de lumière. Je ne sais pas. J'imagine.

Ah tiens, les Furies disent que sur terre, on pratique à notre insu la famille inclusive. À travers les liens du mariage ou du concubinage, ou d'autres contrats de vie à deux, elles mélangent les bons esprits avec des esprits à la ramasse pour les faire avancer.

Bah, ce n'est pas une réussite. Je fais remarquer que ça ne marche pas super bien l'inclusion dans les familles, ça fout le bordel. Il faudrait faire des statistiques pour voir si l'inclusion fait vraiment avancer les choses dans les familles. J'ai l'impression que ça fait baisser le niveau.

D'après elles, ça fait avancer les choses, mais elles n'ont pas la même notion du temps que nous. Dans leur monde, une heure équivaut à mille ans chez nous. Moi je pense en années, mais pas plus loin qu'une vie. C'est déjà pas mal. Après, il y a les voyants, ou plutôt les millénaristes qui voient très loin dans le temps, mais ils ont surtout le défaut de voir l'avenir tout en noir. Il vaut mieux qu'ils arrêtent de regarder trop loin.

Je connais plein de familles qui éclatent à cause d'esprits divergents dans la famille. Maintenant, je comprends mieux pourquoi. L'inclusion, c'est encore pire quand on ajoute les conjoints et les conjointes qui font même diverger les frères et sœurs qui s'entendaient bien avant ou presque bien. Il me semble que quand on fait de l'inclusion, ça nivelle les esprits par le bas. C'est la merde. Franchement, est-ce que c'est une bonne idée l'inclusion ? .

Les Furies se foutent de mes états d'âme. On ne peut pas échanger des idées ? Elles m'entraînent vers d'autres considérations. Elles veulent que je dilate ma compréhension du temps et que je note soigneusement dans un coin de ma tête ce que je perçois.

Je note : l'enfer n'est pas souterrain, il est parallèle à notre monde. Il est en surface. Dans tous les pays, sous toutes les latitudes, s'il y a des êtres vivants, il y a un monde des ombres parce que les ombres sont des esprits défunts liés aux êtres autrefois vivants. Je suis en train de réaliser qu'il n'y a pas qu'un enfer, mais plusieurs enfers, répartis sur toute la planète. Chaque lieu habité a son petit monde des ombres avec des esprits défunts réduits à l'état d'ombres. Je les vois bien les ombres. C'est un peu flippant quand même parce que personne ne parle. En même temps, c'est normal, une ombre n'a pas de corps ni d'organes, elles ne peuvent pas parler. Si Mémoria ne m'avait pas averti, je ne comprendrais pas ce qui se passe ni où je me trouve.

Alors comme ça, quand on meurt, on se transforme en ombre ?

On me répond que ce n'est pas tout à fait juste. Une partie de nous se transforme en ombre. Il reste deux autres esprits actifs. L'ombre n'est qu'une partie de nous. Les Égyptiens l'avaient identifiée et même Jung.

Ah bon ? Même Carl Gustav Jung, le psychanalyste ?

Immergé dans un monde ténébreux, je suis plongé dans une réalité qui m'avait été cachée ? Je suis toujours couché sur mon banc, j'en ai conscience et pourtant, je sens tout le froid de l'enfer et son ambiance particulière. Je cherche les mots pour la définir. Je dirais que c'est un monde silencieux qui parle par télépathie. C'est un monde qui se donne à voir, mais il a fallu que Mémoria active un de mes sens post-mortem : la vue dans le noir. Elle a donné plus de puissance à ma vue, elle m'a donné les yeux d'un chat ou d'une chouette ou d'une chauve-souris, je ne sais pas. En tout cas, je vois dans la nuit comme si j'avais des jumelles de vision nocturne. Je trouve ça super !

L'inconscient est une drôle de chose. On ne peut pas le voir au microscope, mais j'ai l'impression que c'est « la » porte que tout le monde cherche pour aller ailleurs, dans un autre univers. Ce n'est pas la peine de chercher des endroits géographiques, si ce que je vis est réel, la porte est en nous, dans notre tête.

Ce que je ressens est loin d'être scientifique. Je découvre, mais je ne sais pas ce que je découvre. En même temps, les premières découvertes ne sont pas scientifiques au départ. Il faut les analyser. Les Furies me disent que l'enfer est un lieu où on apprend des choses sur la vie. Moi j'aurais dit qu'on apprend des choses sur la mort, mais bon, j'ai peut-être mal compris. Les Furies ont continué la fouille de ma boîte noire et me montraient ce qu'elles trouvaient parce que, comme dit le dicton, « on voit bien la paille dans l'œil du voisin, mais on ne voit pas la poutre qui est dans le sien ».

Silence pesant. Qu'est-ce qu'elles avaient trouvé en moi de si terrible ?

Les Furies ont attiré mon attention sur un commandement chrétien qui concernait les femmes : « Tu ne convoiteras pas la femme de ton prochain ». Je ne comprends pas pourquoi elles s'obstinent à me parler des chrétiens puisque je suis athée.

C'est dingue qu'il y ait cet interdit dans les dix commandements suprêmes des chrétiens ! Si tous les chrétiens appliquaient ça à la lettre, la terre serait presque un paradis. J'essaie d'imaginer un monde sans adultère... Je n'y arrive pas. En plus, ce commandement est adressé aux hommes. Ça veut dire que le dieu des chrétiens savait depuis longtemps que les hommes convoitent plus les femmes, je veux dire que les femmes convoitent moins les hommes, sinon Dieu aurait ajouté à l'intention des femmes : « Et toi, femme, tu ne convoiteras pas le mari d'une autre femme. »

Il n'y a pas non plus de commandement au sujet des hommes qui convoitent d'autres hommes ou des femmes qui convoitent d'autres femmes, comme si ça n'avait jamais existé. Ça me fait bien marrer. L'homosexualité existe depuis la nuit des temps. L'hypocrisie existe depuis quand ? Pourquoi les religions veulent-elles cacher ce qui existe depuis toujours ?

Ah ! Je sais, on me souffle que c'est à cause de la procréation. Tous les dieux veulent que les femmes fassent beaucoup beaucoup de gosses pour faire la guerre aux autres dieux et devenir le dieu des dieux. Il faut que les couples restent de vrais couples sinon c'est la cata pour les dieux belliqueux, ils n'auront pas assez de fanatiques pour faire ses saintes guerres.

Heureusement, en Occident, aujourd'hui, on peut tromper qui on veut, comme on veut, sans être lapidé. J'avoue que jeter des pierres sur quelqu'un jusqu'à ce qu'il crève, c'est quand même archaïque. Je suppose qu'on a le temps de se voir mourir ! En général, c'étaient souvent les femmes qui étaient lapidées pour adultère, mais où étaient les hommes avec lesquels elles avaient fauté ? C'est quand même mieux d'avoir compris que la nature humaine est faillible. C'est vrai, quoi ! Moi je n'interdis pas aux femmes de tromper leur mari. La parité vaut pour tous... Sauf pour ma femme, bien sûr. Hum, je n'avais pas prévu de dire ça. Je constate qu'en enfer, je dis la vérité sans pouvoir m'en empêcher. Je livre le fond de ma pensée. Je suis surpris de me savoir macho à ce point.

En ce qui me concerne, puisque je dois dire la vérité, rien que la vérité, sans jurer sur la tête de ma mère, je regarde volontiers les femmes qui passent dans la rue, mais je n'insiste jamais, ce n'est pas poli de déshabiller une femme du regard. Je suis civilisé ! Bon, oui, j'ai convoité une femme qui était peut-être mariée, je ne sais pas, je ne lui ai pas demandé. Je respecte la vie privée, je ne pose aucune question quand je vois que le désir est réciproque. C'était au boulot.

Mon interrogatoire s'est fait plus subtil. Les Furies insistent. Elles veulent me faire avouer ce qu'elles savent déjà.

— Quand est-ce que je l'ai convoitée, cette femme ? demandent les Furies.

— Je ne sais plus. Ça remonte à loin.

— Est-ce que cette convoitise a été consommée ?

— Ben oui…

— Est-ce que j'étais déjà en couple ?

— Oui, j'étais déjà en couple. Oui, j'ai trompé ma femme. Bien sûr que j'aime ma femme. Je… Quoi ? Mon cœur est incohérent ? Ça n'a rien à voir avec le cœur ! J'ai trompé ma femme avec mon corps, pas avec mon cœur !

J'ai senti que je venais de perdre des points. Pourquoi ? Presque tous les hommes trompent leur femme quand ils en ont l'occasion, c'est normal, c'est notre condition d'homme. On a des hormones qui nous poussent à ça. Ce n'est pas si grave. Tant que ma femme ne sait rien, je ne fais rien de mal. D'abord, je ne fais pas ça en série ni avec n'importe qui. Je choisis. Je n'ai pas de problème d'identité comme les Don Juan à trois balles.

Silence des Furies. Je crois qu'elles me jugent.

Dans ce monde des Furies, le jugement c'est comme un examen d'état, on n'a pas le barème avant l'épreuve. Elles n'ont pas de « commandements » ou de « code d'Hammourabi ». Je pense à ça parce que je crois que les Furies ont un esprit antique. Du coup, je ne savais pas ce qui était grave et ce qui l'était moins. Combien de points on allait m'enlever pour ça ? Si j'avais su que le jugement existait, je me serais mieux préparé de mon vivant.

Les Furies insistaient dans leurs accusations. Elles m'accusaient d'être le digne fils des pères millénaires qui avaient limité les libertés des femmes pour avoir les mains baladeuses libres.

Oui d'accord, je suis dans la lignée des « infidèles », mais moi, je n'ai rien à voir avec les millénaires passés, je n'étais pas né ! On m'a répondu que j'avais des idées de vieux et je faisais partie de la même race d'abrutis…

C'est drôle, mais je ne savais pas que les Furies pouvaient dire de gros mots ! J'apprends qu'elles piochent dans mon vocabulaire ! ça ne se fait pas ! C'est du plagiat ! Elles me renvoyaient à la figure mon style, mes pensées, mes mots, tout comme les hommes avaient pillé leur culture du féminin mot à mot. Elles se faisaient le miroir de ce que j'avais en moi pour que je puisse mieux me voir tel qu'en moi-même ! Je ne connaissais pas l'effet miroir, je veux dire celui de la PNL ; ce truc avait déjà été inventé par les Furies ? C'est dingue !

Les Furies m'envoient des références directement dans ma tête. C'est pratique, c'est une espèce de « science infuse » comme disait ma prof de français. Il faut croire que ces expressions renvoient à une culture qui s'est perdue. Ça doit être à cause du christianisme qui a transformé toutes les voix intérieures en voix démoniaques.

Autrefois, Mémoria, celle qui me parle dans le creux de ma tête, n'était pas toujours bien vue. Je fais la différence entre Mémoria et les Furies. Elles n'habitent pas dans les mêmes lieux et n'ont pas la même fonction. Je fais court, la version longue est décourageante. Elle dure des années.

Mémoria rapplique et interrompt mes méditations pour me ramener aux hommes et à leur manque de gratitude.

Le féminin et la mémoire

Elle me dit qu'elle et ses sœurs ont toujours inspiré les hommes à travers les temps, mais beaucoup se sont pris pour des génies sans considérer qu'ils étaient inspirés par le féminin. Si les muses souffleuses n'étaient pas là, l'humanité n'aurait jamais vu le jour. Il ne resterait que le monde animal. Elle sait que beaucoup d'hommes aimeraient croire qu'ils descendent tout beaux et tout propres d'un dieu ou d'une autre planète plutôt que du singe. Malheureusement pour eux, il y a la science de l'évolution qui témoigne du contraire.

La fille de l'air me parle de mémoire au sens large et à longue vue. Mémoria a développé la mémoire, pas la mémoire personnelle uniquement. La mémoire collective et universelle. Et la mémoire, c'est quelque chose ! Sans elle, il paraît qu'on n'est rien. Mémoria est notre bibliothèque universelle et parle à chacun et chacune selon sa disponibilité, ses talents, sa sensibilité, ses croyances. Ainsi est né « l'éternel féminin ». Sans mémoire, point de culture ni d'humanité. La mémoire, c'est ce qui nous distingue des animaux, entre autres choses.

« L'éternel féminin » ? Je ne sais pas quoi dire.

Mémoria tient à me rassurer, le principe féminin participe au développement personnel depuis la préhistoire. Le féminin a toujours eu besoin du masculin, et vice-versa, tout comme l'univers est fait d'ombre et de lumière.

En tout cas, je ne savais pas que l'intelligence commençait par la mémoire. Je comprends pourquoi les religions et les hommes politiques s'efforcent d'effacer la mémoire des peuples qui les dérangent. Pas de mémoires, pas de cultures, pas d'unité, pas de langue… C'est disparaître de la surface de la Terre.

Est-ce que ça veut dire que les hommes ont fait disparaître Mémoria de notre culture ?

Elle me propose de revenir à moi, de laisser le monde et ses problèmes de côté pour le moment.

Elle m'assure que mes sens, qui jusqu'à présent étaient peu développés, vont devenir spéciaux, extraordinaires, parce que je suis allé dans l'au-delà et ils se sont imprégnés des sens post-mortem. Ils vont me permettre de goûter à des plaisirs inimaginables pour moi actuellement. Alors, pourquoi en parler ? Elle préfère passer à la pratique.

Moi aussi, je préfère la pratique aux blablablas.

Elle me fait remarquer que si je l'entends, c'est que je suis déjà dans la pratique. Si j'arrive déjà à comprendre les bribes d'une histoire à venir, c'est que je suis déjà dans la pratique... La pratique d'un médium.

Je suis devenu médium sans m'en rendre compte ?

Elle me révèle que le monde des ténèbres, ce monde appelé « enfer » par les religions qui en ont fait un lieu de perdition, est au contraire un lieu d'apprentissage, un lieu où l'homme et la femme sont baptisés de lumière. Ce lieu les fait renaître à la vie et leur redonne la passion de vivre. Ne traverse pas l'enfer qui veut.

Elle n'allait pas me dire que l'enfer était un lieu pour VIP, un lieu élitiste pour pharaons ? Je ne voulais pas tremper dans des combines mystiques. J'étais quelqu'un de pragmatique, de simple, j'avais grandi dans la nature, j'avais gardé les cochons, c'est dire, plus nature que moi, il n'y a que les bergers, mais les cochons, ce ne sont pas des moutons !

Mémoria décèle en moi une grande nostalgie pour le passé. Ce n'est pas bon pour accéder au changement, dit-elle. La nostalgie du passé fige l'esprit si elle est trop grande.

Elle aimerait m'amener à accepter le changement permanent. Elle me rappelle que j'ai une mentalité de vieux, et les vieux ne veulent jamais rien changer. Ils s'accrochent au passé et à tout ce qui est dépassé. Elle a vu dans mon avenir que d'ici quelque temps, je vais être désorienté par le temps des muses et je vais vouloir revenir en arrière, dans une époque qui n'existe plus. Il ne faut pas craindre le changement. Les vieux patriarches en ont peur parce qu'ils veulent tout contrôler. Tout fait peur à ces vieux esprits, surtout les imprévus. Elle me conseille de garder l'esprit ouvert, c'est le gage de la jeunesse.

Le changement permanent, dit-elle, c'est la garantie d'une créativité sans bornes.

Elle me propose de collaborer avec elle et ses sœurs dans ce sens pour faire surgir mes « mad skills », mes compétences folles, celles qui prennent vie en dehors des cadres et des codes. « Au diable les codes ! » dit-elle. Elles vont me faire accéder à mes folles et merveilleuses compétences !

Hum, comme quoi ?

Son discours m'a époustouflé. C'est nouveau ce truc des folles compétences ? Je me croyais super informé sur les dernières nouveautés, mais là, je suis troublé par le discours moderne de ma sirène antique. On est en 2012 et je n'en ai jamais entendu parler. Pourtant, je m'intéresse à tout ce qui est original même si ce n'est pas dans mon domaine.

Après m'avoir laissé sans voix, Mémoria repasse la parole à ses sœurs. J'aurais voulu appuyer sur le bouton « stop » pour me laisser absorber toutes les informations, mais il faut croire que Mémoria et ses sœurs sont sur un programme avancé ; je m'accroche pour les suivre.

D'après elles, leurs objectifs ont toujours été très ciblés depuis la préhistoire : créer une relation de qualité entre l'homme et la femme, aider l'homme à s'adapter en souplesse à l'esprit plus subtil du féminin, à sa joie de vivre, à son envie de rire et d'aimer ; permettre à l'homme d'identifier ses blocages par rapport à la femme afin qu'il entre dans une perception plus harmonieuse du monde, de son corps et de son cœur.

Ho ho ! Je suis dans un programme féministe ? D'abord, je n'ai pas de blocages et après, en ce qui concerne les histoires de corps et de cœur, ça fait 2 C, il manque le troisième C : le cul.

Silence...

Elles n'aiment pas mon humour ? C'était de l'humour ! Au fait, je me demande comment je vais faire maintenant que je n'ai plus de femme ; le sexe, ça fait partie de l'équilibre mental non ?

Ses sœurs sont d'accord pour l'humour, elles ont une foi totale au pouvoir de l'humour dans la communication.

Tout ça, l'humour et l'amour, c'est ce qu'elles ont mis en œuvre depuis l'origine de l'humanité de mille façons différentes, mais avec une grande cohérence malgré les temps qui changent sans arrêt. Elles ont toujours fait preuve d'inventivité, même si les objectifs restent les mêmes. Elles ont toujours opté pour la variation sur le thème d'un bout à l'autre de la planète, dans toutes les langues. Les mythes en témoignent : que ce soit Orphée ou Shiva ou Bouddha ou Gilgamesh ou Samson, ou le mythe égyptien d'Isis et Osiris et celui celte de la déesse Ceridwen et Gwion, c'est juste une variation du même thème énoncé plus haut : élever l'homme vers le principe féminin propice à l'épanouissement de la race humaine sur terre. Parce que l'homme qui bloque sur le féminin a un gros défaut : il bloque l'évolution de toute une société, il arrête le temps sur le masculin.

C'est pourquoi elles vont m'aider à prendre conscience de mon expérience masculine limitante et après, mon « haut potentiel » pourra s'exprimer.

Je ne pige pas. C'est quoi ce « haut potentiel » ? Et mon « expérience masculine limitante » ? Jamais entendu parler. L'expérience, ça enrichit, ça ne limite pas.

Elles définissent leur pensée : quand les expériences sont accumulées dans un horizon borné, comme celui du monde masculin et de leur virilité génitale, la perception de soi et de la réalité du féminin est bornée.

Elles m'informent de la suite de leur programme.

Elles vont me plonger dans l'imaginaire de leur « belle au bois dormant ». Son imaginaire allait me faire sortir de ma boîte à penser et si je ne suis pas trop coincé du citron, j'allais décoller. Mémoria allait transformer ma « belle au bois dormant » d'abord en « Alice au pays des Merveilles » et ensuite en « poule aux œufs d'or ».

J'en suis resté tout con. Ça me dépasse.

Le temps

Les sœurs infernales me répondent que ce qui est pour l'humain une perte, est pour elles un atout : le temps. Elles n'ont pas la même notion du temps que les humains. Le développement personnel prend du temps. Ça ne se fait pas en quelques séances thérapeutiques ou avec un coup de baguette magique. Elles n'ont pas de baguette. Elles me disent de ne pas m'inquiéter du temps, mais plutôt de ma résistance face au temps.

Une partie de moi doute. Avant, je doutais rarement. Il paraît que j'ai raison de douter de tout ce qui m'arrive dans la tête. Ça permet de ne pas faire n'importe quoi.

J'étais censé être en enfer et pleurer ma race, mais cet enfer devenait pour moi un lieu d'apprentissage, j'avoue. C'est original. Au lieu d'un enfer noir, de douleurs, de crimes et de châtiments, je me retrouvais dans un endroit d'exploitations des ressources humaines ! Est-ce que j'étais dans une perception déviante ou bien c'est notre culture qui a une perception déviante de la vie après la mort ?

Je croyais qu'il n'y avait rien après la mort… C'est ce que m'avait dit ma grand-mère. Quand j'étais petit, je lui avais posé la question et elle avait répondu qu'il n'y avait rien après la mort. Je l'ai crue. Maintenant, je constate que quelque chose existe. Est-ce que je suis victime d'une illusion ? Est-ce que la fatigue, le stress et le sommeil aidant, je divaguais ?

Les sœurs, pas si infernales que ça, m'ont demandé si j'étais prêt à me mettre à leur service en tant qu'agent spécial.

Ma tête répondait silencieusement à ma place. La télépathie, c'est dingue.

Moi, agent spécial ? C'est-à-dire ? Toujours se méfier, jamais baisser la garde. Les monts et merveilles cachent souvent un autre versant moins tape-à-l'œil.

Elles ont précisé que mon apprentissage se ferait selon des étapes, il fallait que je garde bien à l'esprit les étapes : d'abord, elles développent mes « savoirs » comme en ce moment. Ensuite, elles vont me confier des tâches simples pour entrer dans le « savoir-faire accompagné » par elles. En dernier, il faudra que je leur montre que je sais « réinvestir » ce que j'ai appris, c'est ce qu'elles appellent le « savoir-agir seul ».

Si à la fin, je sais résumer de façon positive et bienveillante ce que j'ai compris, c'est tout bon, c'est acquis. Mais si certains points ne sont pas acquis, ça allongera les temps, je devrai rempiler...

J'ai l'impression d'être à l'école.

Elles me disent que c'est normal, elles utilisent le vocabulaire qui se trouve dans la tête de leur protégée. À chaque « nymphe », sa spécialité. Si leur nymphe avait été une virtuose du violon ou des maths, j'aurais eu une tout autre méthode d'approche. Là, je bénéficie de la pédagogie des enseignants. Elles venaient de me donner un renseignement sur ma poule aux œufs d'or.

Elle était dans l'enseignement ?

Pourquoi elles l'appellent « ma poule aux œufs d'or » ?

Il paraît que leur protégée va me permettre d'avoir un trésor. Pas un trésor de pirate, volé à je ne sais qui. Un trésor légal, en d'autres mots, grâce à elle, j'allais palper un paquet de tunes. C'est pas cool de me dire ça ! Comme si j'étais vénal ! Si j'étais intéressé par le blé, je ne serais jamais parti de chez moi. On me tend une carotte pour mieux me faire avancer ? C'est ça ?

On me fait savoir que c'est un test. Ces dames veulent voir comment cette information va impacter notre relation. Il paraît que l'argent est un révélateur de notre nature profonde.

Lucifer le serviteur, l'agent spécial

Je ne peux pas rendre compte de tout. Trop de choses ont été dites cette nuit-là en condensé. C'est pourquoi il m'a fallu plusieurs années pour résumer de façon linéaire ce qui peut être dit. Rien n'a été linéaire.

En attendant, il paraît que je vais servir ces Dames en tant que « Lucifer ». Je vais être baptisé de lumière en enfer, et le grand mystère caché des « Lucifer », c'est qu'ils sont au service des Dames et qu'il est « adoubé » chevalier servant en enfer justement, le royaume des Furies.

Lucifer ? Je suis peut-être athée, mais j'ai déjà entendu parler de ce type et ce n'est pas en bien. Il y a même des rites louches à son sujet, pour lesquels je n'ai aucun penchant. Ça ne me plaît pas du tout ! Mémoria me dit que si ça me dérange, je peux me faire appeler Osiris l'Égyptien, ou Apollon le Grec ou Gwion le Celte, ou encore Jésus le Juif, c'est du pareil au même. L'essentiel était ailleurs, il était dans l'Éveil que j'allais vivre et le soleil qui allait me traverser en ne m'apportant que de bonnes choses. Lucifer n'est pas un esprit satanique, c'est tout le contraire. Les moines ont voulu en faire un esprit maléfique pour obliger les foules à se détourner du culte des déesses qui honoraient le féminin et auxquelles toujours un jeune homme était lié. Il était le porteur de leur lumière, comme son nom l'indique. Mémoria aimait bien son nom. Après mon baptême de lumière, ce serait mon nouveau nom. Chaque héros avait droit à un nouveau nom.

D'où j'étais un héros ?

Memoria ne s'émeut de rien. Elle balance des noms et des choses, bouscule mes idées et s'en contrecarre de ce qui se passe dans ma tête. Comme si c'était facile à porter le nom de Lucifer ! J'allais devenir un Lucifer ! Si ma mère savait ça, je crois qu'elle ne s'en remettrait pas ! J'apprends que Lucifer n'est pas un prénom, c'est une fonction. Il y a donc eu plusieurs « porteurs de lumière du féminin » à travers les temps, avec des noms différents. Je réfléchis. Peut-être que les Lucifers étaient des types bien, mais les gens ne le savent pas ! Je n'ai pas envie qu'ils se signent à mon passage ! Faut pas déconner quoi !

Ça bouillonne dans mon esprit. Je n'ai jamais ingurgité autant de culture en si peu de temps. Je prenais le temps de réfléchir.

Et si c'était un coup tordu de la part de cette entité qui se fait appeler Mémoria ? Après tout, je ne la connaissais pas. D'où elle vient ? Qui elle est ? Et si elle voulait me coincer dans un rôle de méchant en me faisant croire le contraire ? Ses sœurs, les Furies vivent en enfer et moi l'enfer, je ne sais pas trop ce que c'est et ce qu'on en dit. À vrai dire, je me suis toujours foutu de tous ces trucs religieux qui ne me parlaient pas. Je peux rendre compte de ce que je vis, mais pas du reste. Ce qui s'est passé avant moi, je n'en sais strictement rien. Bon d'accord, je suis un peu inculte, mais je ne suis pas si bête. J'avais peur tout à coup que Memoria me retourne le cerveau malgré son pouvoir consolant et sa magie bluffante. Je ne fonce pas tête baissée dans les emmerdes, même si on agite un chiffon rouge sous mes yeux. Je bloquais.

Étant donné que je bloquais sur Lucifer, les Furies ont activé en moi un « flash » info. Plus scientifiquement parlant, les psys appellent ça un « insight », une prise de conscience immédiate. Le problème c'est qu'un « insight », ce n'est pas facile à expliquer avec des mots. Ça fait partie de ce que je ressens sauf que le ressenti, souvent on ne peut pas le partager. Je vais essayer de trouver des mots.

D'après les Furies qui vivent dans ce monde des ombres, un Lucifer « naît » après avoir traversé le monde des ombres parce que c'est là que l'être humain se débarrasse de ses illusions sur le monde des vivants. Seulement voilà, un héros au service des Dames, un homme « ensoleillé », ça fait de l'ombre aux dieux des hommes, d'où sa mauvaise réputation et l'idée de l'enfer comme lieu de sa chute alors qu'en vrai, d'après la version des dames, le monde des ombres est un lieu de rédemption, de renaissance. Balaise, non ? Salauds de moines !

Mémoria m'arrête. Je ne dois pas critiquer à la légère les changements civilisationnels. Chaque changement a eu sa fonction, c'est de l'histoire avec ses bons et ses mauvais côtés. Mémoria n'intervient pas dans le monde des hommes. C'est à eux d'apprendre de leurs erreurs et travailler pour un monde meilleur.

Je reprends. Les Lucifers sont toujours des types bien, toujours serviables, super gentils et empathiques, le Casanova des Furies. Elles l'adorent.

Elles parlent de moi là ?

Elles me révèlent ça : Un Lucifer est un homme de paix. Problème : Souvent, pour servir les Dames, un Osiris, un Jésus ou un Lucifer détruisent une façon de penser, une mentalité pour proposer autre chose, en général une pensée plus libératrice, plus innovatrice, plus créatrice. C'est ce que Mémoria appelle la « destruction créatrice » : il faut parfois choquer les esprits pour faire avancer les mentalités vers une justice, une organisation, des idées plus équitables entre les gens, entre les hommes et les femmes. La relation homme-femme est un nœud gordien dans les civilisations. Les hommes mettent des siècles, des millénaires pour le défaire. Il paraît que Jésus aurait chamboulé les esprits, mais depuis, les esprits s'accrochent à la Bible comme si c'était Jésus lui-même qui l'avait écrite ! Il n'a rien écrit du tout.

Je médite. Je n'aime pas chatouiller les religieux, ils sont tellement susceptibles avec leurs croyances. Depuis quelque temps, on ne peut plus parler de rien sans qu'une minorité se sente offensée ! Il n'y a plus d'humour possible ni de vérité alternative. Les libertés reculent, c'est dangereux. Ça craint si je débarque avec des idées qui rebattent les savoirs ancrés depuis deux millénaires dans la tête des gens.

Les Furies sont d'accord parce que si je dis à leur protégée que j'ai été baptisé du nom de Lucifer pendant un rapide passage dans le monde des ombres, je ne la reverrai plus de ma vie, c'est sûr et certain.

Alors, je fais quoi ? Je censure ?

La bombe humaine est là dans mes mains et je ne sais pas quoi en faire. J'en suis tout ahuri. Je connais plein de gens qui ont besoin de repères dans leur vie et si on leur enlève leur petit Jésus, ils vont pas être contents du tout. Les histoires de religion, je vois bien que c'est politique et compagnie. Il y a du bon et du mauvais. Si les gens ont besoin de croire en un dieu, qu'ils croient, mais qu'ils n'obligent pas les autres à croire. On a eu notre part de terrorisme religieux au moyen-âge avec l'inquisition, on ne va pas recommencer à brûler les livres et à censurer la culture !

Putain, merde ! Je viens de comprendre un truc ! Et si j'étais en train de revivre l'histoire de la Genèse et que Memoria c'est le serpent tentateur qui parle à l'oreille de sa protégée et à la mienne ? Comment s'appelle leur protégée ? Ève ? C'est pas un signe ça ? Si ça se trouve, on me faisait jouer le rôle d'Adam le cornichon et leur protégée serait une nouvelle Ève. La religion est vraiment un bâton merdeux !

On me fait savoir que leur protégée commence à écrire un journal sous leur inspiration et que moi, je commence à entrer dans sa légende. Qu'est-ce que ça veut dire ?

J'y suis ! Leur protégée est une religieuse ? C'est ça ? C'est pour ça qu'elle a la tête farcie d'enfer et de Lucifer ! J'ai capté ! C'est pour ça qu'elle est bloquée par sa religion. Mémoria lui déverse des éléments qui s'opposent à son éducation chrétienne ! Elle bloque ! Elle n'imagine même pas le bordel qu'elle va semer : deux mille ans de christianisation qui risquent de partir en fumée. Elle est inconsciente ou quoi ? Il faut l'arrêter. Pourquoi ça tombe sur moi une nana pareille ?

Les drôles de Dames m'ont fait savoir que nous sommes en pleine déchristianisation de l'Occident et je n'ai pas à censurer le journal de leur protégée. En attendant, dans une république laïque, il faut faire rêver les gens avec autre chose que les religions. D'après elles, il faut revenir au merveilleux féminin, c'est une expression plus juste que le « merveilleux païen ».

Peut-être, mais je ne sais pas ce que c'est.

Comment ça ? s'indignent les Dames. J'étais plongé dedans depuis quelques heures !

Euh ! Pardon. Oui, c'est juste. C'est juste que j'ai du mal à réaliser. C'est encore tout neuf.

Elles m'informent qu'il existe des millions de types dans mon genre, des millions à être inspirés par elles, dans tous les domaines, pour améliorer la vie de tous, même si tous ne traversent pas le monde des ombres. De toute façon, disent-elles, les gens sont limités par leur perception. La plupart ne peuvent même pas imaginer que le féminin puisse être si inspirant. Aussi, elles me prient de suivre docilement la trame qu'elles vont tendre à mon binôme et de leur faire confiance. Je peux poser des questions auxquelles elles répondront dans la mesure de mes capacités à les comprendre.

Binôme ?

Elles me répondent qu'avec mon état d'esprit actuel, je suis prêt à entrer au paradis par l'allée des citronniers.

Qu'est-ce que ça veut dire ?

À présent, elles désirent aller droit au but. Elles me rappellent que je suis plongé dans le monde des ombres. Je dois rester focus sur ça.

Oui… Déjà, il faudrait que je sache à quoi ça correspond d'un point de vue plus pratique. Depuis quand ce monde existe ? Elles répondent depuis que la matière noire existe dans le cosmos, donc depuis toujours. D'ailleurs, parmi mes compétences en devenir, elles pourraient développer mes compétences scientifiques si la physique quantique m'intéresse. Elles pourraient m'apporter quelque lumière à ce sujet. Plus tard, quand je serai plus grand.

Sérieux ?

Alors, il paraît que j'ai une ombre en moi qui me fait de l'ombre, sans mauvais jeu de mots. Pourquoi je ne suis pas au courant ? J'aimerais une preuve que j'ai une ombre en moi. Aussitôt dit, aussitôt fait. J'ai vu mon ombre sortir de moi, de dos. Les Furies avaient besoin de l'observer de plus près. Il n'y a qu'elles qui peuvent donner des ordres aux ombres. En effet, mon ombre avait l'air de leur obéir ! Mon ombre est une entité pensante ? Elle existe de façon autonome ? Elle est… toute noire… sans visage, sans regard, c'est juste une silhouette.

J'apprends que « traverser le monde des ombres de son vivant » était autrefois un voyage initiatique courant qui s'est perdu. Autrefois, c'était une affaire de héros. L'enfer, ce n'était pas une punition, c'était plutôt un privilège. Tous les vrais héros de l'antiquité devaient traverser le monde des ombres et en ressortir vivants pour devenir immortels.

Je n'ai jamais rêvé de devenir immortel. Si j'arrive à l'être dans le souvenir de mes enfants, j'estime que je ne serai pas né en vain.

Il ne me reste plus qu'à retenir ce que je vois de ce monde, à part son côté glacial. Je sens des ombres tout autour de moi. Je suis devenu un spectacle pour elles ou bien elles se baladent la nuit ? Qu'est-ce qu'elles font ? Tout ça est hallucinant.

Les Dames me font savoir que mon ignorance est normale : la part d'ombre est inconnue de la conscience. Notre conscience la rejette parce que ce serait tragique pour elle de l'assumer ; sa face sombre lui fait peur et cette peur, elle la projette sur les autres. Mais, moi, disent-elles, j'étais prêt à me regarder en face, elles le savaient.

Il y avait autre chose que les Furies voulaient me dire. Elles voyaient de la colère en moi. Elles devaient m'en libérer pour traverser leur monde plus avant. On ne peut pas traverser ce monde-là avec de l'agressivité ou de la colère. Les autres ombres se retourneraient contre moi. Leur monde est pacifié, elles ne supportent pas les esprits colériques.

Je ne suis pas en colère.

Elles me répondent que si, elles voient de la colère en moi. J'ai réfléchi. Quand j'étais plus jeune, j'ai fait du kickboxing, mais je n'en faisais plus depuis longtemps.

On me répond que si on donne des coups de pied, c'est qu'on est en colère.

C'est quoi ce monde qui rend toutes nos pensées transparentes ?

Elles m'ont répondu que ce n'est pas le problème pour le moment. D'après elles, j'étais comme un enfant de maternelle qui veut comprendre des problèmes de grand.

D'après les Dames, je pouvais apprendre plusieurs choses en une nuit avec ma tête, mais comprendre avec son cœur, c'est autre chose. Ici, dans ce monde des ombres, la tête n'a pas le droit de parler, c'est le cœur qui dirige, un cœur intelligent. C'est le cœur qui permet d'entrer dans la pleine conscience du monde.

Le cœur ? Peut-être, mais la psychanalyse n'en parle même pas.

Pour m'en mettre plein les yeux, je vois soudain clignoter devant mes yeux fermés, pleins de petits cœurs rouges comme si c'était la fête de la Saint-Valentin. Les Furies ont des trucs qui ressemblent furieusement aux cartes animées sur internet pour souhaiter des anniversaires. Ça me laisse de nouveau sans voix. Elles savent faire ça sans ordinateur ? Sans internet ? Je suis curieux d'explorer ce monde spécial. Moi qui suis dans l'informatique, ça m'interpelle.

Les esprits en moi

Mes Dames ont un tout autre avis sur le cœur. Le cœur, disent-elles, c'est l'âme du monde, c'est la parole du féminin qui soigne et qui élève l'être humain au-dessus du bestial. L'expression latine « anima mundi » résume la philosophie du féminin : le monde des hommes est sans cœur, sans âme, et il a besoin d'une véritable âme universelle, d'un principe d'amour, d'Éros. Sans Éros, point de monde d'hommes et c'est le féminin qui a la charge de cet « Eros ».

C'est pas un peu exagéré ? Le féminin a le beau rôle et nous, on ne serait plus rien ? Je comprends pourquoi les dieux ont voulu changer les rôles…

Les Dames précisent que si le féminin porte le principe d'amour à bout de bras, c'est grâce à la maternité. C'est la maternité qui les rend plus proches du principe d'amour que les hommes.

Elles poursuivent : le féminin n'a pas besoin de temples, de rituels, de lois, de règles absurdes. La nature est son temple. La terre est son ventre et les êtres humains feraient bien de prêter attention à leur façon d'arracher les richesses de la terre sans aucune retenue et sans respect. La terre pourrait dire stop à tout moment.

En attendant, elles allaient s'occuper de mon cœur d'ici quelques minutes. D'après elles, mon ombre tire mon ego vers le bas.

Mon ego ?

Oui, elles allaient me montrer tous mes esprits. L'enfer sert aussi à ça : à séparer les esprits et chaque esprit a son rôle dans notre psychisme et un destin post-mortem bien précis.

Il paraît que l'ego c'est moi ; moi qui parle, moi qui pense, moi qui écris, moi qui devrais décider de ma vie en toute conscience, mais ce n'est pas le cas ! Pas toujours ! De temps à autre, mon ombre se mêle de ce qui ne la regarde pas. Souvent même, elle me ferait opter pour des choix qui ne me correspondent pas. Quand l'ombre intervient dans ma vie, même quelques secondes, elle me fait perdre la mémoire de ce que je suis en train de faire. Quand j'égare des objets par exemple, c'est parce que c'est mon ombre qui agit pendant que j'ai la tête ailleurs… Ou bien quand je nie avoir dit une chose ou fait une autre parce que c'est mon ombre qui était là à ma place. Je crois toujours être en possession de tous mes moyens alors que c'est faux.

D'après les Dames, moi ego, je suis trop inconscient. Des fois, je suis dans l'ombre et mon ombre se met en lumière alors que ce devrait être le contraire, c'est mon ombre qui devrait me suivre comme une ombre…

Je… Quoi ? C'est quoi, ce charabia ?

Mes Dames veulent me rassurer : pour arranger la chose, elles vont m'aider à maîtriser mon ombre. Mettre une ombre au pas a toujours été la spécialité des Furies parce que les Furies habitent le monde des ombres et les ombres leur sont soumises. Pour commencer « l'éducation » de mon ombre, plus question qu'elle se prenne pour moi ou qu'elle prenne carrément ma place. Je dois apprendre à identifier illico ses pensées qui me traversent l'esprit avant de parler. D'où la très utile expression : « Il vaut mieux tourner sept fois sa langue dans sa bouche avant de parler » pour savoir si c'est vraiment une pensée qui vient du « moi » ou de mon ombre.

D'accord et comment je fais pour savoir quand je suis moi et quand je suis habité par ma part d'ombre ? C'est bizarre de penser à son ombre comme à un esprit autonome.

Pour les Furies, j'aurai le temps d'en faire l'expérience.

À propos, comment était mon ombre ? Je m'inquiétais de savoir si j'étais bien ou mal habité.

Après analyse, les Dames m'ont dit que mon ombre était très performante, difficile à fatiguer, et que pendant mon apprentissage, elles allaient lui confier un travail de nuit. Ça devrait la calmer. Les ombres aiment vivre la nuit, c'est leur niche habituelle de vie. D'ailleurs, j'allais rencontrer mon binôme la nuit, dans un endroit fait pour les jeunes qui aiment la nuit. Les jeunes vivent souvent sur l'énergie de leur ombre sans le savoir.

J'apprends aussi que les Furies, « mes » Furies sont au nombre de trois et elles ont une reine. C'est la reine qui les guide sur terre. La reine est une femme mortelle. Les sœurs interviennent incognito sinon ce serait la panique. Deux d'entre elles vivent dans le monde des ombres, elles sont immortelles, la troisième, la reine, vit sur terre et dirige leur regard et leur action. C'est le cas de mon binôme. C'est elle leur reine. Son regard sur moi orientera les décisions de ses sœurs. Elles sont toutes les trois implacables, mais au nom de l'amour, elles peuvent devenir bienveillantes, comme pour moi en ce moment.

C'est pas rassurant pour moi. J'espère que mon binôme ne se prend pas pour une reine justicière. Je n'ai pas envie d'une folle qui serait sans arrêt en train de juger le moindre de mes gestes ou d'analyser le moindre de mes mots pour me faire un procès. Il y a des femmes comme ça, elles vous usent un homme jusqu'à la trame, jusqu'à ce qu'il abandonne sa personnalité. Il ne faudrait pas que mon binôme confonde son imaginaire avec la réalité. Ça craint.

Mémoria est revenue et m'a dit qu'à présent, il fallait que je me soumette à un mini-jugement pour que je me débarrasse de mes idées de sexe.

Je ne suis pas un obsédé sexuel !

Il paraît que si, la tête des gens en est farcie. Les sœurs infernales ont commencé la fouille. Ce n'était pas un jugement à proprement parler, mais quelque chose qui ressemble à un tribunal silencieux et invisible. Il paraît que les hommes sont vachement surpris quand ils arrivent de l'autre côté. Je comprends, personne ne les a préparés. La faute à qui ?

Alors là, ça craint vraiment ! Je ne peux pas passer le mot à mes potes, on me prendrait pour un cinglé. Tant pis pour eux, je dirai rien. Quand je pense que les terroristes islamiques croient que de l'autre côté il y a soixante-quinze vierges qui les attendent ! À mon avis, ça va être soixante-quinze furies plutôt, multipliées par deux, soit cent cinquante esprits de femmes en colère !

Les Furies voulaient purger mon inconscient de toutes les images qu'il trimbalait, ramassées dans les publicités, les films, les conversations, les blagues, les situations variées…

Je ne savais pas que tout ce que je voyais s'accumulait dans mon inconscient. Ce con d'inconscient, il stocke tout, même ce qui est inutile ! C'est impressionnant tout ce qui sortait de moi et qui ne servait à rien.

Les méthodes de fouilles approfondies des Dames sont radicales. Elles ont purgé mon inconscient en un rien de temps et elles épluchaient tout, en me montrant du doigt les aberrations du film enfermé dans ma tête qu'elles déroulaient devant mes yeux « intérieurs ». Elles ont commencé par me fouiller bien profond, à commencer par le fond du cul, vu que nous les hommes, on ne pense qu'à ça. Quelques femmes aussi, il me semble... Je ne me sentais pas pire que d'autres, mais quand j'ai vu ce qu'elles arrivaient à sortir de moi, je suis resté muet comme une carpe. J'étais super gêné. Elles voyaient tout, tout, tout ! Dans le monde des ombres, la vérité sort toute nue de notre inconscient parce que notre inconscient est un puits sans fond. Ça, c'est pour la fameuse métaphore « la vérité sort du puits », que je n'ai jamais comprise avant de me trouver dans cette situation.

Je voulais parler, mais aucun mot ne sortait de ma bouche. Les Furies ont eu la brillante idée de m'empêcher de parler pendant le jugement parce qu'elles auraient eu de ma part des tas de justifications lamentables. J'avais l'impression d'être plongé dans un film de science-fiction. Je me répétais en boucle : « Putain, merde, pourquoi ça m'arrive à moi ? Je suis trop jeune pour vivre ça ». Je me suis senti comme une bête puante et en un temps record, je me suis retrouvé nu comme un vers devant les Dames. J'en menais pas large. Maintenant, je sais quel genre de torture m'attend en enfer. Je me suis senti comme une pauvre merde. Quel genre de pourri j'étais ?

En enfer, je confirme, j'ai découvert l'esprit d'amour. Ça consume mon ego du dedans et mon ombre ne pipait pas.

L'esprit d'amour ne supporte aucun mensonge. Du coup, moi qui avais froid jusqu'à présent, je me suis senti brûler du dedans par cet amour inhumain, mon ego grésillait comme un glaçon qu'on met sur une plaque chaude et qui se transforme en gouttelettes d'eau qui glisse sur une plaque métallique avant de se transformer en vapeur. Plus merdeux, je pouvais pas.

Je m'étonnais en même temps de ce que je vivais : il y a de l'amour en enfer ? Depuis quand ? C'est quoi cette nouveauté ? Je sentais cet amour sur moi. Pourquoi, de tous les écrivains qui avaient rapporté des récits de héros en enfer, aucun ne racontait qu'en enfer on rencontre l'esprit d'amour ? Cet esprit d'amour sur mon ego était une vraie torture. Cet amour était insoutenable, j'allais en mourir si ça continuait. J'aurais aimé disparaître, mais aucun endroit où aller, où se cacher.

La macération de mon ego et de mon ombre

Les Furies m'ont dit que la phase de macération commençait. Il fallait que moi, à mon tour, moi simple ego, je prenne bien la mesure de mes pensées puantes. J'étais habité par un esprit puant. J'allais le ressentir sur moi jour après jour, jusqu'à ce que j'imprime ça dans mon cerveau. Mon ombre ne volait pas haut puisque les ombres restent sur terre, mais moi, pour le moment, ce n'était pas mieux !

Pour imprimer, j'ai imprimé ! Pendant ce rêve qui me semblait si réel, les images et idées de sexe étaient devenues une fixation et ne voulaient pas quitter ma tête. Tout me revenait en boucle pour que j'en sois dégoûté. Trop de sexe tue le sexe ! La décomposition de mes esprits a eu des effets immédiats, je me suis mis à sentir si mauvais sur mon banc que c'était une infection : une vraie putréfaction vivante ! Je n'en revenais pas ! L'odeur remontait jusqu'à mes narines. Elles ont combien de trucs magiques comme ça les Furies ? Je croyais qu'elles n'avaient pas le droit de faire de la magie dans le monde des vivants.

Après un certain temps, les Furies ont relâché la pression et je me suis senti d'un coup libéré. Je crois que mon mini-jugement s'est arrêté. Les Furies m'ont dit que j'aurais à revivre le jugement une autre fois, mais ce serait mon jugement final, après ma mort véritable. J'avais intérêt à bien me tenir d'ici là si je ne voulais pas souffrir encore plus. Désormais, elles me tenaient à l'œil.

Les Dames m'ont conseillé à l'avenir de me tenir droit, de parler correctement en remettant la négation dans mes phrases parce que les humains sont les rois de la négation, de rester soigné sur moi, de bien me brosser les dents, de me couper les ongles des pieds, de me doucher chaque jour et de bien nettoyer les neuf orifices de mon corps. Ce n'est pas parce que j'entrais en phase de décomposition qu'il fallait que je ressemble à un ermite crasseux de Jéricho avec des ongles épais et jaunis aux pieds et aux mains et des cheveux si sales que ça fait pitié. Quant à la bouche et au reste, elles préféraient ne pas savoir ce que ces ermites lavaient ou ne se lavaient pas. Les Furies ont été consternées de les voir dans cet état au nom de leur dieu !

Jéricho ? Je ne connais pas leurs références.

Elles m'ont dit qu'à partir de demain, je n'aurai plus droit au sexe, fini, « vietato », « forbiden », « verboten », jusqu'à nouvel ordre. Il ne fallait surtout pas que je touche à une femme tant que la macération n'était pas terminée. Les sales egos tripotent les femmes en croyant leur faire l'amour. Tant que mon esprit était là, dans sa puanteur de décomposition, il fallait que je me tienne à carreau. Je serais surpris de ce qu'elles peuvent faire quand elles interviennent sur terre.

C'est bon, j'avais compris. Qui aurait envie d'approcher quelqu'un avec cette puanteur dans les narines ? À la fin, les Dames m'ont demandé :

— Il est où ton cœur ?

— Ben, à sa place, dans la poitrine.

— Ça, c'est la pompe qui fait fonctionner le corps. On te parle de ton cœur de lumière.

— Je sais pas. C'est quoi ?

— On a ouvert ton canal et tu as vu la lumière entrer en toi.

— Le canal ? Je ne comprends pas.

— C'est normal, tu es en Occident. Il s'agit de ton plexus solaire.

— Bah, il fallait le dire.

— L'ouverture du canal, c'est notre cadeau réservé à ceux qui traversent le monde de ténèbres en notre compagnie. C'est lui qui donne au « cœur » sentimental sa perception fine et intelligente des choses, c'est lui qui le rend « lumineux » du dedans.

— Et ça change quoi ?

— Tout. L'âme du féminin s'est installée au fond de ton cœur. Ta vie va changer parce que tes sens vont s'ouvrir à d'autres perceptions. Ta vue et ton ouïe post-mortem ont déjà été activées, tu nous entends depuis un moment, tu vois les ombres. Maintenant, c'est au tour du toucher.

— Le toucher ? Très marrant. Comment je vais savoir que mon toucher a changé ?

— En faisant l'amour avec le féminin. Sauf qu'après, tu ne pourras plus faire l'amour avec n'importe qui. Pour tout vous dire, j'aime ma femme. Je ne veux pas tricher avec vous, mais c'est comme ça. Je ne savais pas que le féminin était un corps, je veux dire que Mémoria avait un corps.

— Mais si, tu le sais, elle emprunte le corps de sa nymphe, de sa protégée, de ta future partenaire, actuellement sa scribe.

Le diagnostic des Dames est tombé : j'avais un trouble du cœur et j'étais perdu. Ça m'a fait tout drôle de le savoir, comme une mauvaise note à l'école.

Elles ont dit qu'elles venaient d'y remédier ; mon cas n'était pas désespéré et après, je ne pourrais plus les oublier « parce qu'elles se rappelleraient à moi » tout comme elles se rappelleront à Ève si elle s'éloignait du véritable amour.

J'ai demandé ce que ça voulait dire en des mots plus simples.

Elles poursuivent : non seulement il faut que j'écoute en silence sans essayer de me justifier, mais il faut que j'arrête de boire de l'alcool, de manger de la viande momentanément, de sortir pour faire la fête et de baiser. Je dois aussi pratiquer le yoga mental qui consiste à balayer les mauvaises pensées sur les gens en les remplaçant par des pensées positives. Ça se pratique par la méditation. Je peux choisir la posture que je veux, elles n'en ont rien à cirer des postures, ni des mantras, ni des sutras, ni des prières et des bibliothèques entières écrites sur les dieux des hommes et sur leur soi-disant philosophie. J'étais libre de faire ce que je voulais, du moment que je méditais à ma manière, de tout mon cœur.

Devenir moine, même laïc, c'était pas dans mes plans.

Elles me disent que c'est le prix à payer pour devenir le héros de ma propre légende. Ces restrictions vont de pair avec le dénuement, mais ça ne durera qu'un temps, celui de mon apprentissage.

En attendant, me voilà avec des devoirs. Tout à coup, il me semble entendre ces mots :

— Alors, Jojo le blaireau, tu vas partir à la chasse au trésor pour retrouver ta belette ?

Les Furies et leur humour !

— Bienvenue dans le monde de l'initiation ! N'oublie pas, on t'a à l'œil !

— Initiation à quoi ? Je me le demande. J'ai l'esprit tout embrouillé.

— À la connerie humaine, évidemment !

Franchement, tout ça me dépasse.

La clé de l'union cosmique

Après ce mini-jugement, l'énoncé de mes interdits et de mes devoirs, Mémoria est revenue me parler. Elle m'a parlé beaucoup, mais je vais à l'essentiel. Elle m'a annoncé qu'elle m'avait réservé la voie de l'amour pour cette initiation. Ne pas demander pourquoi...

La « voie de l'amour » ne me fait pas sauter de joie. Elle sonne creux au fond de mon cœur. Mon cœur est encore à une autre. Pour me consoler, Mémoria qui peut voir l'avenir me révèle qu'avec ma compagne, mon ex-compagne, précise-t-elle, ça n'aurait pas marché avec le temps. Bien sûr, dit-elle, je ressentais de l'amour, mais j'éprouvais un amour d'ego et cet amour aurait fini par m'user le cœur. Il existe des personnes pleines de séduction, mais à la longue, ces personnes s'avèrent plus toxiques qu'il n'y paraît. On ne le découvre qu'avec le temps, quand parfois il est trop tard pour changer de partenaire. Le courage manque souvent aux hommes quand il s'agit de changer leurs habitudes.

C'est un peu glauque, non, comme vision ?

Je reste malgré moi dubitatif et peu enthousiaste envers leur protégée. Il n'y a qu'une chose qui est évidente : j'aime ma femme et ma famille et je les ai quittées. Je veux bien accomplir la mission de Mémoria, mais après, je retournerai vers les miens. Cette voie de l'amour ne me semble pas la mienne.

C'est normal, me dit Mémoria, la séparation est trop fraîche. C'est humain que je sois rempli d'émotions envers ma famille, mais je ne dois pas me noyer dans mes émotions. Je dois apprendre à les maîtriser. Elle me demande de nouveau de lui faire confiance. Tout est programmé pour moi. Elle va activer ma source de lumière pour que mes centres d'énergie s'ouvrent et que la lumière circule en moi. Tout sera alors plus simple. J'aurai un aperçu du paradis sur terre si j'accepte ma voie de l'amour.

Un aperçu du paradis sur terre ? Après l'enfer, le paradis ? C'est pas bizarre comme enchaînement ?

Elle me signale que je vais passer tout de suite à la pratique de l'amour au féminin. Je ne dois pas avoir peur, ça risquerait de bloquer le processus.

On passe à la pratique, là, dehors, alors que je suis couché sur mon banc ?

Mémoria m'aide à faire le vide dans ma tête, je plane illico avec elle dans les airs. Après quelques secondes, j'ai l'impression de ne plus avoir de corps, je suis ailleurs. C'est ultra rapide. C'est génial. Je suis bien. Ça me chatouille même dans le ventre. Soudain, mon cœur est soulevé par des baisers du ciel, on dirait qu'il va sortir de ma poitrine. Je sens une chaleur m'envahir les reins. Cette chaleur descend jusqu'à mes organes sexuels, j'ai un violent spasme de plaisir qui me parcourt tout le corps, de la tête aux pieds et des pieds à la tête. Des ondes de plaisir à répétition m'emmènent ailleurs, dans un monde inconnu. J'étais en train de faire l'amour dans un halo de lumière. Je faisais l'amour, mais avec qui ? C'était si intense et inattendu. J'ai cru que j'allais mourir de plaisir. Le plaisir allait et venait par vagues, ça durait. Je suffoquais de plaisir. Tout a disparu autour de moi, tous mes problèmes aussi, je ne savais plus où j'étais. Est-ce que mon cœur allait résister à tant de jouissance ininterrompue ? J'avais un cœur érotique ? Le plaisir me submergeait tellement que je n'avais plus à penser, je me laissais dériver dans cet océan de bien-être, d'amour qui était à la fois sexué sans être sexuel, un amour immense qui se dilatait sans limite, sans les limites imposées par le corps, un amour parfait.

Après de longues minutes qui m'ont semblé des heures, je suis revenu à moi, sur mon banc, ébouriffé par cet amour surnaturel que je venais de vivre sans le contact d'une personne et sans érection ! Cette source de lumière m'avait rechargé d'un amour inimaginable. J'avais le sentiment que le meilleur était possible sur terre, avec cet amour, on pouvait éradiquer la guerre, j'en étais sûr. Plus même, on pouvait aimer sans faire de mal. Je n'en revenais pas ! C'était la bonne expression. J'étais encore sous le coup de cette extase lumineuse. Je voulais savourer en silence tout ce bonheur que Mémoria venait de m'offrir. J'aurais pu m'envoler avec elle pour toujours dans son monde merveilleux, mais elle m'a fait atterrir de nouveau sur terre avec douceur.

La vache ! Je venais de faire l'amour avec un esprit féminin, mais quel esprit ! C'était quoi cette magie ? Les ondes de plaisir étaient encore en moi et je me sentais bien. Je ne m'étais jamais senti aussi bien. J'aurais pu aimer la terre entière. Je n'ai jamais vécu une jouissance pareille ! Je n'en avais jamais entendu parler. Pourquoi ?

J'ai ouvert les yeux, rien n'avait changé autour de moi. C'était toujours la nuit, j'étais toujours sur mon banc alors que j'avais l'impression d'avoir décollé. En fait, ma sirène m'avait présenté le paradis sexuel, pas le paradis tel que les chrétiens se l'imaginent, sur des nuages, en robe blanche, etc. ni celui des musulmans avec soixante-dix vierges. Je venais de vivre un paradis à deux et pas en groupe ! Et en plus, elle avait dit vrai, je venais d'être « baptisé » de lumière, Mémoria avait ouvert ma source de lumière, je la voyais à l'intérieur de moi, c'était comme un flux puissant qui ne faisait pas mal. Je sentais toute cette énergie. C'est trop trop incroyable ! C'est même géant et un peu gênant aussi, comme si j'avais fait quelque chose d'interdit.

Je venais de vivre quelque chose d'inouï ! Je me sentais comme un con qui n'attend rien à Noël et à qui on offre un super cadeau. J'avais envie de dire « encore » comme un enfant. Pas pour le sexe, mais pour la beauté de cette union extraordinaire. Qu'est-ce qui venait de se passer ? Quelqu'un pourrait m'expliquer ?

Mémoria répond que je venais de vivre sur ma peau, un autre savoir caché par les religions. Les Indiens de l'Inde l'appellent « Nirvana », les Occidents l'appellent « extase mystique », pour elle il s'agit « d'union cosmique », l'union originelle, l'union entre l'ombre et la lumière, entre le masculin et le féminin. Elle venait de me connecter à sa lumière et grâce à cette connexion, mon principe masculin avait pu s'unir au principe féminin. Bien que cette union ait été possible à travers le corps de sa protégée qui, pour le moment, n'était pas éveillé. Mémoria s'était substituée à ma future partenaire. Son canal était encore fermé. C'est ce qui s'appelle une « nymphe endormie » ou « une belle au bois dormant ». Cette union cosmique serait notre fontaine de jouvence.

Une fontaine de jouvence ? Qu'est-ce que c'est ?

Réponse : les gens ont cru longtemps qu'il existait une vraie fontaine dont l'eau permettait de rajeunir ou de rester toujours jeune. Certaines civilisations parlent d'une plante qui symbolise le même phénomène. D'après Mémoria, il ne faut pas confondre l'eau et la lumière. Ce sont deux sources qui parlent du féminin, mais leur fonction est différente. Aucune eau ne peut rendre immortels les êtres humains. En revanche, la source de lumière du féminin peut embellir, rendre un humain radieux. Elle ne garantit pas la jeunesse éternelle, mais elle permet de bien vieillir et de vieillir heureux. C'est le bonheur que procure l'union cosmique, qui rend radieux et serein.

La nymphe des Dames, Ève, avait besoin de moi. Sa culture chrétienne l'empêchait de comprendre l'arrivée de Mémoria dans son esprit. Dans son ignorance, prise de frayeur, elle pouvait bloquer sa source et passer à côté de son destin.

Ah bon ?

Le patriarcat a tout fait pour effrayer les femmes et les éloigner de leur source de lumière. Pour le patriarcat, pendant des millénaires, l'amour était contraire à ses intérêts. Il ne fallait pas que les femmes ordinaires et les hommes, par conséquent, sachent la vérité sur le pouvoir du féminin.

En conclusion, Ève est habitée par Mémoria, mais Ève ne le sait pas. C'était à moi d'accompagner Ève pendant son Éveil, c'était ma mission.

Je ne suis même pas mystique... Si ? Je suis devenu mystique ? Je ne veux pas devenir mystique. Je suis quelqu'un de pragmatique.

Mémoria me répond qu'il n'y a rien de plus naturel que sa lumière. Pas besoin de s'enfermer dans un monastère pour la cultiver ni d'adhérer à une secte. On peut vivre sa lumière dans le quotidien. La lumière ne fait pas de nous des saints, mais des personnes meilleures au milieu des autres. Je devais m'appliquer tous les jours à devenir meilleurs malgré les problèmes liés à la communication entre humains. Être sage au milieu des humains est très difficile. On peut plus facilement être sage en s'éloignant des villes et en devenant ermite. Rester parmi les humains est plus courageux, mais les attentes des autres sont plus grandes. Il faut faire attention à ne pas passer pour des surhommes.

Mémoria a ajouté que si tout allait bien, je pourrais vivre cette union cosmique à deux avec Ève grâce à notre voie de l'amour.

J'étais tiraillé à présent entre mon amour pour ma femme et cette mission qui devenait plus impliquante. C'était déconcertant.

Mémoria dit que nos inconscients sont déjà jumelés et que je vais ressentir exactement tout ce que mon binôme va ressentir. C'est la raison pour laquelle je peux déjà lire ce que Ève écrit dans son journal. Je ne saurai de l'avenir que ce que Mémoria voudra que je sache. Ève et moi serons comme des jumeaux. Mémoria avait opéré un jumelage d'inconscients entre nous deux depuis longtemps à distance, mais à présent, le temps était plus propice pour notre rapprochement. Parfois, il faut savoir attendre et étant donné que son temps n'était pas le nôtre, il ne fallait plus perdre de temps... parce que sa protégée... La communication s'est interrompue... Quoi, sa protégée ?

Une partie du discours a été coupée. Quand je l'ai entendue de nouveau, Mémoria parlait des mythes et des jumeaux.

Je ne connais pas trop les mythes. Je ne sais pas quoi penser de ces révélations. Elle m'a parlé d'un certain Padiaménopé égyptien, découvert dans une tombe numérotée 33. Il paraît que j'aurais été en lien avec lui par le passé. En tout cas, ça ne me parle pas. Parfois, Mémoria fait des rapprochements bizarres. L'important, c'est qu'elle ne me dise pas d'aller lui rendre visite, même s'il est possible que lui et moi, on ait partagé un de nos esprits. Je veux pas savoir lequel. Elle ajoute qu'il aurait fait une synthèse des croyances de son temps. Elle aimerait que sa scribe en fasse autant.

Ça ne me regarde pas ce qui se passe entre Mémoria et elle. Ce qui m'intéressait dans ce qui m'arrivait, c'était le côté scientifique. Comment traduire ce que je vivais de façon plus rationnelle ? J'émettrais bien une hypothèse absurde : est-ce que l'entité que j'appelais Mémoria venait d'une autre dimension ? Est-ce que Mémoria avait le secret du voyage spatial ? Est-ce qu'il faut apprendre à projeter sa pensée, son esprit, pour voyager comme elle à travers les temps ? Ça ouvrait tellement de réflexions.

J'étais prêt à me rapprocher de leur protégée coûte que coûte si elle pouvait servir de « scribe » à Mémoria. Finalement, je me sentais chaud patate pour la rencontrer. Je voulais tout savoir d'elle.

D'après Mémoria, c'est Ève qui allait m'apprendre peu à peu tout ce que je voulais savoir sur moi et sur son monde, une fois qu'elle se serait débarrassée de ses mémoires personnelles et de la culture catholique qu'elle avait assimilée depuis qu'elle était petite. Elle allait ouvrir pour moi le « livre rouge » des secrets, celui qui est caché au fin fond des religions et en l'occurrence de la bibliothèque vaticane, mais pas seulement. En attendant, Mémoria avait déjà pas mal déblayé le terrain pour moi.

C'est Ève qui allait me sauver parce que Mémoria allait déverser en elle beaucoup de mémoires millénaires dont j'allais bénéficier, dont je commençais à bénéficier. Autrefois, grâce à Mémoria, j'aurais pu devenir un dieu parmi les hommes. Heureusement, ces temps étaient révolus.

Avant de me laisser dormir pour la nuit, Mémoria m'a demandé de penser à développer une passion pour combler ma future solitude. Le monde de l'initiation au féminin demande beaucoup de solitude pour se libérer de sa culture morte et renaître à soi.

On allait m'imposer la solitude ? Je n'avais pas prévu ça non plus… J'ai réfléchi vite fait parce que tout va vite dans ce drôle de monde. Je crois que j'aimerais apprendre à peindre, pas en tant que plâtrier peintre, mais en tant qu'artiste peintre. En tant que hobby. Ma muse a répondu que ça ne l'étonnait pas. Sa protégée aussi aimait l'art. Mémoria disait que si peindre était ce qui me plaisait, elle allait m'aider à me familiariser avec cet art et qui sait, peut-être que je préférerais la peinture à la science ?

Hum ! pour le moment, je fourmillais d'idées, mais c'était trop tôt pour que je sache vers quoi m'orienter plus tard, quand je serai « grand ». Mémoria m'a rappelé qu'elle pouvait me présenter toute une série de possibles pour moi, dans ses grandes lignes. Les détails restaient l'inconnue de mon avenir et les détails, ça change souvent tout. Les détails, c'est la part de liberté qu'il reste aux êtres humains.

Évidemment, la réalisation de mon avenir restait à ma charge. Elle n'avait pas de baguette magique, mais elle pouvait faciliter les contacts entre inconscients. « Aide-toi et le Ciel t'aidera ». En ce qui me concerne, Mémoria m'a rappelé que cette initiation à leur monde allait développer en moi une créativité folle, celle même qui est à la base des « folles compétences ». Elle allait se retirer un peu pour que je puisse dormir.

Dormir ? Ça tournait à cent à l'heure dans ma tête !

Elle m'a donné sa bénédiction, en posant sa main angélique sur ma tête. Elle m'a dit que ça m'aiderait à dormir. Ce toucher a dénoué toutes mes craintes. Elle m'a souhaité bonne chance comme si je partais pour un long voyage. Ma première étape, accumuler des savoirs, venait de se terminer en partie. J'ai résumé bien sûr. Elle m'a dit que si je réussissais les autres étapes, on se retrouverait à la fin…

Dans combien de temps et sous quelle forme ? Il n'y a pas eu de réponse.

Entre deux mondes

Couché sur mon banc, sans bouger, je me suis mis à regarder les étoiles à travers les arbres. Il y en avait, mais pas autant que chez mes grands-parents qui habitent à la campagne. Le ciel de Paris était obscurci par la pollution. Les arbres ne me regardaient plus. Eux aussi avaient fermé les yeux. J'étais serein sur mon avenir. J'ai fermé les yeux moi aussi et les derniers moments de ma petite vie me sont revenus à l'esprit sans qu'ils génèrent de stress. Il n'y a pas si longtemps, le matin, je prenais mon café dans un bar en lisant le journal, avant d'aller au bureau. À l'époque, je ne me posais pas trop de questions, je fumais, je buvais raisonnablement. J'encaisse bien l'alcool. J'adore la vodka avec du citron de préférence.

Un jour, une voix s'est pointée dans ma tête comme une voix sortie de nulle part. Je ne savais même pas que ça existait ce genre de truc. Ni une ni deux, la voix me chuchote que la femme de mes rêves m'attend, que je me suis gouré de bonne femme. Il y avait méprise sur la personne.

Vous permettez, j'ai dit à cette voix, je sais encore où j'en suis. C'est moi qui décide si je me suis gouré ou pas. D'abord, je n'ai pas de « femme de mes rêves ». Je ne rêve à aucune femme puisque j'aime ma femme. Quand on rêve à une autre, c'est que déjà il y a un lézard dans la relation. Quand je suis en conflit avec quelqu'un, je suis clair avec l'autre partie. J'ai cherché une raison scientifique à ça. Je n'en voyais qu'une : il y avait une nana dans les parages qui essayait de communiquer par télépathie. Face à l'inexplicable, j'ai opté pour le plus rationnel. C'était peut-être une scientifique qui avait trouvé un nouveau moyen de communication et elle l'expérimentait. Elle attendait de voir quel idiot du village allait capter ses ondes et c'était tombé sur moi ! Elle devait se tromper de destinataire. Je ne voyais pas d'autre solution. Je suis quelqu'un de concret et il ne faut pas me raconter des conneries. Il y en a qui sont « allumés », pas moi.

Sur mon banc, j'ai repensé à ma femme. Plus je la revoyais dans mon souvenir et plus je l'aimais. Elle avait ses défauts comme nous tous, elle était bipolaire et pas facile à vivre, mais je l'aimais justement pour ça. Elle faisait bouger ma vie dans tous les sens. Elle ne tenait pas en place et avec elle, tous les jours étaient différents, surprenants. Oui, elle me surprenait et ça me plaisait. Elle se mettait parfois en danger, à cause de sa bipolarité, et je la protégeais. Je suis protecteur de nature. Partout où elle allait, je la suivais, surtout le soir, elle ne tenait pas en place : casino ? Casino. Boîte de nuit ? Boîte de nuit.

Soudain, j'ai eu une interférence dans mon film. Une vision de casinos... Le casino de Baden-Baden ? Non, je n'y suis jamais allé. Et celui de Monte-Carlo ? Non plus. Et celui de Divonne-les-Bains ? Non, je ne connais pas ces endroits. Pourquoi je voyais en vision des hommes en smoking et un parking plein de Rolls-Royce ? C'est quoi ces visions ?

Réponse de Mémoria qui veillait sur moi : C'est ma médiumnité qui s'affine grâce à l'interconnexion de nos inconscients avec ma future partenaire. Il paraît que c'est mon binôme qui est allé dans ces endroits et ses souvenirs interfèrent avec ma médiumnité.

Elle fréquente ce genre d'endroits ? Je vais en avoir beaucoup des interférences comme ça dans ma tête ? Il paraît que oui. Il paraît même que ma vie passée a déjà été impactée par l'inconscient de ma partenaire.

Pour revenir à ma femme, la seule fois où je me suis fâché, c'est quand je l'ai surprise en train de sniffer de la blanche. Tout, mais pas ça ! Pas chez moi ! Là, elle allait trop loin. Quand elle était dans sa phase euphorique, elle ne prenait plus ses médicaments. Elle se sentait invulnérable, elle m'emportait dans son tourbillon et on riait comme des fous. Elle était séduisante. Les bipolaires n'aiment pas la routine, ils préfèrent les sensations fortes. Ça ne me dérangeait pas. Je n'ai jamais été quelqu'un de routinier. Je la surveillais comme le lait sur le feu. Ses parents étaient super heureux de tomber sur un type comme moi. Ça les rassurait et ils pouvaient se reposer un peu. Jusqu'à présent, aucun homme n'avait tenu le rythme à ses côtés. J'étais le premier avec lequel elle s'était installée. Ses parents auraient décroché la lune pour que je reste toute ma vie avec elle. Et c'était bien parti.

Les femmes bipolaires ne sont pas à mettre entre toutes les mains. Il faut de l'énergie parce qu'elles épuisent tout le monde avec leur euphorie et leur dépression à répétition. C'était ma femme, je l'aimais et personne ne me l'enlèverait. Il n'était pas question que je la quitte. En plus, on venait de faire un enfant ensemble. On l'avait voulu tous les deux. J'avais mis une condition : si elle était enceinte, fini les conneries avec la fée blanche et les virées dingues partout dans Paris. Elle m'avait promis, juré, craché. On avait eu un petit garçon. J'avais un fils ! Le pied. J'avais déjà une fille. J'avais le choix du roi comme on dit. Je ne suis pas de ces pères qui se barrent en allant acheter un paquet de cigarettes. J'ai beau être jeune, je me sens plus mature que certains hommes plus âgés qui font n'importe quoi de leur paternité. L'éducation, c'est sacré. J'ai plein de choses à leur apprendre. Je devrais dire « j'avais » plein de choses à leur apprendre parce que maintenant, c'est foutu. Ma femme ne me laissera pas les revoir. Je la connais, elle va me le faire payer.

Mais voilà, de l'autre côté, il y avait eu la sirène. Elle m'a tellement harcelé ! J'avais beau l'éloigner, parler fort pour couvrir sa voix, lui donner mes arguments, elle restait dans ma tête. Quand j'étais au lit, mettre un coussin sur ma tête ne servait à rien. Monter le volume de la musique non plus. La noyer dans l'alcool ça ne fonctionnait pas plus. J'ai tout essayé, sauf la drogue, ce n'est pas mon délire. Rien. Elle revenait quand même.

Je suis très têtu. J'ai répété que j'aimais ma femme et mes enfants, que je ne les quitterais pas même pour tout l'or du monde. La voix s'est arrêtée de me parler. J'ai cru que ça avait marché. C'est bien ce qu'il me semblait, il fallait juste que je sois ferme. Mais au lieu d'une voix, je me suis retrouvé avec des mots. J'ai été attaqué par des mots dans ma tête. On me balançait des mots qui venaient frapper mon esprit à tout moment, même aux chiottes je n'étais pas tranquille. Les mots ont commencé à devenir des phrases et les phrases racontaient des bouts d'histoire. Du coup, j'ai tendu l'oreille. Erreur fatale ! La fille de l'air utilisait les mots comme des flèches. Elle était au courant qu'elle s'était trompée de cible ? Je me parlais tout seul, en silence. Est-ce qu'elle m'avait choisi par hasard ou par erreur ? J'aurais bien voulu lui dire d'arrêter, mais où trouver la fille depuis laquelle elle émettait ? Elle ne devait pas être trop loin sinon je ne l'entendrais pas. Quel traquenard !

Tout ça, c'était avant que je quitte ma femme.

Quand la fille de l'air m'a dit un soir de faire mon sac et de quitter mon foyer en emportant avec moi le strict nécessaire et c'est tout, je n'étais pas fier face à ma femme. Je me revois sur le palier, elle hurlait et moi je ne savais pas quoi lui dire pour la calmer. Je voulais la prendre dans mes bras et au lieu de ça, je la quittais. J'ai été réglo malgré la difficulté : je n'ai pas fait mon sac dans son dos pour partir en cachette. Je lui ai dit tout à trac que je partais en la regardant droit dans les yeux et elle a commencé à tourner autour de moi comme une guêpe en me traitant de tous les noms d'oiseau. Elle a déchiré mes papiers d'identité pendant que je faisais mon sac parce qu'elle croyait que je me barrais avec une autre meuf. Je me suis retrouvé sans papiers, sans famille, sans logement et par-dessus le marché sans travail. On m'avait dit de tout abandonner et de me licencier.

Il fallait être fou pour faire ce que je faisais. Je suis parti sans attendre mon salaire et sans toucher un centime sur le compte commun.

Même que sur le palier, quand ma femme a essayé de me retenir, j'allais faire machine arrière, mais quelque chose s'est interposé entre elle et moi, une espèce de force invisible qui l'a repoussée en arrière pour l'empêcher de me toucher. Elle a cru que c'était moi qui la poussais ! J'espérais ne pas être possédé. En voyant ça, j'ai pensé qu'il valait mieux que je n'entraîne pas ma famille dans ce bordel qui me travaillait de l'intérieur. On ne sait jamais. Je commençais sérieusement à douter de ma santé mentale. Je ne voulais pas leur faire du mal.

La suite, la voilà, je suis sur un banc à la belle étoile, en plein Paris, en plein été. Heureusement, on m'a épargné l'hiver. Je suppose que j'avais été dépouillé de ma vie confortable pour payer mon billet d'entrée dans ce monde des ombres. Mes grands-parents me racontaient qu'autrefois, quand quelqu'un mourait, on lui mettait une pièce d'or sur chaque œil ou bien une pièce d'or dans la bouche. Moi, ce n'est pas une pièce d'or qu'on m'a demandé, on m'a tout pris. Ça coûte cher de passer de « l'autre côté » ! ça devrait être gratuit. Je n'ai rien payé en monnaie, mais c'est un autre genre, c'est... C'est un sacrifice ! Voilà, j'y suis. On m'a demandé de sacrifier ma famille !

Mémoria m'a expliqué que le monde des ombres n'était pas payant, ni pour les vivants ni pour les morts. L'argent et l'or ne servaient à rien de l'autre côté. L'éloignement de ma famille était nécessaire pour un temps. Mon dépouillement était temporaire, pour mieux voir les choses. L'argent et le confort brouillent notre sens de l'humanité. C'est un choix à faire et les choix commencent par le matériel. Quelle part de matériel j'étais capable d'abandonner ?

Je ne voulais pas repenser à ma famille. Je préférais me concentrer sur ce que je découvrais de cet autre monde parallèle. J'aimerais plutôt qu'on parle de cette énergie noire propre aux ombres. C'est intéressant de savoir que de la matière noire peut s'animer, devenir autonome et même devenir une partie de nous. J'aimerais ne pas mourir idiot et voir ça de plus près. Je suis d'accord avec Mémoria quand elle me dit que je devrai garder pour moi tout ce qui se passe. Il y a des choses qui se vivent, mais qui ne se disent pas.

En tout cas, si on veut faire un peu d'humour, réduit à l'état d'ombre, l'être humain y gagnait sûrement en espace vital, pas de problème de logement, pas de problème de chauffage non plus, ni de pollution. Quoique, j'avais froid en plein été, mais ça, c'était parce que je n'étais pas une ombre. Le corps, c'est la vie et si j'avais froid, c'est que j'étais encore vivant. C'est vrai, il faut se poser les bonnes questions avant de se retrouver mort comme un con. Ce qui m'arrivait n'était pas banal pour moi, ça remettait en question la réalité, la matière, ce à quoi on s'accroche quand on est normal. Je n'en ai pas perdu une miette, question pédagogie, plus simple on ne pouvait pas : je n'avais pas de bouquin, pas de stylo, pas de cahiers, pas de portable, pas de vidéo, pas de dogmes, pas de trucs à apprendre par cœur, rien de rien. Les oreilles grandes ouvertes, les yeux grands fermés et le silence pour mieux entendre. Tiens, on devrait prendre exemple dans les écoles. Depuis qu'à l'école, on a donné la parole aux petits, ils parlent même quand ils doivent se taire. Il paraît que ça s'appelle « le fond sonore pédagogique ». Il se trouve toujours un inspecteur pour faire passer les conneries qui viennent de sa hiérarchie.

Dans le silence de la nuit, j'étais devenu une machine à penser. Mon esprit passait au scanner ce qui n'allait pas dans la société passée, présente et à venir.

Les associations d'idées fusaient en moi. J'étais devenu hyperactif du cerveau. Il y a plein de combinaisons qui s'offraient à ma réflexion. Je n'allais pas perdre la boule ? Est-ce que je n'allais pas finir dans une espèce de confusion mentale du passé, présent et futur ? Ça m'inquiétait. Mais Mémoria m'a fait savoir que j'entrais dans la perception du temps non linéaire. Le temps non linéaire ? Qu'est-ce que c'est ? C'est impossible, le temps va toujours vers le futur. Elle m'a renvoyé aux théories de Einstein sur l'espace-temps. Tiens, ça devenait intéressant. Elle allait me fournir des éléments scientifiques ? Enfin ! Un peu d'explications normales à ce que je vivais ! Je me suis réjoui trop tôt. Mémoria me conduit vers une réflexion, mais c'est moi qui dois remonter le fil d'une explication à portée humaine. Non, elle n'allait pas me donner d'informations scientifiques fracassantes. C'était à moi de suivre le cheminement de ma pensée selon ma propre compréhension mathématique.

Les lois de la physique n'expliquent pas tout des mystères de la vie, mais une chose est certaine : si Mémoria était là, présente, à me parler, c'est qu'elle avait franchi les lois de la physique pour venir jusqu'à moi et à sa protégée.

J'aurais aimé avoir un cahier pour noter tout ça. Mais j'ai une excellente mémoire, je prendrai des notes demain. J'irai acheter un cahier. Malgré ma situation familiale qui m'attristait, je n'ai pas pu m'empêcher de ressentir une certaine joie à l'idée que la vie était plus que ce que j'avais appris. Qu'est-ce que j'allais découvrir ? J'étais prêt à m'endormir sur cette belle perspective.

Mais les Furies sont revenues. Qu'est-ce qu'elles avaient encore à me dire ? Elles m'ont signalé que le passage dans ce monde du froid agissait comme une cellule de dégrisement et devrait me rendre plus humble face à mes anciennes certitudes. Bah, c'est sûr, mes certitudes étaient ébranlées. La terre cachait bien des surprises. Ou c'est notre esprit ? Il y avait des trappes dans notre esprit à travers lesquelles on pouvait voyager dans un autre univers ? Comme dans le film « Avatar », mais sans caisson ?

L'autre jour, dans le métro, un petit garçon d'environ cinq ans demandait à son grand frère : « Alors c'est vrai, le cerveau y peut faire comprendre des choses difficiles ? »

Son frère d'environ huit ans lui a répondu : « Le cerveau y peut faire plein de choses, y te fait même dormir. »

Le petit frère était impressionné, il n'a plus rien dit et s'est mis à réfléchir. Marrants, les gosses.

Il faudrait que je revienne à cet état de questionnement naïf. Peut-être que je me poserais les bonnes questions. Mon monde était en train de s'écrouler à mes pieds. Le monde des ombres était là devant moi en train de me narguer... Et mon cerveau, qu'est-ce qu'il faisait ? J'ai lu dans les expériences de mort imminente, les EMI, que les gens avaient un encéphalogramme plat et pourtant, à leur retour à la vie, ils disent qu'ils ont vu tout ce qui se passait autour d'eux. C'est curieux.

Ce monde des ombres se trouvait exactement sur terre, là où les gens naissent depuis des millénaires pour détruire les autres depuis des millénaires. On était maudits depuis notre naissance ? Ça fait une éternité qu'on se fait la guerre.

Les Furies m'ont conseillé d'oublier pour le moment tout ce que je savais ou je ne savais pas, tous les guerres et bruits de guerre, je devais me concentrer sur moi et ma mission. Elles n'étaient pas là pour changer le monde, c'était à nous de le faire évoluer en mieux. C'est comme ça que le monde des hommes avançait, par une prise de conscience lente et progressive. Les tragédies, ce n'était pas leur problème, c'était le problème de chaque peuple qui laissait à sa tête des seigneurs de guerre. C'était notre problème à nous autres humains.

Elles en ont de bonnes ! Comme si c'était facile de s'opposer aux élites déviantes !

Le silence est revenu comme si j'avais tout rêvé. Mais je ne rêvais pas. Dans la nuit, j'ai eu droit à un défilé d'ombres défuntes. Je crois qu'elles ont plein de qualités… Je dis ça pour me rassurer. On ne peut pas savoir qui se cache derrière une ombre si elle ne décline pas son identité. Une ombre ressemble à une autre ombre. Non, il y avait une chose qui à mon avis les distinguait : c'est le degré de froid et de malaise qu'elles peuvent faire ressentir à un humain, quand les ombres ne sont pas contentes. C'est télépathique. J'avais le droit d'être au milieu d'elles, c'est pour ça qu'elles m'observaient sans rien dire et sans me lancer des jets d'air froid comme un lama jette un crachat. C'était complètement surréaliste. J'étais en avance sur Halloween ?

Les Furies aimeraient que les gens ne craignent ni la mort ni les ombres. Elles auraient aimé une campagne d'information pour montrer à quel point les ombres sont sympas et naturelles parce que les religions n'ont fait qu'effrayer tout le monde en parlant d'enfer. Si l'enfer est pavé de bonnes intentions, les religions sont pavées de mensonges.

Des ombres sympas et naturelles ? Elles y vont un peu fort ! D'où elles voient que les ombres sont sympas et naturelles ? Elles sont noires et invisibles à l'œil normal, ne communiquent pas avec n'importe qui, vivent la nuit dans l'anonymat le plus total, au moment où les gens dorment, elles préfèrent le silence au bruit, elles apparaissent quand on va mourir, elles ne mangent pas, ne fument pas, ne boivent pas, elles ne rient pas, n'ont pas d'humour. Elles n'ont pas de corps et ne peuvent rien faire de ce que font les vivants. On n'a aucun moyen de partager des émotions. Comment elles peuvent être sympas et naturelles ?

Les Furies ne voulaient pas parler des ombres errantes, mais de « mon » ombre, celle qui habite mon corps, pas des ombres errantes qui attendent l'oubli. Elles voulaient reprendre mon éducation à partir de mes esprits et de mon ombre en particulier.

Mémoria et ses sœurs veulent que je prenne conscience de ce qui se passe en moi. Mon ombre m'habite à mon insu, elle fait remonter des choses de mon inconscient, elle censure parfois mes idées ou bien elle fait disparaître mon sens de culpabilité ou mes clés, elle protège, mais parfois elle met dans le pétrin…

Je sais pas quoi en penser. Mon ombre est une amie ou une ennemie ?

Je viens de découvrir que j'ai une ombre et apparemment, elle parle et agit de temps en temps à ma place. Ça m'a pas fait plaisir de savoir que je suis doublé des fois par un esprit que je ne connais pas. Il me faudrait un peu de temps pour imprimer en moi cette nouveauté. En y pensant bien, je n'avais pas trop à me plaindre de mon ombre. Je n'avais pas d'éléments à charge contre elle.

Elles m'ont demandé comment les rendre plus réelles et amicales ? Quelles questions nous intéresseraient, nous autres vivants, à ce sujet ?

Des questions ? J'en avais plein à leur poser si elles voulaient y répondre. À quoi pouvait bien servir une ombre si c'est une doublure dont il faut se méfier ? Ça, c'est une vraie question. J'ai attendu la réponse. J'ai posé une seule question simple et directe et elles m'ont répondu que c'est à cause des egos !

D'après les Furies, les egos ont peur de leur ombre parce qu'ils ont une image idéalisée d'eux-mêmes et le fait d'être habité par une ombre les ferait paniquer. Pourtant, elles disent que certaines personnes, en se regardant dans le miroir, voient bien leur regard noir. Plus une ombre est active, plus la personne peut voir son regard noir dans un miroir. Mais ce n'est pas une règle. Il faut se méfier des règles. Les gens sont si ignorants qu'ils prennent leur ombre pour le diable, mais ce n'est pas un diable ! C'est juste qu'elle est noire, tout ce qui est noir n'est pas méchant. Mais voilà, ce qu'un ego ne maîtrise pas le fait paniquer. L'ego a l'habitude de se penser comme le seul esprit habitant le corps. Il ne fait pas la différence entre ses deux esprits : son Moi et son ombre, ou en mots plus psy : entre ego et super ego. Pourtant, il suffirait de peu de chose pour faire de son ombre une amie.

Comment ? J'aimerais bien savoir.

Les Furies m'ont fait savoir que mon binôme avait tout de suite trouvé génial le fait qu'après la mort, les humains étaient réduits à l'état d'ombre. Plus de problème de race, de statut social, d'argent, de sexe, de vêtements, de nourriture, de conversations inutiles. Elle trouvait le monde des ombres super écologique. Ma partenaire pensait qu'un monde qui avait réussi à surmonter tous les problèmes matériels des humains ne pouvait être qu'un monde extraordinaire, dans lequel chacun devrait avoir envie d'aller après sa vie sur terre. C'est une façon d'explorer autre chose, une façon de prolonger notre vie et ça devait être super reposant de n'avoir rien à penser, rien à faire, juste oublier sa vie passée et se concentrer sur son avenir et une vie meilleure.

Ma partenaire pense vraiment ce qu'elle écrit ?

Elles m'ont conseillé de lire ce que mon binôme avait posé comme questions au sujet des ombres. Les propos de ma partenaire me sont arrivés direct. Elle avait demandé :

« Est-ce que les ombres ont des pouvoirs surnaturels ? Est-ce qu'elles peuvent traverser les murs ? Passer à travers une personne ? Passer d'un pays à l'autre ? Est-ce qu'elles peuvent voler ? Est-ce que les ombres voient notre vie passée et connaissaient notre avenir ? Est-ce qu'une ombre peut devenir une amie de compagnie ? Est-ce qu'elles sont libres d'aller et venir ? Combien de temps d'oubli faut-il à une ombre avant de revenir sur terre ? Est-ce qu'elle revient avec le même ego et la même âme dans un autre corps ? Est-ce que les ombres ont des activités en attendant ce retour et si oui, lesquelles, étant donné qu'elles n'ont pas de corps ? »

Ah ouais, je vois, on va aller loin avec ces questions. Leur protégée avait un esprit de colibri ! Beaucoup de bruits d'ailes et de sur-place. C'est joli pour les enfants, mais pour les grands, il leur faut des explications plus scientifiques. Moi la découverte des ombres m'inspire des réflexions sur la matière noire. Est-ce qu'elles pourraient m'en dire plus à ce sujet ?

Mémoria me fait savoir que Jung a travaillé sur les ombres, qu'il pensait que c'étaient des entités autonomes, il n'a pas pu le prouver, mais Jung ce n'était pas n'importe qui. Il essayait peut-être de faire un rapprochement scientifique entre les mythes et la science. C'est super important. Si les ombres relèvent de l'énergie cosmique, ça change tout. Ça fait plus sérieux que la médiumnité ou les visions qui passent pour de la magie de foire. Alors qu'une vraie découverte scientifique sur les ombres, là ça pose un homme, ou une femme bien sûr ! C'est vrai, quoi ! J'ai toujours été intéressé par l'astrophysique. Je trouve ça passionnant. Mémoria semble bien placée pour m'en parler... Ou pas ? D'ailleurs, de quelle planète elle venait ? Les ombres sont sur terre, d'accord, dans une dimension parallèle, d'accord, je les ai vues, mais elle, Mémoria ? Elle émet depuis la terre ou depuis une autre planète ? C'est une vraie question pour moi.

Mémoria s'est limitée à me révéler que les ombres sont immortelles.

Je suis déçu, Mémoria n'a pas répondu à mes questions. Je me demande si je ne pose pas trop de questions à la fois. Peut-être que je devrais essayer une question à la fois.

Il paraît que les Furies adorent la fête des Morts au Mexique parce que c'est joyeux, avec de la musique et tout et tout, que les Mexicains et Mexicaines conservent l'amour de leurs chers disparus sans se répandre en lamentations. En revanche, les Furies n'apprécient pas la façon dont les Mexicains traitent les femmes dans leur pays. Les Furies réceptionnent plein d'hommes à leur mort qui sont tout surpris de se retrouver face à elles dans le monde des ombres. Elles les accueillent, les bras croisés, façon de parler parce que les ombres n'ont pas de bras. Les Mexicains sont si christianisés qu'ils ne s'attendent pas à se retrouver sous la forme d'ombre, pour évoluer dans un monde tout noir. Enfin, une partie d'eux parce que l'autre partie, leur Moi, ne pige que dalle et ne comprend rien à rien. C'est ça le pire. Je ne vois pas encore comment tous nos esprits se séparent à notre mort, mais je n'aimerais pas être à leur place. Moi qui n'avais pas grand-chose à déclarer, j'ai trouvé que c'était dur, alors eux, s'ils ont mis les mains sur une femme ou un enfant, j'imagine même pas quand on va leur présenter l'addition.

Au final, j'avais bien fait de quitter mon domicile, j'ai épargné à ma femme de me voir dans cet état de confusion mentale. Je me suis fait une raison comme on dit, j'avais fait le bon choix en partant. Ça m'a calmé et je me suis vraiment endormi. Je n'ai même pas regardé ma montre.

Je me répétais « motus et bouche cousue, motus et bouche cousue ». Après plus rien. Je me suis endormi.

Un réveil particulier

Je me suis réveillé au petit matin, alors que Paris était encore endormi. C'était bizarre parce que j'aurais dû être fatigué ou déprimé. Au contraire, je me sentais reposé et surtout j'avais confiance en moi. J'étais même un peu euphorique. J'avais l'impression d'avoir grandi en une seule nuit. Ouais, je me sentais plus mature, j'étais devenu un bonhomme à mes yeux, forcément, vu ce que j'avais traversé et j'en étais tout content. L'autosatisfaction, ça ne peut pas faire de mal par moment. En attendant, ce que j'avais vécu en une seule nuit m'apparaissait trop cool au petit matin. J'ai souri intérieurement. J'ai souri ? Oui, j'ai souri à la vie. Tout me semblait à nouveau possible. Tout n'était pas perdu. Je me sentais de la race des vainqueurs. Qu'est-ce qui pouvait m'arriver avec Mémoria à mes côtés ?

Je me suis assis sur mon banc. Je regardais autour de moi le beau ciel bleu, les arbres redevenus innocents, ses feuilles d'un vert profond et le soleil naissant. J'avais l'impression de redécouvrir la terre. La nature était belle. J'ai pris une grande respiration comme si j'étais dans la montagne. Est-ce que je n'aurais pas dû me trouver dans un endroit isolé, près d'un ruisseau, assis en tailleur sur l'herbe, loin des villes pour méditer en mystique ? Je n'avais pas le profil d'un mystique, mais pas du tout.

Il était six heures du matin. Qu'est-ce qui allait se passer ? Par quoi commencer ? Où aller ?

Mémoria est venue me souhaiter une bonne journée et m'a demandé de suivre mon instinct.

Mon sac était toujours là, je l'avais utilisé comme oreiller. J'avais envie d'un café. Si je n'étais pas sur ce banc, j'aurais pu croire que j'avais fait un cauchemar. Il me fallait un hébergement provisoire pour quelques jours, le temps de me retourner et savoir quoi faire. C'était dimanche matin. J'ai consulté mon portable. Je ne voyais qu'une personne assez sympa pour me recueillir chez elle au pied levé : une copine célibataire. Aller chez un couple d'amis, mauvais plan. Ça crée tout de suite des tensions. Un couple est un enquêteur redoutable. Face à une batterie de questions, j'aurais été pitoyable. Et puis, un homme marié en galère, ça peut vite devenir encombrant chez un couple, question de territoire.

C'était dimanche matin, mon amie était probablement chez elle. Je suis allé boire un café dans un bar. J'ai attendu qu'il soit sept heures du matin pour l'appeler. Elle m'a répondu. Je lui ai demandé si on pouvait prendre le petit-déjeuner ensemble. Je lui ai apporté des croissants avec le peu d'argent qui me restait. Elle était surprise, mais contente. Je préférais lui expliquer ma situation en face à face.

Chapitre II
La transition

Une autre vie

Quand je suis arrivé chez ma copine, une fois la surprise passée, elle m'a écouté en silence, un peu perplexe, en regardant mon sac. Je lui ai dit que j'avais quitté ma femme pour des raisons que je ne pouvais pas lui expliquer. Je voulais savoir si elle pouvait m'héberger, le temps de me retourner. Elle a pesé le pour et le contre et m'a dit à la fin qu'elle était d'accord pour que je reste le temps de retrouver mes marques, c'est-à-dire du boulot, un salaire et un logement. Elle voulait bien m'avancer un peu d'argent en attendant. C'est toujours reposant une personne qui vous recueille sans faire la morale. Elle ne me comprenait pas pour autant : quand un mec quitte sa femme, c'est pour partir avec une autre femme et elle voyait bien que si j'étais chez elle, c'est qu'il n'y avait pas d'autre femme. Elle pensait que je venais de faire une grosse bourde. Je n'allais pas lui exposer mes pensées profondes, c'est encore plus privé que ma vie privée. Mon visage était fermé à tout commentaire. C'était généreux de sa part de me récupérer, j'ai apprécié son geste. Je suis toujours reconnaissant et je m'en souviens encore. J'ai prévu un cadeau en retour.

Je ne savais pas de quoi j'allais vivre, mais j'avais confiance en mes capacités. J'ai très vite trouvé un petit job fait pour moi en attendant de savoir où planter mes racines. Je suis devenu homme de sécurité dans les spectacles. J'assurais la sécurité des artistes. J'étais souvent sur le côté de la scène, prêt à intervenir en cas d'enthousiasme débordant des fans. On me payait après chaque spectacle, ce qui m'a permis de rembourser tout de suite mon amie. C'était déjà ça.

Un jour, on m'a appelé pour assurer la sécurité d'un artiste que je n'appréciais pas d'un point de vue musical, c'était du latino libido. Je suis allé bosser avec beaucoup d'a priori. C'était un chanteur de charme qui faisait hurler les femmes à l'amour ! J'étais sûr que ça allait me saouler d'entendre les cris aigus des femmes, des femmes excitées pour des mots chantés comme des promesses de caresses. J'aurais préféré un autre type de spectacle plus branché. Ce n'est pas ce qui manquait à Paris. Mais il faut croire que rien ne vient par hasard. C'est ce que je me dis depuis que je suis en contact avec ma sirène. Apparemment, il n'était pas question pour les Dames de m'envoyer dans des concerts de sexe, drogue and rock and roll. Elles voulaient que je m'imprègne de l'amour au féminin.

Au début du spectacle, je trouvais que c'était pire que de me faire manger de la guimauve. Toutes ces femmes en délire devant leur idole, ça me dépassait ! Et l'artiste qui caressait son micro comme si c'était son sexe ! Je ne comprenais pas l'hystérie des femmes. Quelle pitié ! Je compatissais. Ça m'aurait vexé que ma femme aille à ce genre de spectacle. C'était quoi leur problème ?

On m'a fait savoir que c'était le manque de romantisme dans le quotidien. Bah, c'est normal, le quotidien, c'est le quotidien. On ne peut pas se faire des soirées aux chandelles tous les soirs. Maintenant que j'y pense, je n'en ai jamais fait. Ça change quoi les bougies ?

Quoi ! C'est moi qui fais pitié ? Sérieux, je demande vraiment, ça change quoi ce genre de soirée dans un couple ?

Silence des Dames.

Avec le temps, de spectacle en spectacle, j'ai compris ce que les Dames voulaient me faire comprendre : seules des femmes pouvaient réagir de cette façon à des chansons d'amour parce que les femmes étaient pétries d'amour. Ça ne se voyait pas toujours à l'œil nu, mais au-dedans, elles étaient comme ça. Paroles des Dames.

Vraiment ? Je connais des tas de filles qui sont chiantes, voire plus. Et les petites femmes peut-être plus que les grandes. C'est à cause de mon grand-père qui disait qu'on met le poison dans les petites fioles. Du coup, sans m'en apercevoir, je me méfiais des petites femmes, elles mènent souvent leur monde à la baguette.

Au lieu de continuer à me moquer d'elles, les Dames ont réactivé le Lucifer qui est en moi et il a rappliqué avec sa lumière. Je sais, ça fait bizarre dit comme ça, mais c'est ce que j'ai ressenti du dedans. Mon cœur a réagi aussi sec. J'ai commencé à considérer les femmes autrement. Les femmes avaient un don, elles étaient faites pour l'amour et nous, les hommes, on en profitait. C'est vrai, c'est une copine qui m'avait accueilli, pas un ami. Est-ce que nous les hommes, nous étions à la charge des femmes ? Cette prise de conscience m'a remué. Je suis rentré chez mon amie, le cœur à l'envers, façon de parler. On m'a dit de me méfier des mots. Mémoria peut les rendre réels quand on les écrit. En fait, je venais de comprendre quelque chose avec mon cœur. Alors là, je me suis senti tout petit.

Ce jour-là, c'était un vendredi, le jour de Vénus, il était plus d'une heure du matin quand je suis rentré après mon taf. Je ne m'attendais pas à voir mon amie debout en train de m'attendre. Elle m'attendait avec un petit repas d'amoureux aux chandelles ! Aïe ! Méprise ! Voilà, c'est le genre d'humour qui amuse beaucoup mes nouvelles amies invisibles : elles me prennent au pied de la lettre. J'avais dit que ce genre de repas ne me parlait pas, alors on me le propose et pas avec la bonne personne.

Ma copine voulait tenter sa chance avec moi. J'ai souri, je me suis assis et nous avons dîné ensemble. C'était gentil de sa part, je n'allais pas la contrarier. Je l'ai remerciée pour le dîner, elle m'a souri en retour, on a discuté et au moment d'aller faire dodo, la voilà qui se glisse près de moi dans le canapé. Je jure que je n'avais rien fait pour la séduire. Je me suis dit que c'était un piège des sœurs infernales ! Elles n'avaient pas besoin de me piéger et de mettre une fille dans mon lit après m'avoir dit que je ne devais toucher personne, je n'étais pas si con que ça ! Les malignes ! D'abord, elles m'avaient chauffé à blanc avec l'amour, après elles mettaient une femme dans mon lit, comme si j'avais la tête à ça ! Ma copine a bien vu que la sauce ne prenait pas ;

elle me caressait le corps inutilement, je l'ai laissée faire pour lui montrer qu'elle n'avait rien à attendre de ma part. Elle est repartie dans sa chambre et je me suis endormi d'un trait, sans penser à rien.

J'ai cru que le problème était réglé, mais le lendemain, j'ai constaté que les femmes réagissent comme les hommes face à la frustration sexuelle. Le matin, alors que j'avais balayé de mon esprit l'incident de la veille, mon amie était super en colère contre moi et m'a dit que je la prenais pour une conne, une pomme, une poire, une quiche, je ne sais quoi d'autre, et elle m'a demandé de dégager ! J'ai accepté la situation sans discuter. Après le roi des salauds avec ma femme, je devenais le roi des profiteurs. Je me suis retrouvé à la rue ! À qui la faute ? Tout n'est pas rose quand on navigue à vue avec les esprits de femmes. Je commençais à comprendre leur histoire de « prédestination » dans les grandes lignes et l'imprévu dans les détails. Je crois que le « dégage » de ma copine faisait partie des « détails » imprévisibles.

Il fallait que je décide quoi faire de ma vie d'ici ce soir et vite. J'étais de nouveau à la rue. Quitter ou ne pas quitter Paris ? Les Dames s'étaient barrées de ma tête juste quand j'avais besoin de les entendre. J'étais seul face à mes doutes qui revenaient en force. Ma sirène préférée a rappliqué en me disant qu'il fallait que je suive mon instinct parce qu'elle ne serait pas toujours derrière moi chaque seconde. J'étais de bonne constitution, il n'y a pas à dire.

Et si je ne les écoutais plus et que je retournais chez ma femme, hein ? Aussi sec, elle m'a rappelé ce qui m'attendait, je devrais tout recommencer dans une autre vie et peut-être dans des conditions beaucoup plus compliquées.

Ah bon ! Parce qu'on peut revenir sur terre ? Je veux dire moi, en tant que Pierre ?

Bien sûr que non. Je serai un autre « moi » avec un autre prénom, un « moi » qui n'aura aucune conscience de mon autre vie précédente.

Si je comprends bien, on vit dans l'oubli permanent ! C'est normal que l'humanité rame. Les ombres doivent oublier, les « ego » doivent oublier. Et l'âme ? Elle n'oublie pas, mais elle n'a pas le droit de communiquer avec notre « moi » ! Comment savoir si tout ça, c'était vrai ? Je devais leur faire confiance. Je me suis dit que je pouvais plier leur mission vite fait, et si je m'y prenais bien, je pourrais retourner à ma vie d'avant et aussi oublier tout ça.

Quitter Paris restait pour moi une étape difficile. Tant que je restais, il me semblait que je pouvais retourner à tout moment chez ma femme et plaider ma cause. Si je quittais Paris, il me semblait que ce serait un peu plus difficile. Surtout que je n'avais pas rencontré ma future partenaire en chair et en os. Mon instinct me disait de m'appuyer sur du concret. Ce n'est pas parce qu'une voix me parle dans ma tête que je dois dire « oui » à tout. Et si je posais mes conditions ? Si je demandais à voir cette femme, qu'est-ce qu'il se passerait ? On ne donne pas d'ordre à Mémoria, c'est clair, mais je pouvais faire une requête qui ne soit pas malhonnête.

La première rencontre

Il fallait que je voie leur protégée au moins une fois pour être certain que ce que j'entendais était réel. Je ne quitterais pas Paris sans l'avoir vue. C'était ma condition, je la trouvais raisonnable. Avec l'argent que j'avais gagné, je suis allé à l'hôtel en attendant une réponse à ma demande. Ce qui est bien avec ma sirène et ses frangines, c'est que j'avais une réponse rapide en principe. C'était pratique. Le lendemain, j'ai su que la femme qui hébergeait Mémoria serait de passage à Paris en fin de semaine et que je pouvais la voir de telle heure à telle heure, tel jour, à l'église de la Madeleine. J'étais curieux de voir cette femme en vrai, celle dont je captais les mots de son journal. En toute logique, si elle était de passage à Paris, c'est qu'elle n'habitait pas Paris. C'était déjà une première information.

Je suis allé à l'Église de la Madeleine à l'heure dite. J'ai identifié la fille parce que je l'entendais penser de plus en plus clairement. C'était choquant : j'étais près de ma source émettrice et cette femme était inconsciente de ce qui se passait entre nous. Elle avait froid et avait un rendez-vous. J'ai hésité à l'aborder. J'allais lui dire quoi et comment : « Salut, vous savez, je lis votre journal intime à distance, il faudra penser à protéger vos données avec Avast. Il y a une version gratuite ». Ce n'était pas si facile que ça de lui parler.

Ma sirène avait tout prévu, c'est elle qui m'a suggéré de lui dire une énormité, de celles qui te font passer pour le plus gros minable de la place. Perso, je n'aurais jamais dit une chose pareille pour entamer la discute avec une fille. C'est normal que cette femme m'ait regardé bizarrement sans me calculer. Qui peut proposer à une inconnue « Et si on se mariait ? »

Moi !

Enfin, un « moi » qui n'est pas moi. Un « moi » docile à cette voix intérieure dont je me dissocie sur ce coup.

À propos de voix, je vous précise, mes enfants, qu'il ne faut pas écouter n'importe quelle voix intérieure. J'insiste. Une bonne voix ne fait faire de mal à personne et n'incite pas non plus à se faire du mal. C'est là que le « moi » doit garder les pieds sur terre et tout le bon sens qui va avec.

J'observais cette future partenaire ; je ne suis pas tombé amoureux au premier regard. Si c'était la femme de mes rêves, je devrais le ressentir. Je n'ai même pas d'idéal de femme en tête. Je peux aimer une brune, une blonde, une rousse, quelle importance ? Ce qui compte, c'est ce qui se passe entre une femme et là, il ne se passait rien. Pourtant, une partie de moi était attirée par cette femme. Je l'ai regardée de plus près.

Que dire de mon binôme ? Physiquement, c'est une femme agréable à regarder, sans plus. C'est une brune ordinaire, je dirais. Pas le genre sur qui on se retourne… Si ? Ça lui est arrivé ? Ah, je n'aurais pas cru ! Je ne juge pas une personne uniquement sur son physique. Le charme compte beaucoup. C'est ce qui fait qu'une personne m'attire ou pas. D'ailleurs, à mieux y voir, je crois qu'elle est un peu plus âgée que moi. À vue d'œil, je dirais qu'elle a bien sept ans de plus que moi ou dix ? Je ne sais pas trop. Ça ne me dérange pas. Il y a des filles jeunes qui font plus âgées et des filles plus âgées qui font plus jeunes. Je n'ai même pas fait attention à son style tellement ça ne collait pas entre nous. Je l'entendais penser, ça, c'était évident.

Elle non plus ne s'est pas extasiée en me voyant. Je crois même que je ne suis pas son genre d'homme. Elle trouve que je fais mauvais genre ! C'est à cause de mes cheveux noirs sur le cou et de mon blouson ? Il est beau mon blouson ! C'est de la qualité ! C'est une bourge ? Je ne fais pas étranger, je n'ai même pas d'accent quand je parle. J'ai pris des cours de conversation avec une prof à la retraite. Une fois, je lui ai demandé comment on reconnaissait le masculin du féminin en français. Elle m'a appris que les mots masculins se terminent en principe par une consonne. Je lui ai demandé un exemple et elle m'a donné comme exemple : « monsieur ». Elle ne s'est pas rendu compte du comique tout de suite. Mis à part quelques hésitations sur le genre des mots français, on ne m'a jamais fait remarquer que j'étais étranger. Même physiquement, je me fonds parfaitement dans le paysage. Les Français peuvent être rassurés, je suis intégré et pas intégriste. Je ne suis pas croyant d'ailleurs.

Mais dans la tête de la meuf, pardon, de mon binôme, ce que j'entendais à mon sujet n'était pas flatteur. C'est pratique d'être médium, je captais super bien ses pensées. Elle me trouvait beau gosse, mais avec un air sauvage, trop sûr de moi et elle n'aimait pas mon sourire de prédateur à la Elvis Presley. C'est fou les films qu'on peut se faire sur les autres sans les connaître ! Elle me prend pour qui ? Je ne suis pas un prédateur de filles ! Je suis au contraire très protecteur. C'est moi souvent qui mets en garde les filles contre les pervers. Il y a des filles, on se demande si on ne leur a pas brouillé les capteurs. Ce n'est pas ma femme qui se laisserait michetonner, pardon, qui se ferait avoir. Elle a tout de suite senti que j'étais un type sur qui elle pouvait compter. Pour commencer, je ne drague pas les filles, c'est les filles qui me draguent. Si je suis à la Madeleine, c'est à cause de ma sirène, sinon je ne l'aurais jamais abordée. Dans un autre contexte, je ne l'aurais même pas remarquée. Si elle veut juger sur les apparences, j'en ai autant à son service. On dirait qu'elle est du style à fréquenter les expos de peinture, les salles de concert classique et les films d'essai. Elle n'est pas un peu prétentieuse à me prendre de haut comme ça ?

Elle pense aussi que je suis trop jeune pour elle ! Trop jeune ? J'ai trente ans quand même, je ne suis pas un gamin ! C'est plutôt elle qui est trop vieille pour moi ! J'aimerais voir ses papiers d'identité, tiens, après on verra qui est quoi. Je n'avais rien demandé moi ! Elle est vexante à la fin. En plus, elle n'a pas aimé que je lui adresse la parole dans la rue sans qu'on soit présentés. Elle se prend pour une reine ? Franchement, je ne sais pas ce que ça va donner quand on va se parler, si on se parle un jour… J'en doute. Elle a regardé autour d'elle pour voir si quelqu'un venait à son secours. Je lui fais peur. C'est la meilleure ! Elle a peur de moi ? Je n'y crois pas ! Elle me trouve louche ! Plus je lui souris et plus elle me trouve louche ! Super ! Qu'est-ce que je dois faire pour qu'elle me trouve aimable ?

La personne qu'elle attendait est arrivée. C'était une copine. Elle l'a hélée pendant que son amie la cherchait du regard. Mon binôme lui a fait un signe de la main en l'appelant : Manon ! Elles n'étaient pas loin de moi et j'ai entendu sa copine lui répondre : « Ève ! Enfin ! Je n'arrivais plus à sortir du bureau ! ». Elles se sont fait un grand sourire, elles se sont embrassées en gloussant et je les ai vues décamper sans se retourner. Fin de la rencontre !

Elle s'appelait Ève. Je le savais, mais elle n'avait pas une tête à s'appeler Ève. J'aurais plutôt misé sur un prénom courant, transgénérationnel, anonyme comme Marie, un prénom ordinaire. Mais Ève ! Je ne m'attendais pas à ce prénom. Ça ne lui va pas du tout. Pour moi, une fille qui s'appelle Ève doit être blonde et plutôt canon. C'est la première femme des chrétiens après tout, je peux l'imaginer comme je veux moi aussi. Il n'y a pas que mon binôme qui a de l'imagination.

En rentrant à mon hôtel, j'étais rassuré sur mes facultés de médium, mais pas convaincu sur le choix de ma partenaire. J'ai eu une pensée négative. Je me suis dit que si elle avait eu peur de moi, elle allait peut-être arrêter d'écrire dans son journal intime les histoires de Mémoria et ma mission pouvait du coup s'arrêter, faute de combattant. Ce serait super non ?

Pour ma Mémoria, pas question. C'était un premier contact et ça ne voulait rien dire. En ce qui concerne sa protégée, elle m'a dit que si elle s'était montrée si réservée, c'est que son instinct avait parlé. Elle a senti que j'étais dangereux pour elle. Tout comme moi, elle allait devoir faire les comptes avec son ombre. Elle ne le savait pas, mais elle sentait obscurément que je pouvais bouleverser sa vie. Personne ne veut connaître son ombre en général parce que chacun sait, par instinct, qu'il y aura une contrepartie, des efforts à fournir.

Ça, je confirme en plein.

Pour ce qui est des sentiments entre nous, Mémoria a dit que c'était trop tôt pour que chacun de nous soit touché par l'autre. Mais, Lucifer, mon porteur de lumière, d'après elle, s'était ému et certainement mon cœur avait vibré grâce à sa présence. Si j'étais sincère, je devrais le dire, me suggère-t-elle. Si je faisais de la résistance à l'amour, je retarderais les temps. Est-ce que je savais que la couleur de Lucifer est le vert, la couleur de la nature, la couleur bienfaisante qui soigne, guérit les autres, c'est une couleur bienfaisante et généreuse, c'est la couleur de l'amour. D'ailleurs, c'est la couleur associée au signe du taureau et de la balance.

Ah bon ? C'est vrai, mon signe est le signe du Taureau, mais je ne crois pas aux signes.

Mémoria m'a répondu que je n'avais pas tort, tous les signes ne sont pas à retenir, au risque de sombrer dans la superstition. Le bon sens doit être la norme. Curieusement, me fait remarquer Mémoria, Ève est du signe de la Balance. Les signes s'amusent des humains, mais quand on est en initiation comme Ève et moi, on est dans un autre système de correspondances.

Il paraît que nous autres egos nous avons le don de ne pas écouter notre cœur quand il se manifeste. En revanche, on répondait illico à l'appel du sexe.

Merci de me le rappeler. D'après Mémoria, mon ego pouvait passer à côté du grand amour juste parce que je vibre sur une autre fréquence que celle de la lumière. C'est pour cette raison que je dois aligner mes esprits sur la bonne fréquence.

Le « grand amour » ? Est-ce que ma muse ne serait pas un peu trop fleur bleue ? L'amour, c'est déjà un mot pas facile à choper, mais « grand amour », c'est carrément pour les affiches de cinéma. Je ne suis ni romantique ni sentimental, les dates anniversaires, la Saint-Valentin, les fêtes convenues ou les dîners aux chandelles me gavent. Les bisous soir et matin aussi. Qui a inventé cette mode en France de se faire des bisous soir et matin quand on vit en couple ? On dort ensemble dans la même chambre et il faut se faire une bise avant de se tourner le dos ? Le matin, après une nuit passée ensemble, rebelote ! On se lève, on se quitte deux minutes pour se rafraîchir dans la salle de bains et il faut s'embrasser pour se dire bonjour ? Non, merci.

De quoi je parlais déjà ?

Du coup, qu'est-ce que je devais faire avec cette nana dont je lisais le journal ? Moi, ce qui m'intéressait c'était Mémoria et Mémoria n'était intéressée que par sa protégée. Mémoria m'a répondu que sans Ève, je ne l'entendrais pas. C'est à travers elle qu'elle émettait. Elle restait un élément fondamental de ma légende. Elle m'a rappelé que j'étais sur « la voie de l'amour » au sens large, mais aussi au sens habituel du terme, une voie qui engage deux êtres bien vivants. Alors, pour remettre les pendules de mon esprit à l'heure des mythes, Mémoria m'a suggéré que leur protégée, Ève, était peut-être une émanation moderne d'une femme antique. Est-ce que ça me faisait rêver la femme qui en cache une autre, qui en cache une autre, qui en cache une autre, etc. Comme une poupée russe ?

Bah, au point où j'en suis. Cette autre femme antique, elle serait antique comme qui ?

Mémoria me laissait la joie de le découvrir plus tard.

C'est frustrant de ne pas pouvoir expliquer ce qui m'arrive. Si je résume, ma partenaire d'initiation ou mon binôme Ève avait deux Furies à son service. Elle est leurs yeux sur terre parce qu'elle est mortelle et les Furies qui sont des esprits d'ailleurs, se calent sur ses ressentis. Mais Ève est aussi la scribe de Mémoria, une entité gardienne des mémoires millénaires des femmes. Et là, j'apprends qu'elle pourrait être aussi habitée par une autre femme antique ! Il y a combien de femmes chez Ève ? C'est vraiment une poupée russe, ma parole !

Mémoria conclut que je devrais commencer par la respecter et la vouvoyer la prochaine fois que je la rencontrerai.

Cette révélation m'a impressionné.

Je ne savais plus quoi dire. Ça commençait à faire beaucoup de monde. C'est vraiment intimidant. Je sais pas si je suis à la hauteur. Les Dames m'ont répondu qu'elles s'occupent de ma hauteur, moi je dois m'occuper de surveiller mes mots, mes pensées, sans oublier de rester sincère, honnête, de leur être fidèle. Elles ne veulent pas entendre de double discours dans ma tête. Je devais rester focus sur ma mission : accompagner Ève tant qu'elle n'entendrait pas distinctement la voix de Mémoria en elle.

D'accord. Revenons au fait.

Je savais que ma partenaire n'habitait pas Paris et qu'elle s'appelait Ève. Mais la France, c'est vaste, comment je saurai dans quel coin elle habite ? Je ne suis pas devin. Je n'ai pas de boule de cristal. Ma sirène a répondu que je devais suivre mon instinct. Elle était contente pour moi, la chasse au trésor pouvait commencer… À moi de bouger mes pions sur l'échiquier magique de la vie.

Bah oui, à ce stade, l'échiquier, c'est la bonne image.

Mémoria a enchaîné sur la métaphore de la partie d'échecs : elle me donnerait de l'avance, ma mémoire allait se développer et je pourrais savoir exactement quelle tactique adopter chaque fois que mon binôme avancerait vers moi. J'ai eu la vision d'un petit échiquier de voyage en plastique. C'est quoi cette image ?

Elle me répond que mon binôme, dans son enfance, avait eu la prescience de son futur et elle s'était acheté un petit jeu d'échecs de voyage en plastique. Je venais de visualiser un de ses souvenirs.

Je pouvais accéder à ses souvenirs ?

C'est Mémoria qui déciderait au cas par cas l'accès aux données de ma partenaire. Elle est revenue à sa métaphore de jeu d'échecs. Je m'y connaissais un peu. J'ai demandé combien de suites de coups je pouvais prévoir ? Selon ses estimations, ma mémoire pourrait aller vers les quarante suites en aveugle. Ce qui est pas mal, précisa-t-elle. Je serai au même niveau que le grand joueur russe Kasparov. Elle précise que mon binôme et moi, on jouera au centre de l'échiquier, je serai le fou et elle sera la reine, là où ces pions rayonnent sur le plateau. Elle m'a demandé si j'avais lu « Alice au pays des Merveilles » parce qu'il y a un chapelier fou et une reine en train de jouer aux échecs.

Non. C'est ma femme qui lisait les histoires à ma fille. Je ne suis pas très bon dans la lecture d'histoires pour enfants. Il faut mimer, c'est un peu niais… Ce n'est pas moi. Je n'aime pas faire le clown, même pour mes enfants.

Mémoria m'a signalé que « ma reine » aura l'avantage de la trame, mais moi j'aurai l'avantage « à la pendule », j'aurai plus de temps de réflexion. Parfois, il faudra que je joue « à tempo », sans délai de réflexion. Ma muse signale qu'il y aurait des ajournements dans le jeu parce qu'il va durer un certain temps. Ce sera une partie à l'aveugle puisque l'échiquier est dématérialisé.

D'accord, j'avais été apparié avec mon adversaire, tout était prêt pour que la partie commence. Comment l'approcher ? Où la trouver ?

J'ai été repris sur le champ. Je ne devais pas considérer mon binôme comme un adversaire.

Ah, mais je regrette ! C'est comme ça qu'on appelle l'autre joueur aux échecs. Si elle n'est pas mon adversaire, elle est quoi ?

Elle me répond : « mon alter ego » ! L'autre « moi », l'autre ego qui me fera face et qui me correspond.

Si j'ai bien compris, mes attaques devront être soigneusement mesurées et non agressives. J'ai du mal à comprendre pourquoi le jeu devrait me conduire à être « acide » envers sa protégée. Les Furies en rajoutent une couche et me conseillent de ne pas trop « jouer au citron ».

Dans mon modeste hôtel, j'attendais le feu vert pour bouger de Paris. Ça n'a pas duré longtemps. J'ai quitté Paris rapidement, dans un état d'esprit mitigé, excité, mais aussi super intrigué par cette femme, Ève, qui ne se doutait de rien.

L'attente active

J'ai su que Ève, mon « alter-ego », allait entrer en contact avec un pote qui habitait dans l'Ain. J'ai téléphoné à Pavel. C'était un ami d'enfance, on avait grandi dans le même bled. Plus frérot que lui, je ne pouvais pas trouver.

Au téléphone, je lui ai raconté en trois mots que j'avais laissé ma femme et qu'il fallait que je trouve une planque tranquille pour me reprendre et du boulot. Il n'en revenait pas. Il voulait que je lui raconte tout dans le détail, tu parles ! Je n'allais rien lui raconter à lui non plus. La bonne nouvelle, c'est qu'il avait un pied-à-terre à me louer dans sa maison, au rez-de-chaussée. Il venait juste de le terminer. Il n'avait pas eu le temps de débarrasser la pièce qui devait me servir de chambre, mais il allait s'en occuper. Question travail, il y avait pas mal de boulot dans le coin.

Comme je m'y attendais, quand il est venu me chercher à la gare, il a secoué sa tête en me voyant et m'a gentiment engueulé. Comment j'avais pu abandonner mes gosses ? J'ai dû accepter ses reproches. Je lui ai avoué que je cherchais une fille. Il a encore plus hoché la tête en signe de réprobation. Je l'ai laissé croire que j'étais décidément un gros connard doublé d'un irresponsable. Je fais une cure d'humilité : j'encaisse sans rien dire.

Le soir même, autour d'un repas, il m'a annoncé que je pouvais travailler dès la semaine prochaine si j'acceptais un boulot physique au lieu d'un boulot informatique. Physique comme quoi ? Physique comme un travail en plein air dans une scierie... Je pouvais me présenter à l'agence pour l'emploi dès le lendemain, il y avait plusieurs scieries dans le coin. C'est ce que j'ai fait. J'ai tout de suite eu un rendez-vous et je me suis présenté. Le patron m'a fait parler, il a vu que je n'étais pas trop mou de la cervelle. Il a jaugé mon gabarit, je lui ai plu tout de suite. Il m'a fait visiter les lieux vite fait. Travailler à l'air, c'était par tous les temps : neige, pluie, grêle et soleil intenses. Je suis passé tout de suite au secrétariat pour faire les papiers. Tout était en règle de mon côté. J'avais mon numéro de sécurité sociale et mon permis de séjour. C'étaient les deux documents que ma femme n'avait pas eu le temps de déchirer. J'avais eu de la chance. Par contre, il fallait que j'aille dès que possible au consulat de mon pays pour refaire mon passeport.

Pris par mon installation, les jours ont défilé sans que je m'en rende compte. J'ai été embauché de nuit pour faire les trois/huit. Une semaine sur trois, je travaillais de vingt-deux heures à six heures du matin, la semaine suivante de six heures du matin à quatorze heures et la troisième semaine de quatorze heures à vingt-deux heures. Salaire : le SMIC ! C'est abusé, non ? Quand on travaille comme ça, on devrait être payé plus. On se moque du monde. Il me fallait une voiture en plus. Pavel m'a avancé l'argent pour que j'achète une voiture d'occasion. L'idéal aurait été que j'habite près de la scierie pour éviter les frais d'essence, mais selon les infos en ma possession, ma partenaire habitait trop loin de là. Ce serait compliqué pour se voir.

Au travail, j'ai fait la connaissance d'autres gars du même âge. J'ai pris contact avec le rude milieu des ouvriers. Il y avait un type casse-pieds, chaque entreprise a le sien et lui, il avait décidé, rien qu'en me voyant, qu'il devait me chier dans les bottes parce qu'il avait vingt ans de boîte et que pour lui j'étais un blaireau. S'il y a une chose que je n'aime pas, c'est quand on me cherche et que je n'ai rien fait pour. Une fois qu'il a compris comment je fonctionnais et que je ne me laisserais pas faire, c'est « passé crème » comme ils disent dans la boîte. C'est clair, mon boulot n'avait rien à voir avec mon bureau à Paris. Là-bas, non seulement j'avais un bureau à moi, mais j'avais une secrétaire à mon service. Après quelques semaines, mes mains étaient en train de devenir un peu calleuses. J'espérais que l'hiver ne serait pas trop rude.

Encore des savoirs

Après m'être installé, je me suis familiarisé avec mes nouvelles compétences de médium. Ça, c'est une folle compétence ! Non seulement j'étais connecté à l'inconscient de ma partenaire et à ses pensées, mais je pouvais entendre les gens autour de moi. Mieux, je pouvais visualiser leurs pensées secrètes, celles qu'on appelle les « arrière-pensées ». Ce n'est pas toujours joli-joli. Ça ferait flipper plus d'une personne de le savoir. Là encore, je ne sais pas comment ça fonctionne. Je n'ai rien fait pour avoir cette compétence, aucun exercice, rien de rien, je le prends comme un cadeau des Dames.

En attendant, j'avais pratiquement un an pour bien me préparer à « la » rencontre, celle qui devrait me permettre de créer des liens avec Ève.

Pour qui serait le choc ? Chaque jour, je pouvais lire des passages de ce qu'elle écrirait dans le futur. Ma sirène m'avait donné une sacrée avance sur elle. Ce n'est pas une autre folle compétence, celle de pouvoir lire ce qui n'est pas encore écrit ? Je ne savais toujours pas ce que sa protégée faisait dans la vie. Je ne sais pas pourquoi on me cachait plusieurs informations sur elle.

C'est mon pote Pavel qui allait la connaître avant moi. En plus de son taf, il se faisait un peu de tune en étant videur dans une boîte de nuit. Je lui avais dit que je cherchais une fille, sans trop lui donner de détails. Il était intrigué et il a voulu en savoir plus sur elle. Je lui ai répondu qu'elle était spéciale pour moi. Pour être spéciale, elle était spéciale : Elle se baladait avec des esprits parleurs. Au moyen-âge, on l'aurait brûlée en tant que sorcière. Heureusement que les temps ont changé et que la religion ne fait plus la pluie et le beau temps en France. Pouvoir rencontrer Mémoria, même si c'est dans le corps d'une femme ordinaire, l'entendre enfin à travers Ève, je ne voyais pas l'heure.

J'y pensais tellement que l'émotion commençait à monter. Et si je n'étais pas à la hauteur ? J'ai réalisé que si je m'y prenais mal, Ève pourrait disparaître avec tous ses esprits. Comment je ferais pour avoir le fin mot de l'histoire si Mémoria disparaissait avec elle ? Elle emporterait mon destin avec elle. J'aurais fait tout ce chemin pour rien ? J'ai commencé à imaginer le pire.

Pour que je puisse voir Ève en toute discrétion, je ne pouvais pas rester chez mon pote même si j'étais bien logé. Si tout se passait comme prévu, je devrais inviter cette femme chez moi et je ne voulais pas de témoins entre nous. Je n'avais rien à cacher, c'était pour protéger notre intimité. Pavel aurait rappliqué à tout moment, rien que pour le plaisir de boire un coup entre nous et ça, ce n'était pas possible.

J'ai cherché un autre logement plus adapté à mes besoins. Il a trouvé que ce n'était pas une bonne idée, j'allais avoir des frais alors que j'avais des pensions alimentaires à payer. Ouais, j'en avais bien conscience. Je comptais sur les promesses de Mémoria. Pavel ne comprenait pas et désapprouvait ma décision. Normal.

C'est comme ça que je me suis retrouvé dans une autre vie. C'était bizarre quand même. J'avais l'impression que ce n'était pas moi, que je vivais la vie d'un autre, le temps d'un film. C'est comme si on m'avait passé la bande-annonce, et j'attendais fébrilement le début de la séance en espérant que le film soit aussi bien que le trailer. Parfois, il arrive que tout soit dans la publicité et qu'il n'y ait plus aucune surprise pendant la projection. J'espérais ne pas être déçu.

Avant de revoir mon « Ève », des mois ont passé. J'avais cumulé plein d'infos cette fois. Je prenais un paquet de notes pour bien me rappeler les étapes. Ça me prenait beaucoup de temps. Je m'asseyais au calme et je glissais vers cet ailleurs incroyable où les mots m'arrivaient comme dans un rêve. J'entrais dans une espèce de grand rêve et je retrouvais Mémoria. À chaque fois, son savoir m'embarquait loin et quand je revenais, j'avais ajouté de nouvelles briques à mon nouveau savoir. Mémoria m'a fait remarquer qu'Ève était devenue ma muse. Ève était sa scribe, mais c'est grâce à Ève que je pouvais lire ce que Mémoria voulait que je sache.

Ah bon ? Je n'y avais pas pensé ! Ève était ma muse ! Il n'y a pas une expression française qui dit qu'on peut « taquiner la muse » ?

Le week-end, j'avais pris l'habitude de boire une bière avec un pote de la boîte, David, dans un endroit marrant, un bar country à la française, « le P'tit ranch », qui collait bien à la campagne du coin. David m'a présenté à d'autres types cool avec qui j'ai commencé à traîner le samedi soir. Il y avait Pavel, bien sûr. Ça me reposait de la semaine passée à trimer. J'étais lessivé. Les 3x8, ce n'est pas une sinécure. J'étais sans arrêt en décalage avec mon rythme biologique. Ça peut rendre nerveux ou agressif. Mon corps avait du mal à s'habituer aux 3x8. Elles avaient raison les Furies, je n'avais qu'une envie, c'est dormir le plus possible. Avant, je me moquais des gens qui allaient dormir tôt, maintenant j'en étais réduit à dormir l'après-midi pour récupérer. Dès que j'arrivais chez moi à sept heures du matin, le temps de me doucher, je retournais au lit et je me réveillais déjà crevé. Je travaillais le samedi pour avoir un peu plus de fric. Heureusement, il y avait la pause du dimanche. Le dimanche matin, il m'arrivait de me réveiller en sursaut avec la peur d'avoir zappé l'heure du boulot. Après, j'avalais un café et je partais faire du footing dans les bois. Ça me libérait le corps et l'esprit.

Comme je n'avais plus entendu les Furies, j'ai cru que je faisais cavalier seul désormais. J'étais dans l'étape « agir seul » peut-être. Je continuais à lire mes futures aventures en me demandant si je devais vraiment interpréter tous les rôles que me tendait le journal de ma partenaire. Ça me semblait un peu fou.

J'étais sur le point d'appeler mon ex pour prendre des nouvelles des enfants. Elle devait être calmée maintenant. J'envoyais ma pension alimentaire, je faisais tout ce qu'il fallait pour eux. Je ne gagnais pas des milles et des cent pour les gâter ou pour aller tous les week-ends à Paris, mais dès que je le pourrais, je m'arrangerais pour les voir plus souvent. Mon ex ne répondait plus au téléphone. J'ai préféré demander à mon avocat de la contacter pour que je puisse rendre visite à mes enfants et dans quelles conditions. Pour le reste, j'essayais de faire comme si tout était normal dans ma vie.

J'ai commencé aussi à peindre. J'ai eu envie de peindre ma muse à moi. Mon pote Pavel était content. Il adorait venir me voir. On buvait une bière ou un café ensemble et on refaisait le monde. On avait l'impression tous les deux d'être à nouveau célibataires. Quand on se retrouvait, sans sa femme et ses gosses, il redevenait tel que je l'avais laissé quand il était parti pour l'Ain et que j'avais choisi Paris. On s'entendait bien.

Entretemps, j'ai eu des nouvelles de mon ex par mon avocat. Elle ne décolérait pas, elle m'avait retiré le droit de visite. À juste titre. Je ne critique pas. Tous les torts étaient de mon côté. Je me disais que le mieux à faire était que j'aille à Paris pour lui parler en face à face. Mais les Dames sont revenues me visiter. Elles m'ont rappelé que j'avais fait un deal avec elles : je m'occupais d'abord de leur protégée et après j'étais libre de refaire ma vie comme je le voulais, si je ne voulais pas de la « femme de mes rêves ».

C'est juste. J'avais accepté le pacte et ce n'était pas un pacte avec le diable. Les dames infernales n'étaient pas des diablesses, elles étaient même gentilles avec moi. Elles m'ont dit que j'étais vraiment un type bien, merci, je prends, mais elles voulaient que je reste concentré sur mon binôme et que je ne monte pas des plans pour revoir ma femme. Elles étaient venues vérifier mon état d'esprit. Ça tombait bien parce que j'avais une question à leur poser. Comment se fait-il qu'avec les millions de gars qu'elles éveillaient à leurs « folles compétences » depuis des milliers d'années, le paradis ne fût pas sur terre ? Il y avait un problème de méthode ?

Les Dames m'ont répondu que beaucoup de types comme moi avaient du mal à comprendre ce qui leur arrivait quand elles débarquaient dans leur vie, et foiraient la rencontre. Tous les hommes contactés n'écoutent pas, même s'ils entendent une voix de femme leur parler. Ils passent leur chemin. Parmi ceux qui écoutent, certains se découragent en route et d'autres se détournent de la femme de leurs rêves à la fin, quand la magie retourne là d'où elle vient. Il y a tous les cas de figure.

C'est pourquoi les Dames comptaient sur ma patience pour laisser mon binôme mettre leurs mémoires à plat et trouver une nouvelle voie, une nouvelle légende qui plairait au plus grand nombre. Une légende pour adultes sans dragon, sans princesse, sans épée magique, sans monstre, rien que la vérité toute nue, sans mystère et sans fumisterie. Pour le moment, leur protégée était une Belle au bois dormant et c'était à moi de la réveiller doucement. À la fin, si tout allait bien, elle sèmera dans sa légende des petits repères pour que d'autres comme nous deux puissent retrouver le chemin du féminin. Elle deviendra une espèce de fée à son tour et pourra aider les personnes qui traverseront sa route.

Une Belle au Bois dormant qui devient une fée ? J'espère que ça va marcher. Ça me semble un peu compliqué leur histoire. Les Dames insistaient pour que j'interprète tous les rôles qui se présenteraient, mieux, que je les vive non pas en acteur, mais que je devienne celui que ma partenaire allait s'imaginer, même les personnages les plus dingues. Quand mon binôme sera débarrassé de ses mémoires personnelles passées, quand elle se sera libérée de sa fausse culture, alors viendront les pépites de la mémoire universelle.

Quelles pépites ?

Des infos qui valent leur pesant d'or pour quelqu'un comme moi.

Les pépites de savoirs

Et… Je pourrai les lire ou pas ?

Bien sûr. Médium un jour, médium toujours. Elles m'ont rappelé qu'elles en avaient déjà partagé plus d'une avec moi depuis la fameuse nuit sur le banc.

Lesquelles ?

La découverte pour moi d'un « enfer doux » avec mon baptême de lumière au service des Dames, est-ce que ce n'était pas une pépite ? Un enfer bon et généreux, un enfer lumineux, un enfer d'amour, qui transforme les hommes en Lucifer de lumière ? Un enfer rédempteur ! Ce n'était pas une autre pépite ?

Une pépite ? Une catastrophe, oui ! Enfin pas pour moi, mais pour les croyants enfermés dans leur religion.

Et elles, les Furies de ma partenaire, n'étaient-elles pas des esprits super bienveillants envers moi alors qu'elles étaient considérées dans les mythes comme de folles enragées, de mauvais esprits qui en veulent aux hommes ?

Oui, c'est vrai, mais qui croyait aujourd'hui aux Furies ? Personne ! À part moi qui sentais qu'elles m'avaient à l'œil.

Et l'enfer comme lieu de formation des héros ? demandent-elles. Ce n'était pas encore une pépite, ça ?

Entièrement d'accord. Mais franchement, je ne suis pas un héros. D'ailleurs, je me posais de plus en plus de questions. Je ne voulais pas devenir un héros. Ça n'apporte que des emmerdes. Elles ont vu comment nos prétendues démocraties traitent les lanceurs d'alerte ? Comme des criminels ! Les démocraties ne respectent plus rien, ni les héros ni les Zorro. Elles idolâtrent les sportifs friqués, les chanteurs tatoués, les financiers blindés, les acteurs frimeurs.

Elles m'ont donné raison. Prométhée qui était lui aussi une espèce de lanceur d'alerte antique, les vieux dieux n'en avaient fait qu'une bouchée. Non, ce ne serait pas mon cas. Les temps avaient changé. Quant à moi, elles préféraient que je m'amuse, que l'humour soit mon bâton de pèlerin.

Quand on entre dans le jeu, disaient-elles, il faut s'amuser, rire et en rire. Je devais rester vrai de bout en bout de notre légende et sincère de la tête aux pieds. Il n'y a que moi qui pouvais décider du rire et elles espéraient que mon ego n'était pas un « triste sire ».

Triste, non, mais inquiet, oui. J'aimais rire, mais avec elles, parfois j'hésitais entre « rire » et « rire jaune ».

Elles m'ont dit qu'elles allaient me confier une autre pépite pour moi : est-ce que je connaissais l'histoire d'Adam et Ève et de la pomme ?

Évidemment que je la connaissais, qui ne la connaît pas ? Il n'y a pas besoin d'être croyant et pratiquant pour connaître l'histoire de la pomme. Qu'est-ce que je devais savoir ?

Je devais savoir que je venais de croquer dans la pomme d'Ève ; en d'autres mots, la pomme est une image pour parler des fruits du savoir de Mémoria. L'arbre de vie, c'est la culture du féminin. C'est un savoir qui rend vivant, joyeux et bon. Le féminin est l'arbre de la connaissance de la vie et de la mort, c'est un arbre qui a ses racines dans la terre nourricière, tout comme la femme est un être nourricier. Sans la femme, pas de famille, et sans famille, pas de sociétés. Le serpent de la Bible, c'était Mémoria qui parlait, qui essayait d'initier un homme, comme moi, et sa protégée, Ève, aux valeurs du féminin.

Je venais de « croquer » dans l'imaginaire du féminin ? Ben ça alors ! Il n'y avait donc aucun « péché d'orgueil » à croquer dans l'inconscient du principe féminin ! Il n'y avait que la vérité à découvrir sur soi et sur le problème entre masculin et féminin ? Je ne connaissais pas cette version de la pomme mystique.

Elles m'ont répondu que pour travailler efficacement à leur service, je devais être gentil et malin à la fois, tout en restant honnête. Est-ce que je saurais faire ? Parce que le monde des hommes est un monde où il faut garder les yeux ouverts sur tous les détails. C'est un monde plein de pièges à cause de leur labyrinthe.

Quel labyrinthe ?

Elles n'ont pas répondu

Elles espéraient que leur protégée deviendrait mon amie avec le temps. Surtout, il ne fallait plus que je devienne négatif à leur sujet à chaque fois que les choses ne tournaient pas aussi rond que je l'avais prévu. Elles tenaient à préciser qu'elles n'étaient pas contre le masculin, elles venaient à chaque fois modérer son principe actif quand les hommes étaient dans la démesure. Les Dames détestaient voir les vies humaines sacrifiées par des hommes indignes. Ils auraient à répondre de leurs crimes plus vite qu'ils ne croient.

Je m'en souviendrai. Je verrai si leur « amie » est dans le même état d'esprit qu'elles.

À propos, disent-elles, elles ont vu que j'avais des cernes sous les yeux. Mon travail me fatigue, elles le savent, c'est fait pour ça, mais il faut que je fasse attention à ma circulation sanguine et à ce que je mange. Faire de l'exercice dans les bois, ça, c'est super. Arrêter de fumer aussi serait super. Ce n'est pas génial pour le corps, mais aussi pour les odeurs de tabac froid que ça laisse autour des gros fumeurs. Sans parler de l'haleine. Ève n'aimera pas.

Elles en ont de bonnes ! Elles m'ont tout enlevé d'un coup, je suis humain, il faut bien que je calme mon anxiété avec tout ce qui m'arrive. Je trouve déjà que je fais preuve de beaucoup de sang-froid. Si Ève, leur amie, peut lire l'avenir, est-ce qu'elle pourra me refiler des tuyaux pour ma vie ?

Silence.

Mémoria est revenue vers moi parce que je lui avais demandé des éclaircissements sur les lectures que je piochais dans la tête de ma partenaire. Parmi ses notes, j'ai cru comprendre que je n'étais pas tout seul à intervenir, nous étions trois. On ne m'avait jamais parlé d'autres personnes. Je devais être le seul chargé de mission, non ?

Je rapporte ses propos qui m'ont fait halluciner de nouveau.

Elle m'a dit qu'il s'agissait de moi, dans différents états d'esprit.

C'est-à-dire ? Je ne voyais pas trop le topo.

Tout en restant moi-même, il fallait que je laisse voir mes différents esprits... Ben tiens ! Je fais ça tous les jours...

Elle a activé « l'insight », le flash info qui fait comprendre illico sans discours inutile et j'ai capté un peu mieux l'affaire. Si j'ai bien compris, les trois personnalités dont il est question, c'est mon ombre, mon ego dans sa version humble et mon Lucifer lumineux. Ils allaient intervenir à tour de rôle, selon la trame de Mémoria. Mon ombre, que la psychanalyse appelle « super moi », est l'esprit le plus à surveiller. C'est lui « l'inconnu » dans l'histoire, le plus difficile à cerner, celui qui peut faire tout basculer. C'est lui qui est à l'origine de mon labyrinthe mental.

Ah, et pourquoi ?

Réponse absurde : parce qu'il adore jouer au taureau. On m'a dit que je comprendrais plus tard. C'est de l'humour des Dames ?

Admettons, mais comment faire comprendre à Ève que j'avais plusieurs esprits en moi, sans le lui dire ? Je dois passer par un jeu de mimes ? C'est un peu ça. Pour aider ma co-équipière à percuter sans que j'aie besoin de parler, j'utiliserai des tenues différentes. Je serai habillé de noir pour mon ombre et sa version lunaire ; j'aurai des jeans et un tee-shirt pour mon ego sympa ; je porterai un vêtement sportif élégant pour mon Lucifer de lumière qui est ma version solaire. Il paraît que ce n'est pas moi qui activerai mon Lucifer, ce sont les Dames.

Je n'insiste pas. Je ne suis pas à l'aise avec leurs étranges protocoles d'intervention. Plus j'avance et plus les difficultés se multiplient. Autrement dit, il me fallait une bonne dose de confiance... Carrément. Elles ont ajouté que le soir de ma rencontre avec leur protégée, Mémoria ferait aussi son entrée lumineuse en elle. J'avais juste à observer la situation, elle ne manquerait pas de m'intéresser, j'allais me trouver aux premières loges et suivre en direct une rareté.

C'est clair.

Tout devenait de plus en plus dingue. Je ne vois pas bien comment tout cela allait se goupiller, mais j'avais confiance... Si, si, j'ai confiance. Je ne contrôle rien, mais je dois faire confiance sinon tout ce que j'ai fait n'aura servi à rien et là, pour le coup, je serais un abruti fini.

En attendant, je suis un vrai médium. J'entends de mes deux oreilles tout ce qui se dit quand les gens sont autour de moi. Ça existe. J'en suis la preuve vivante, mais je ne peux pas le dire. D'ailleurs, ça ne m'attirerait que des ennuis. À moins d'en faire un spectacle. Je dirais même que je pourrais être dangereux pour certains. Si les services secrets de n'importe quel pays venaient à le savoir, ils traqueraient les gens comme moi, surtout ces militaires hauts gradés-hauts bornés, prêts à tout pour leur patrie. En réalité, c'est le retour de Mémoria qui est dangereux si elle donne autant de pouvoirs à des gens comme moi, qui sont censés ne pas en avoir. En même temps, c'est marrant de faire la nique à ceux qui tirent les ficelles.

La vache ! Je réalise à peine ce qui se passe. J'ai commencé à faire profil bas, et je joue au blaireau. Ça m'arrange bien.

Il n'y a que Pavel qui maintenant me regarde parfois d'un drôle d'air. C'est que je lui ai dit deux ou trois trucs qui le concernaient et ça ne lui a pas fait plaisir de savoir que je savais ce qu'il cache. Je l'ai averti pour son bien. Est-ce qu'il en tiendra compte ?

D'autres semaines d'attente ont passé, je progressais dans ma médiumnité. Je lisais de mieux en mieux le journal de ma future partenaire qui ne sait toujours rien de moi et je vois mieux comment m'y prendre. Enfin, je crois.

Les Dames ont dit que j'étais un type bien qui devait apprendre à le rester parce que la vie a vite fait de nous gâcher. Il fallait que je sente agir mon ombre quand elle prenait les décisions à ma place, que je la respire, que je m'entraîne à la reconnaître quand elle se manifestait contre mes attentes. Maintenant, elles me demandaient de décomposer ma personnalité pour que je voie mieux qui fait quoi, quand et comment, un peu comme un jeu d'acteur. Il fallait que j'apprenne comment chaque esprit peut se manifester en moi, que j'apprenne à les maîtriser et à les faire taire sur commande, y compris mon cœur parce qu'on ne porte pas son cœur en bandoulière. Il faut cacher sa gentillesse, sinon on nous prend pour des cons. Le Dalaï-Lama peut montrer qu'il est gentil, il vit hors sol et il est protégé par une armada de gens à son service. J'ai pensé que l'affaire était dans le sac et j'ai demandé, ingénu : « C'est tout ? »

Non, ce n'était pas tout. Ça m'a inquiété. Est-ce que je devais sauver le monde par hasard ?

Elles m'ont répondu que je pouvais me contenter de me sauver moi-même et peut-être ma partenaire, c'était amplement suffisant. À moins que je ne préfère des missions à la « James Bond » avec plein de pourris à éliminer ? Elles m'ont demandé si je préférais « la voie de l'amour » qui ferait de moi un homme heureux en couple, ou la voie de la mort, comme le grec Achille qui ferait de moi un homme glorieux. Je n'ai pas hésité, j'ai choisi la voie de l'amour. Elles ont dit « bonne pioche » parce que le pauvre Achille, lui, a fait le choix de la mort glorieuse et il l'a bien regretté une fois transformé en ombre alors qu'il était dans sa pleine jeunesse.

Une fois de l'autre côté, les hommes se rendent compte de la connerie des guerres et des actes glorieux. Les Furies me disent aussi que de nombreux guerriers sont revenus sur terre des centaines d'années plus tard, avec la ferme intention d'avoir une vie tranquille, loin des champs de bataille. Il y en avait plein autour de nous, incognito.

J'espère pour eux qu'ils ont atterri au bon endroit parce que si l'Europe reste une terre pacifiée, il y a des guerres ultra-violentes partout ailleurs, même en Arabie qui n'est plus très heureuse. Pour l'Europe, il paraît, d'après Mémoria, que dans un futur proche, certains appétits impérialistes allaient se réveiller et déstabiliser ce vieux monde assis sur ses lauriers. Je ne veux pas savoir. Je suis trop impliqué dans mon histoire à moi, c'est déjà pas mal compliqué à mon niveau. Je ne peux pas m'intéresser à ce qui se passe dans le monde.

Avant de passer à l'action auprès d'Ève, j'ai révisé les étapes. Tout était clair, mais de la théorie à la pratique, il y a parfois des surprises. C'est comme envoyer une fusée dans l'espace. Tous les calculs collent, mais au final, on ne sait jamais si ça va bien se passer. Pour en revenir à mes notes, je ne m'étais pas aperçu à quel point ma mémoire s'était développée. J'étais chaud bouillant pour commencer. J'avais reçu la date exacte de la parade devant mon « alter-ego ». Ce serait un samedi soir, vers la fin du mois d'août. Ça me tardait. Je me résume : mon ombre est l'esprit en moi qui se méfie de tout, qui doute des gens, qui cherche la petite bête, les idées négatives, c'est lui. C'est l'esprit malin qui est censé représenter mon instinct. L'ombre est aussi un esprit animal qui puise certaines choses dans le « ça », le réservoir des énergies primordiales, d'après la psychanalyse des profondeurs. Étant donné que l'ombre est un esprit immortel, elle peut facilement se sentir supérieure, voire prétentieuse, et elle a vite fait de mettre l'ego dans sa poche. Mais bon, pour ce premier contact, ce ne sera pas mon ombre qui interviendra, mais cet esprit d'amour : mon Lucifer de lumière. C'est l'hameçon tendu à Ève.

Chapitre III
L'entrée en scène

Le deuil de mon ancienne vie

En attendant le jour « J », je suis allé m'acheter des vêtements différenciés pour chacune de mes personnalités.

À partir de là, le journal de ma partenaire est devenu ma priorité. La proximité m'a permis d'accéder à ses notes annexes, à ses brouillons et à certains souvenirs enfouis dans sa tête. Je pouvais remonter loin dans son passé pour autant que Mémoria me le permettait. J'étais bluffé par mes nouvelles compétences et c'est peu dire qu'elles étaient folles : je pouvais lire ce qui allait être écrit par Ève, avant même qu'elle ne l'écrive. En d'autres mots, j'avais parfois la lecture de l'avenir et j'avais surtout de l'avance sur elle.

Parfois, ma partenaire écrivait des remarques sur le monde et j'adorais parce que j'avais à l'avance des informations que certains auraient payées cher pour avoir, comme le résultat des élections présidentielles d'un pays ou le résultat du loto, ou bien un problème mondial à venir. Le pouvoir que les Dames me donnaient était hors du commun. J'étais pressé de constater si ma lecture était exacte. Ma vie devenait magique, mais elle prenait aussi tout son sens. Non pas que j'oubliais mes enfants, ils étaient toujours présents dans mon esprit. Je faisais tout mon possible pour les revoir et je payais ma pension alimentaire comme il se doit. Mes enfants aussi donnaient du sens à ma vie, mais depuis que je connaissais Mémoria, j'avais le sentiment que j'aurais des valeurs plus importantes à leur transmettre. Ça me rendait heureux.

96

J'ai un nouveau don aussi spectaculaire que la lecture à distance : la vision à distance. J'ai pu revoir ma partenaire chez elle ! C'est complètement fou ! Je peux voir Ève comme si quelqu'un la filmait pour moi chez elle. C'est aussi net que si j'y étais ou qu'un DVD haute définition. J'ai droit à la couleur. C'est dingue la technologie naturelle des Dames. Comment elles font ça ? Qu'est-ce qu'elles activent dans mon cerveau ? Elles font du partage d'écran ? C'est trop bluffant. Je regardais Ève sans qu'elle puisse me voir. Elle a l'habitude de poser sa main droite sur son épaule gauche, à la base du cou, quand elle réfléchit. Ça aide ? Je constate aussi qu'elle aime bien le bon vin et le champagne. Elle adore le vin de la côte rôtie. Elle ne va pas être déçue quand elle va devoir se mettre à l'eau. J'ai lu dans son futur journal que j'allais la rencontrer au « P'tit Ranch » un samedi soir de la fin du mois d'août, une espèce de pub country. Je me suis mis à fréquenter le même endroit tous les samedis soir à partir de fin juillet, de peur de la rater.

Le fameux jour, le samedi de la rencontre est enfin arrivé ! J'étais au taquet. Je savais que je ne la verrais pas longtemps, je savais que je la verrais en fin de soirée et j'étais trop curieux de voir comment elle allait réagir quand on se parlerait. Quand je suis arrivé, elle était déjà installée avec ses copines depuis un moment. J'ai reconnu son amie Manon que j'avais entrevue à Paris. Je me suis assis au comptoir et je l'observais enfin de près ! Son autre amie, Cindy, je la connaissais de vue, c'était une fille du coin, elle était en couple avec un pote. Ève s'amusait tellement avec ses copines qu'elle faisait plaisir à voir. J'étais au bar avec les gars habituels. C'est marrant comme les filles arrivent à s'amuser d'un rien. Qu'est-ce qui les rend si légères ? Je me suis retourné pour discuter avec les potes. Même le dos tourné, je les entendais rire depuis ma place. Moi ça fait longtemps que ça ne m'était plus arrivé de rire comme ça, je les enviais. J'attendais la fin de la soirée parce que c'est à ce moment-là qu'elle devait s'arrêter au bar et que sa copine Cindy allait me la présenter.

Ce que j'ai appris alors, quand son amie Cindy me l'a présentée, a failli me faire avaler ma bière de travers : Ève allait se marier ! Pourquoi on ne m'avait pas fait lire cette info ? Ce soir, elle fêtait son enterrement de vie de jeune fille. Elle était venue enterrer sa vie de jeune fille entre amies ! Comment j'allais pouvoir accomplir ma mission si elle se mariait ? On devait se voir, se parler… Pourquoi on m'avait caché cette info ? Ça devenait « mission impossible » ! C'est quoi cette arnaque ?

En attendant, quand Ève m'a salué, au moment où nos mains se sont touchées, j'ai vu dans ses yeux une surprise qu'elle a très bien gérée. J'ai entendu Mémoria lui souffler : « C'est lui » en parlant de moi. Ève a fait comme si elle n'avait rien entendu. Elle est restée troublée une fraction de seconde, il n'y a que moi qui ai vu son regard hésiter et s'attarder sur mes cheveux et mes yeux. Ce soir-là, Ève portait un chemisier à col indien de couleur paille. Avec l'arrivée de Mémoria en elle, une aura s'est dégagée de son corps, ça l'a tout auréolée. . J'étais le seul à voir sa lumière. C'était un spectacle, Ève était devenue radieuse et elle ne le savait pas. Elle me semblait plus jeune et jolie. Je me suis forcé à ne pas trop la fixer du regard. Mon cœur s'est ému si fort que j'en ai été bouleversé. Je savais que de son côté, Ève aussi voyait mon aura, celle de mon Lucifer de lumière. Je l'avais lu dans son journal. Ce qui allait la conduire à un quiproquo marrant à mon sujet. Elle croyait que j'étais blond et que j'avais les yeux bleus.

Ève et moi avons un peu discuté. Je lui ai dit que j'avais beaucoup entendu parler d'elle. C'est mon ami Pavel qui l'avait identifiée et il m'en avait abondamment parlé. Je crois qu'elle lui plaisait bien. Je me demandais si c'était réciproque.

Elle a répondu en riant « j'espère qu'il vous a parlé de moi en bien ». Elle était debout devant moi, enfin ! Et moi, assis sur ma chaise haute, je souriais de plaisir. Elle m'a parlé de son magasin. Elle était photographe et elle m'a invité à aller la voir, elle faisait de temps à autre de petites expos de photos d'amis et de ses photos personnelles, des soirées sans prétention avec du bon vin à l'appui. J'étais rassuré.

On allait se revoir, mais je sentais bien que c'était une invitation comme une autre et que j'aurais du mal à créer un lien plus intime entre nous. J'aurais aimé que cet échange dure plus longtemps, mais elle a vite disparu avec ses copines.

De retour chez moi, j'ai eu de quoi méditer. J'ai attendu qu'Ève laisse quelques mots dans son journal pour que j'en sache un peu plus. Je voulais savoir pourquoi je n'avais pas été informé de son mariage.

Tout ce que j'ai compris, c'est que c'est mon ombre qui est en cause. C'est scientifique : quand l'ombre est là, la lumière ne peut pas y être en même temps. Étant donné que mon ombre a l'habitude de se mêler de tout, les Dames veillent à distiller les informations. Du coup, elles ne me donnaient pas toutes les infos pour qu'il n'y ait pas d'interférences fâcheuses de sa part. En d'autres mots plus simples, pour que mon ombre ne fasse pas de conneries qu'il faudrait que je rattrape, les Dames faisaient de la rétention d'informations. J'avais un ennemi en moi et c'était mon ombre. Je n'avais pas encore fait les comptes avec elle. Pour me rassurer, elles m'ont dit que tous les humains avaient une espèce de schizophrénie ordinaire, c'est-à-dire des absences du « moi » dont peu étaient conscients. Des trous de mémoire quoi ! Ce qui m'arrivait avec mon ombre, c'était normal. J'étais normal. Tant mieux.

Alors quand j'ai des trous de mémoire, c'est que j'ai traversé une absence de mon « moi » et que mon ombre était aux commandes ? Bon, c'est moins grave que ce que je pensais. Je ne sais pas si la schizophrénie ordinaire est scientifique, mais les « trous de mémoire », ça me parle et pouvoir me l'expliquer simplement, ça me va.

Quel genre d'esprit étaient les ombres pour être aussi importantes dans notre vie et dans l'au-delà ? J'aurais aimé en savoir plus. On n'est pas que poussière. C'est un vrai sujet, ça. On me dit que je dois m'occuper de mon ombre, dialoguer avec elle, faire ami-amie, ne rien lâcher, être présent à soi chaque seconde. Mon ombre était mon esprit contraire. On me prévient que ça va être fatigant de surveiller sans arrêt mes pensées au début, mais ensuite, tout deviendra naturel. Si je veux revoir ma partenaire et entrer dans le jeu, il faut que je travaille ma dualité pour passer d'un esprit à l'autre sans perdre une seule information. C'est pourquoi les Furies vont me faire faire un « training » un peu particulier : elles vont me mettre en contact avec d'autres ombres pour que je m'habitue au concept. D'après elles, ça me permettra de mieux capter comment fonctionne la mienne par la même occasion. Quand ma partenaire ne sera pas être disponible, je pourrai mettre à profit ce temps pour m'occuper de certaines ombres un peu rebelles.

Des ombres rebelles ? Ça existe ?

Non seulement ça existe, mais souvent nos ombres provoquent une schizophrénie parfois passagère, surtout chez les adolescents. Parfois, hélas, la schizophrénie persiste. En ce qui me concerne, d'après les Furies, spécialistes des ombres, tout sera sous leur contrôle. Je pourrai passer d'un esprit à l'autre sans perdre de vue la réalité et le bon sens. Elles m'assurent qu'avec de l'humour et de la bienveillance, foi de Furies, tout se passe bien. Surtout, ne pas se la jouer « exorciste » en hurlant à une ombre « sors de ce corps ! ». Mon autorité sera intérieure. Au début, elles seront à mes côtés, ensuite, quand j'aurai pris confiance, je pourrai agir seul.

Je me demandais justement quand les Furies allaient-elles me présenter le côté moins marrant de leur monde, voilà, je suis servi.

Elles m'ont fait savoir à leur manière que le moment n'était pas aux explications, pas de théorie, j'allais passer à l'action. Je trouverais le mode d'emploi dans le journal d'Ève, elle explique ça quelque part, elles allaient me donner la bonne page pour devenir un chaman moderne et cool. Elles étaient sympas, je n'aurais que des ados à traiter. J'en étais un il n'y a pas si longtemps, ont-elles dit, je devrais bien m'en tirer…

Mais bien sûr ! En attendant, je n'allais pas revoir Ève avant quelques années, trois ou quatre ans, le temps pour elle de se marier, de faire un enfant et de divorcer… Je la plaignais sincèrement. Quand même ! Les Dames auraient pu me trouver une partenaire libre ! C'est quoi ce bordel ? Qu'est-ce que j'allais faire de tout ce temps ?

Comment j'allais récupérer ma femme si je tardais à finir ma mission ? Je n'étais pas content, c'est le moins qu'on puisse dire.

Elles disaient que j'allais avoir tellement de choses à faire et à découvrir, que je ne verrais pas le temps passer, je ne toucherais pas terre, façon de parler. Elles avaient d'ailleurs sous le coude le cas d'une ombre d'adolescent pas piquée des vers. Elles veulent dire par là que cette ombre n'a pas attendu le temps de l'oubli nécessaire avant de revenir dans un corps. Elles avaient son ombre à l'œil, prêtes à intervenir pour la bloquer, mais c'était un cas pour Ève, ma muse. J'ai appris à cette occasion que même Ève avait une mission à accomplir, elle ne le savait pas encore. Si elle savait ce qui l'attend ! Je ne vais pas lui gâcher le plaisir de la surprise. Quand je disais que je n'aime plus les surprises.

Quelques mois se sont écoulés pendant lesquels j'ai été presque débordé entre mon boulot, les papiers pour les pensions alimentaires de mes enfants et le boulot « extra » des Furies. Ça, pour être occupé, j'étais occupé. D'un point de vue privé, au bout de quelques mois, mon avocat m'a contacté pour me dire que mon ex-femme avait trouvé un autre compagnon et avait refait sa vie avec ! Je n'en croyais pas mes oreilles ! Comment ma femme avait pu se jeter dans les bras d'un autre que moi si vite ? J'étais toute sa vie, elle me l'avait dit et redit ! Comment elle l'avait rencontré d'abord ?

Je n'avais accès à aucune information sur elle alors que je pouvais lire dans la tête d'Ève tous les jours ! Pourquoi je n'étais pas branché sur l'inconscient de ma femme ? Pourquoi son âme n'était pas mon âme sœur ? J'aurais pu la retenir ! La nuit, je lui aurais chuchoté dans l'oreille des mots doux qui l'auraient liée à moi. Injustice ! C'est elle qui aurait dû être à la place d'Ève dans ma tête ! Je croyais maîtriser un peu les choses, j'avais tiré mes plans sur la comète et là tout se cassait la gueule sous mes yeux. Putain, merde ! ça ne devait pas se passer comme ça ! Ce n'est pas ce que j'avais prévu.

J'ai vu tout en noir.

J'étais aussi sombre que mon ombre. J'étais décidé à aller à Paris pour parler avec mon ex-femme. Elle ne pouvait pas me faire ça !

101

Le soir même où j'ai appris la nouvelle, un vendredi soir, mon pote Pavel est venu chez moi pour boire une bière. En discutant, on a bu beaucoup de bières et quand je lui ai raconté pour ma femme, que je voulais la récupérer, il m'a dit aussi sec : « Allez, gros, on y va, je t'accompagne, on y va à pied ! Chiche ? On va à pied à Paris, on verra si cet exploit ne te la ramène pas direct dans ton lit ! Moi je chanterai sous son balcon. Y avait un balcon chez vous ? »

J'avais bu, mais j'étais encore lucide, Pavel ne l'était plus du tout. Il a eu le mérite de me faire rire. Après il est rentré chez lui, mais moi je n'avais pas sommeil. Je ruminais. Comment faire ? J'étais coincé. Comment sortir de cette impasse ? J'irais à Paris. Les Dames ne pourraient pas m'en empêcher. Je me suis endormi sur ma décision. Mais au petit matin, en état d'éveil, le journal d'Ève m'est arrivé dans la tête avec ses mots, ses mots qui me permettent de lire l'avenir et j'ai su qu'il était trop tard. Ma femme était partie à l'étranger. Elle était partie avec un type que je ne connaissais pas, il allait élever mon fils à ma place ! Il allait l'élever à sa manière, alors que c'était moi le père ! J'étais le père, bordel ! Ce n'est pas ce que les femmes voulaient ? Que les hommes soient des pères ? Alors ? On m'arrachait mes enfants ! On m'arrachait les tripes ! C'était quoi ce destin pourri ? Je sacrifiais mes enfants pour une femme que je ne connaissais même pas ? C'était vraiment moi ? Non, c'était pas moi ! Ève ? Qui c'était Ève ? Personne. C'était à cause d'elle tout ça, elle et Mémoria avaient changé ma vie. J'étais dégoûté.

Toute la magie que j'avais vécue s'est envolée comme un rêve. Est-ce que j'étais prisonnier d'une illusion, pire que celle de notre monde ? Où était la vérité ?

Le week-end, au lieu d'aller à Paris, je suis allé en boîte et je me suis mis minable avec ceux du coin. On a bu et rebu, et en rentrant chez moi, mon ombre en colère a fait place nette, elle a tout renversé. Un vrai chantier ! Ce n'était pas moi, je jure, c'était mon ombre, moi je n'étais pas présent. Le lendemain, quand je me suis réveillé, j'ai découvert le boxon. Je ne me souvenais de rien. Je venais de faire l'expérience de l'autonomie de mon ombre. Quant à moi, j'avais glissé ailleurs, mais où ? J'avais un ennemi intérieur, c'est vrai, je le constatais maintenant. Mon ombre prenait mon corps en otage et faisait n'importe quoi avec mon corps et ma tête, sans mon autorisation. C'était ça la schizophrénie ordinaire ? Ça craint ! Moi, je me sentais innocent comme l'agneau qui vient de naître et je me dissociais totalement des faits et gestes de mon ombre. On aurait pu me passer le détecteur de mensonges, personne n'y aurait rien vu. Je n'aurais pas menti, je n'étais pas tout là, c'est le cas de le dire. Qu'est-ce qui s'était passé ?

Il paraît que c'est mon ombre qui s'était calée sur ma colère. C'est par le biais des émotions que j'allais avoir une prise sur elle. C'était la leçon que je devais retirer de cette histoire. Sous l'effet d'une intense colère intérieure, mon ombre pouvait prendre le dessus et agir à mon insu, sans que j'en garde le souvenir. J'apprends qu'une ombre ne fait pas dans la dentelle. C'est mon esprit animal, primitif, primordial même, mon être ancestral. Quand les émotions humaines sont trop fortes, pour me protéger, elle peut vite déraper si moi, ego, je ne suis pas de taille à calmer le jeu.

Est-ce que mon ombre pouvait devenir dangereuse pour moi ? Ou autrui ? Je touchais du doigt la réalité de son autonomie et c'était flippant. J'avais du mal à le croire. Est-ce qu'une ombre pouvait avoir à ce point une identité propre ?

À ce propos, les Furies m'invitaient à laisser mon ombre s'exprimer librement pour que de mon côté je la voie bien et j'imprime bien de quoi je suis fait. J'allais voir le noir de mon fond et en faire le tour.

Bah, je ne sais pas si c'est une bonne idée. L'expérience m'a suffi. J'ai capté. Je préfère consolider mon ego.

Les Dames ne sont pas de cet avis. Elles laissent ce travail aux psychanalystes.

Je vois, elles vont me faire le coup de l'enfer : revenir sur mon point faible encore et encore, et me travailler au corps jusqu'à ce que j'imprime dans ma tête d'ego que je suis fait d'ombre surtout et un peu, un tout petit peu, de lumière. Je serai le toréador qui dompte son taureau sans le mettre à mort et surtout sans mettre d'habit de lumière. J'apprends que l'ombre est « mon » taureau à dompter, pas à tuer. C'est Mémoria qui me met l'habit de lumière quand elle veut et comme elle veut. Elle est bizarre cette image du taureau qui revient sans arrêt. Je n'arrive pas bien à saisir.

En tout cas, j'ai vite compris qu'il ne fallait pas que je parle de mon ombre à Ève, elle n'était pas prête ; quant aux débordements de mon ombre, c'est le genre d'information qui pourrait la faire fuir. Je comprends. C'est inquiétant.

J'ai donc laissé libre cours à mon ombre ou pour être plus précis à ses arrière-pensées. Mon ombre, c'est le roi des arrière-pensées ! En ce moment par exemple, mon ombre provoquait en moi des hauts et des bas parce qu'elle essayait de me monter contre ma muse. Elle me soufflait qu'après tout, c'était à cause d'Ève que je me retrouvais dans cette merde. Ce qui n'est pas faux. Je sentais mon ombre ruminer dans son coin pendant que j'essayais de trouver des solutions. C'est ce qu'on appelle « être tiraillé ». Maintenant, je savais par qui.

Moi qui étais un bloc de certitudes autrefois, j'ai commencé à douter de tout. Pour la première fois de ma vie, j'ai demandé de l'aide, j'ai prié les Dames pour qu'elles ne me fassent pas devenir fou. Elles m'ont informé que c'était une phase d'ajustement psychique pour que je prenne bien conscience que mon ombre pouvait devenir mon ennemie tant que je n'en prenais pas conscience, mais ce n'était pas une fatalité. Elle pouvait devenir mon amie si je commençais par accepter son existence sans faire de résistance et si j'arrivais à la faire changer de pôle.

Quel pôle ? C'est quoi encore ça ?

Il paraît que mon inconscient profond, mon pôle de réflexions profondes, tournait autour d'un masculin misogyne.

Ah bon ? Pourtant, je suis super gentil avec les femmes. Je vois, on veut me faire douter de moi ?

Les Furies m'ont demandé de repenser à ce qu'avait fait mon ombre chez moi, elle avait tout ravagé mon intérieur

Ouais, les Furies n'étaient pas obligées d'en arriver là pour que je m'en rende compte !

On m'a répondu que je ne pourrais pas nier cette autre partie de moi si un fait marquant comme celui-ci me permettait de réaliser le pouvoir de cet esprit sur mes actes. Les pensées sont volatiles, on peut nier à tout moment, mais quand les preuves des actes demeurent, on ne peut pas continuer à nier, si on est honnête avec soi-même.

Pour me consoler de ce qui était à l'origine de ma colère, c'est-à-dire un autre homme dans la vie de mon ex-femme, j'ai dû me résigner à penser que c'était mieux pour elle, elle ne sait pas rester seule. Il y a des gens comme ça qui ne supportent pas la solitude. Je n'accuse pas. Ce n'est pas drôle tous les jours la solitude. J'ai lu des infos dans le journal d'Ève sur mon ex-compagne qui ont confirmé mes intuitions. Les Dames s'étaient arrangées pour que mon ex-compagne trouve chaussure à son pied. Je ne devais pas me faire du souci à son sujet. Tout était au mieux pour elle. Même pour mes enfants, je pourrais les revoir et retisser des liens avec eux si je les gardais au creux de mon cœur. C'était une question de temps.

Le temps ! Encore lui ! Toujours lui !

Mes plaintes se sont terminées là. Il fallait que je tourne la page. On l'avait tournée à ma place et violemment. Je ne pouvais pas revenir en arrière, contrairement à ce que je pensais. Je devais aller de l'avant, le cœur brisé par l'amour pour ma femme à qui je n'avais pas pu dire combien je l'aimais et que je regrettais ce qui s'était passé. Le plus dur était l'idée qu'elle se faisait de moi, un vrai salaud, sans que je puisse m'excuser. Quant à mes enfants, je construirais autour d'eux des vibrations d'amour pour qu'elles leur parlent de moi et les protègent.

Le deuil de mon ancienne vie a commencé en même temps que la résignation. Je suis devenu docile. Je n'attendais plus rien et j'ai suivi à la lettre tout ce que les Dames me suggéraient. À ce stade, pourquoi lutter contre mon destin ? Elles m'avaient donné des pouvoirs en échange de ma nouvelle vie, même si au départ, je n'avais pas troqué ma vie contre leurs pouvoirs.

Les jours suivants, je suis retourné travailler pendant qu'une partie de moi traînait les pieds. Mon ombre était plus déprimée que moi. Elle n'a pas de demi-mesure. Moi j'essayais de la raisonner et de remonter la pente et elle me déprimait. Elle voulait tout quitter et partir loin, elle voulait larguer les amarres pour quoi faire ? Pour aller où ? D'un côté, il fallait que je travaille pour payer les pensions alimentaires de mes enfants. De l'autre, il fallait que j'aille au bout de mon partenariat. Qu'est-ce qu'elle croyait ? Qu'il suffisait de taper et de crier pour se rendre justice ? Avec les Furies sur mon dos ? Qu'est-ce qu'elle aurait aimé faire à ma place ? Rester allongée toute la journée dans un lit et pleurer ? Non, ses idées n'étaient pas bonnes pour moi. Je déteste l'inactivité, pourquoi elle voulait m'entraîner dans sa déprime ? Au contraire, il fallait que je bouge, que je fasse du sport. Je pensais déjà trop, j'étais étonné de ne pas faire de surinvestissement mental. Je crois que le travail très physique que je faisais permettait de ne pas surinvestir mon esprit.

Au début, je travaillais douze heures par jour, sans m'économiser, je voulais fatiguer mon ombre pour qu'elle me lâche les baskets et que je n'entende plus ses lamentations. Ça marchait. Ensuite, quand j'ai vu que le calme revenait dans mon esprit, j'ai mieux organisé mes loisirs. J'adorais la peinture depuis longtemps, mais je peignais en dilettante. Je voulais faire mieux. J'ai pris des cours de peinture, ça m'apaisait. Pour fatiguer mon ombre, il n'y a rien de mieux que le sport. Je me suis mis à courir dans les bois pour chasser ses idées noires. Je jouais aussi au tennis. Taper dans une balle, c'est idéal pour évacuer les tensions. Avec mon ombre en colère, mon revers était mortel.

Les Dames sont revenues dans ma tête et m'ont pris sous leur aile. Pour habituer mon ombre au calme, elles m'ont conseillé de lui faire écrire ce qui lui passait par la tête, de tenir une sorte de journal comme le faisait Ève, mais en bref. De toute façon, elles ont dit que ça n'aurait aucun sens, mais ça me libérerait de sa pression. J'ai essayé et ça m'a fichu la trouille quand je me suis relu. Quand l'ombre écrit, on n'y comprend rien, mais rien du tout, je ne risquais pas de laisser traîner des choses compromettantes. La chose la plus compromettante est de constater le non-sens de ses mots quand une ombre essaie de prendre la place de l'ego. J'étais dans un dédoublement qui n'atteignait pas ma lucidité. Ça, je dois dire, c'est balaise de la part des muses. Ma raison n'était ni altérée ni déviante, je gardais le sens des réalités et tout ça, sans l'aide d'un thérapeute. Les Dames me bluffent.

Ève, mon alter ego partenaire

Les Dames me conseillaient de ne pas contacter Ève. Après notre dernière rencontre, je devais la laisser venir à moi. C'était important pour la suite de notre relation. J'ai médité sur ces phrases. J'espère qu'Ève valait la peine que le ciel se déplace pour elle. J'ai dû sacrifier ma vie et mes enfants pour cette initiation ! J'espère que les Dames, là où elles sont, savent ce qu'elles font. Je m'en remettais à elles. J'étais obligé de constater que la lumière du féminin était agissante sur ma personne, je ne pouvais pas le nier, mais quels bienfaits pouvait en retirer l'humanité ? Je me doutais bien que tout ce qui m'arrivait n'était pas que pour moi. Il devait bien y avoir une finalité altruiste. Combien d'hommes étaient dans ma situation à travers le monde ?

Elles m'ont répondu que je devais servir de modèle comme Hercule en son temps, mais en mieux évidemment. Le dernier modèle, Jésus le Juif devenu chrétien, avait été coupé de son humanité.

Je voyais mieux comment les religieux entretenaient le flou. Une âme de religieux sans un cœur éclairé par l'âme du féminin c'est l'inquisition, cette âme n'a pas de cœur. Une âme sans un cœur éclairé, c'est le terrorisme des idées, qu'elles soient politiques ou religieuses. Ce qui se passe en moi n'a rien à voir avec la religion, ça concerne notre part d'humanité. Les dogmes, les rituels compliqués, les devoirs contraignants, tout cela n'a rien à voir avec l'âme du féminin qui libère l'esprit. Les dogmes et les rites divisent les personnes. L'âme du féminin les rapproche, les rend fraternels parce que cette source de lumière n'a pas besoin de rites, de formules magiques, uniquement de respect, de partage, de bienveillance.

Est-ce que je devenais sage ?

Un jour, après les années de séparation annoncées, Ève m'a téléphoné. Enfin, ça bougeait de nouveau entre elle et moi ! Il était temps ! Je voulais me libérer de cette mission qui pesait sur moi comme un devoir. J'étais gonflé à bloc et prêt à me mesurer à cette femme, cette Ève qui ne se doutait pas le moins du monde de ce qu'elle me coûtait. Une partie de moi lui en voulait. Je savais qu'elle n'y était pour rien. Elle allait se retrouver comme moi, piégée par son inconscient avec tout ce qu'il y a dedans. Et qui sait ce qu'il y avait dedans ?

Ève parle de moi dans son journal et je dois suivre à la lettre tout ce qu'elle écrit à mon sujet. Plus exactement, elle s'est créé un personnage masculin pour mieux identifier ce qu'elle aime et n'aime pas chez un homme. Elle m'a pris comme modèle, mais elle ne sait pas encore que son écriture est magique. Elle a le pouvoir de donner vie à ses mots. J'espère qu'elle va faire attention. Un mot de sa part et je me retrouve je ne sais pas où ni comment. Tout dépendait de la façon dont elle me percevrait et tout dépendait aussi de ma façon d'être face à elle. C'était un équilibre délicat. Pouvoir lire à l'avance la trame est une chose qui me rend super curieux et attentif à ce qui m'attend. C'est un vrai pouvoir ! Le pouvoir de savoir ce qui va se passer dans ma vie, sans avoir besoin de consulter un devin.

Après avoir lu quelques mythes, je me demande si Ève n'est pas une sorte de pythie. Sans elle, je ne lis pas l'avenir et elle, sans moi, ne saura jamais qui elle est au fond. Ma pythie à moi, contrairement à celle de Delphes, dans la Grèce antique, n'a pas besoin d'un tabouret sur une faille fumante, ou de drogues, pour avoir des visions. Avec Mémoria, pas de mise en scène. On est entre nous deux, sans personne pour nous regarder, on n'est pas à un spectacle. On n'a rien à démontrer, on est juste face à face pour s'affronter dans un jeu où le masculin et le féminin font le compte de ce qu'ils sont, sans se faire mal. C'est ce que j'ai cru comprendre. J'espère que ce n'est pas une violente. Si j'en crois les mots que je lis, ça va. En revanche, elle a l'air d'être émotive.

Apparemment, on va bientôt se revoir. Tout a été accompli pour elle, elle a divorcé et elle a effectivement un enfant, un petit garçon. On devrait se revoir en hiver. J'attends des précisions sur la date.

Mon ombre était encore plus accro que moi au journal d'Ève. C'est marrant parce que mon ombre lit plus vite que moi, s'amuse de tous les détails. Elle adore le fait de devoir parler en direct avec Ève, et tout ça avec mon consentement. C'est la première fois qu'on va travailler en équipe, mon ombre et moi. Mon ombre est une perfectionniste, elle se prépare elle aussi à rencontrer Ève ! Je découvre l'esprit de mon ombre, c'est quelque chose ! Elle oublie qu'on ne saura pas tout, on n'aura que ce que les Dames voudront bien nous laisser lire.

Ève n'a pas pour vocation de dévoiler l'avenir de l'humanité bien que, parfois, elle se met à écrire des choses qui me font froid dans le dos. Après, elle les efface. Elle a raison. Bonne intuition. L'avenir est mouvant, il n'est pas figé. Qu'il soit bon ou mauvais, il y a beaucoup d'inconnues qui peuvent intervenir pour modifier ce qui s'annonce négatif : la géopolitique, les jeux d'impérialisme, les bruits de guerre, la guerre des islamistes intégristes, l'immigration, le réchauffement climatique, les problèmes d'eau, et par-dessus les problèmes de drogues et autres. Je me demande comment l'humanité est encore en vie. C'est un vrai miracle. Tout ça tient grâce aux fées du foyer : les femmes. Sans les femmes qui sont la plupart du temps l'âme des familles, les sociétés ne sont plus grand-chose.

Prévoir l'avenir est une arme à double tranchant. La preuve, Les Babyloniens attendaient un « messie » qui devait les délivrer des religieux et de la corruption et manque de bol, c'est Alexandre le Grand qui s'est pointé, mais pas vraiment pour les délivrer malgré des projets grandioses. Le pouvoir rend fou. Pareil pour les Tibétains qui avaient peur d'un « ennemi » extérieur, ils croyaient que c'étaient les Occidentaux, mais au final l'ennemi était à leur porte, c'étaient les Chinois ! Bien souvent, rien ne se passe comme on le croit.

En tout cas, s'il y a une chose qui ne change pas, c'est la violence des hommes contre les femmes. J'en prends pleinement conscience au fur et à mesure que Les Dames déroulent devant moi l'antique histoire des femmes. Avant, j'étais dans mon monde masculin, le monde de la majorité qui décide de tout et pour tout le monde, je ne voyais pas le problème. Maintenant, le problème des femmes est sans arrêt sous mes yeux. C'est impressionnant. Les lois ne sont pas faites à leur avantage. Il faudrait vraiment que ça change. Par exemple, un viol ne devrait pas connaître de prescription pour la victime. Surtout quand cela se produit dans l'enfance. Un enfant met tellement de temps à comprendre ce qui lui est arrivé, tellement de temps pour l'accepter et encore plus de temps pour avoir le courage de porter plainte. Les Anglais ont franchi ce pas et leur loi à ce sujet est plus juste : pas de prescription pour les viols. L'agresseur détruit intérieurement une personne. Tous les psychologues le diront, le traumatisme dure toute la vie, il modifie le destin d'une personne. On est au 21e siècle quand même !

Deuxième rencontre avec Ève

Finalement, on s'est revus au « P'tit Ranch » avec Ève. C'était un samedi 4 décembre.

C'est mon ombre qui était de service auprès d'elle, je l'ai laissée parler en roue libre. J'écoutais. C'était bizarre. Comme c'est mon côté sombre qui ressortait, Ève regardait sans arrêt mes cheveux et mes yeux avec un air perplexe. Je savais qu'elle avait gardé le souvenir de mon côté solaire, les Dames avaient fait ressortir mon aura luciférienne. Mon ombre ne lui plaisait pas ? Étrange ! Il y a plein de filles qui adorent le côté sombre des garçons, ça les attire comme des aimants ou des mouches. Je me demande bien pourquoi. Les Dames ont eu la bonté de me faire savoir que certaines filles pensent qu'elles doivent sauver ces types ou bien qu'elles vont être sauvées par eux. C'est inconscient, elles aiment le frisson des ténèbres qui apporte la lumière. Les femmes savent par un instinct profond que l'ombre appelle la lumière. Sauf que les « lunaires » n'ont pas toujours de la lumière à offrir. Souvent, ils n'ont qu'un caractère lunatique et caractériel qui rend la vie de couple fatigante. Sans la source de lumière, ils sont dans le noir. Quant aux « solaires », il faut s'en méfier aussi parce que leur éclat cache l'ombre. Dans le monde, il y en a pour tous les goûts, certains préfèrent l'ombre, d'autres la lumière. Chacun et chacune se trompe et trompe son monde. Je m'en rends compte, on est dans un jeu de dupes.

Ève ne semblait pas bien disposée à mon égard. Elle me regardait comme si elle me voyait pour la première fois, mais bon, l'objectif c'était qu'à la fin, elle entende la voix de sa maîtresse et qu'elle ne la confonde pas avec la « voix de son maître », c'est-à-dire avec un dieu. Quand on est adulte, on croit être libéré de nos croyances enfantines, mais c'est faux. Tout est enfoui dans notre inconscient et il prend un malin plaisir à brouiller les cartes. Je commence à cerner comment fonctionne mon inconscient et mon ombre. Je crois que l'ombre aime bien se faire passer pour une lumière et si elle en a l'occasion, pour un dieu. On n'est pas sorti d'affaire !

Quand je suis rentré chez moi, après avoir passé un peu de temps à discuter avec Ève, mon ombre a estimé que la soirée avec elle s'était bien passée. Je crois que mon sombre esprit n'a pas la bonne jauge.

Pour moi, et pour une deuxième rencontre, j'ai bien remarqué la différence entre les deux esprits qui m'habitent : l'ombre et la lumière. J'étais pressé d'aller lire dans son journal comment Ève avait trouvé cette rencontre pour rectifier le tir au cas où. Ce qui était génial avec Ève, c'est qu'elle écrivait toutes ses sensations par le menu. C'est bien une habitude de fille ! Il ne me viendrait pas à l'esprit d'écrire un journal. C'était un sentiment étrange pour moi de me vivre au jour le jour comme le personnage d'un roman. J'étais en vie et j'étais en même temps figé sur le journal d'Ève.

C'est bien ce qu'il me semblait. Ève ne m'appréciait pas trop dans ma version lunaire. J'ai pu lire que ce n'est pas moi qu'elle voulait voir l'autre soir, mais ma version lumineuse, quand on s'était vu en coup de vent un certain mois d'août. Je ne savais pas que je l'avais autant marquée. Je savais qu'elle avait été éblouie par l'aura qui se dégageait de moi au point de me prendre pour un blond, mais pas qu'elle regarderait mon ombre avec... une grande méfiance. Ma mission échouait avant de commencer si je n'arrivais pas à charmer Ève. Je ne voyais pas comment je pouvais y remédier. Ou plutôt si, il aurait fallu que j'éloigne mon ombre, mais ce n'était pas prévu. On devait faire équipe. Je devais lui montrer mon ombre en l'état. Ève ne pourrait pas dire par la suite que je l'avais trompée sur la marchandise. J'allais lui montrer mon côté le plus moche. C'était ce que les Dames voulaient.

En plus, l'ombre fait partie de ma personnalité. Il fallait que j'arrive à créer de l'intimité entre Ève et moi malgré mon ombre. L'idéal aurait été de l'inviter chez moi, mais avec Ève, tout était une question de tempo. Si je l'invitais trop tôt, elle se méfierait. Si je l'invitais trop tard, elle risquait de m'échapper.

J'ai eu l'occasion de voir ses photos. C'est Ève qui, un jour, me les a montrées. Elles se démarquaient de ce que j'avais l'habitude de voir parce qu'elles présentaient beaucoup de gros plans. Ça donnait un côté psychologique aux objets, comme s'ils avaient un message à faire passer. Ce qui m'a fait marrer intérieurement, c'est qu'elle avait photographié une cloche sur un fond de mur blanchi à la chaux. C'était un message pour elle ? Il y avait sur une autre photo une cruche en métal près d'un puits. Je me suis dit que si elle finissait en cruche, au moins, elle ne se casserait pas. Elle m'a raconté qu'elle avait pris ses clichés dans un ashram en Italie du Sud. Elle avait adoré ce lieu. J'ai eu la vision du lieu grâce à mes dons et moi aussi j'ai aimé. Elle m'a parlé d'un feu quasi « éternel » qui brûlait dans un espace de méditation, tout en bois, au milieu d'arbres et d'arbustes. Son grand-père lui en avait construit un, au fond de son jardin, et l'avait appelé « le doux nid ».

On a discuté en aparté un long moment. C'était devenu plus fluide entre nous. Son regard ne me scrutait plus, elle m'acceptait dans mes deux versions, sans plus se questionner. Je crois qu'une étape venait d'être franchie. Connaissant son penchant pour les mythes, je lui ai parlé de Pan. Pourquoi lui ? Parce que c'était une de ses dernières lectures. Pour Ève, j'étais une espèce de Pan, elle percevait en moi un fond un peu trop sauvage à son goût, une nature encore indomptée, ça lui faisait peur. Elle me voyait comme une curiosité, mais elle ne voulait pas trop s'approcher. Je respecte. Bon instinct, elle avait bien capté mon ombre fuyante. J'ai compris qu'il fallait que je prenne le temps de l'apprivoiser, mais j'avais des délais à respecter.

Après cette soirée, Mémoria m'a fait arriver une des vies antérieures d'Ève. Elle avait été vestale à Rome et elle avait été chargée d'entretenir « le feu » sacré. Mémoria m'apprend que les vestales honoraient la déesse Vesta, déesse du feu et du foyer. Elles avaient beaucoup de privilèges et échappaient à l'autorité paternelle par leur position. Mais elles étaient punies si elles laissaient le feu s'éteindre. En réalité, le culte du feu semble un culte très ancien de la sphère indo-européenne, du temps où les mémoires du féminin étaient encore vives. Le feu était le symbole de la source lumineuse du féminin. Si le feu s'éteignait et donc l'âme du féminin, c'était un drame pour la collectivité. C'était le signe que la sagesse se perdrait et par conséquent, les guerres des hommes arrivaient.

Autres rencontres

Une autre fois, je devais revoir Ève, avec mon ombre à la niche ou aux pieds, comme on veut. C'était un autre samedi et cette fois encore au « P'tit Ranch ». Depuis qu'elle avait divorcé, elle venait toutes les fins de semaine chez ses parents qui habitaient dans le coin. Elle retrouvait Cindy et pouvait laisser son fils chez ses grands-parents en toute tranquillité. J'avais prévu de l'emmener chez moi après l'avoir séparée de ses copines. Ce n'était pas gagné. Je ne vais pas raconter tous les détails, mais j'ai pu emmener Ève chez moi. « Bien joué ! » m'a soufflé mon ombre. Je ne voulais surtout pas de témoins autour de nous. Ce n'était pas une mission dangereuse, mais excitante quand même. J'étais l'agent secret des Dames.

J'étais moins bavard parce que j'avais plein de choses en tête. Je devais me méfier de mon ombre et mon Lucifer était si cool que moi, simple ego, je me sentais coincé entre les deux. Je devais trouver le bon équilibre. J'étais le centre des enjeux et avec ces rôles de

« triplé », je commençais à me dire que ce que les Dames me faisaient faire ressemblait beaucoup à de la manipulation. J'espère qu'elles n'allaient pas m'accuser après ! Je suivais mot à mot le journal d'Ève, en tout cas, les extraits que je pouvais en lire. J'ai trouvé cette soirée éprouvante parce qu'il fallait que je me contrôle sans arrêt et en même temps, j'ai laissé aussi de l'espace à mon ombre. Je me demande si mon ombre n'a pas fait peur à Ève avec mes autoportraits. En fait, je lui ai montré des autoportraits de mon ombre. Mon ombre lui a fait une forte impression. Elle y a vu la personnalité de quelqu'un de buté et d'inquiétant. La peinture psychologique m'amuse. Je ne sais pas encore où mettre le curseur entre mon ombre et moi, alors j'essaie de mieux la connaître et pour mieux la connaître, j'essaie de lui faire son portrait. C'est assez réussi, je dois dire. Au moins, je me vois en peinture quand je suis habité par mon ombre.

Je ne savais pas trop quoi penser de cette autre rencontre avec Ève. Ève était intéressée par ma peinture, elle voulait même m'aider à vendre quelques toiles. C'était un bon point, mais je doutais du tour que prenait notre relation. Ève semblait s'installer dans une amitié ordinaire, avec verres au comptoir, apéros ou soirée pizza et ce n'est pas ce qui était attendu de la part des Dames. Il fallait que j'aille droit au but, mais le but était compliqué : lui faire prendre conscience qu'elle était habitée, sans rien lui dire. J'ai pris le parti de la laisser seule face à la magie des mots que je laissais filtrer dans nos conversations.

Les Dames avaient leur plan qu'elle ne me dévoilait pas en entier. Par moment, j'étais surpris par leur audace. Pour accélérer les choses, elles m'ont dit qu'il fallait un choc émotionnel à Ève. On devait devenir plus intimes sans pour autant devenir amants…

C'est quoi ce coup foireux ? Je couche avec elle et je la largue après ? C'était un piège ? J'écoutais de mes deux oreilles et je réfléchissais en même temps aux éventuelles retombées funestes. Je sais prendre mes distances par rapport au chant des sirènes.

Mon ombre, un garde du corps ?

Pour le coup, Ève n'avait toujours pas l'air d'aimer l'ombre qui me traversait. Les Dames allaient activer mon Lucifer solaire et d'après elles, Ève ne pourrait pas me résister. C'était garanti. Mon ombre a été vexée. Mémoria avait testé Ève à travers mes autoportraits et elle avait vu qu'elle n'allait pas se laisser séduire par mon ombre. Donc changement de plan.

Mon ombre se foutait de ma gueule. Ça m'a fait rire, à cause des jeux d'ombre et de lumière qui se faisaient au-dessus de ma tête. Mon ombre oubliait quand même que c'est grâce au journal d'Ève et des Dames autour d'elle que j'avais appris son existence et que j'apprenais jour après jour plein de choses utiles à mon ouverture d'esprit. L'ouverture d'esprit ? C'est bien la dernière chose qui intéresse mon ombre ! L'ouverture à quoi, me demandait-elle en voix in ? Au monde des femmes ? Pour qu'elles fassent de moi leur paillasson ? Je crois que mon ombre a un côté macho bien trempé ! Il paraît que c'est normal. Dans les sociétés patriarcales, les ombres se plient aux dominants et jusqu'à preuve du contraire, le dominant, c'est l'homme !

Quand mon ombre n'est pas contente, j'arrive à le ressentir maintenant. Étant donné que je lui fais faire un revirement à 360° puisque j'ai accepté de suivre un autre principe que le principe masculin, elle ne sait plus comment prendre ses marques. Mon ombre déteste douter. Elle a un peu l'esprit militaire : le doute est l'ennemi mortel. Le doute détruit l'autorité et pour mon ombre, la virilité suprême, c'est l'autorité !

Il y a un truc qu'elle n'a pas digéré encore, c'est que j'ai découvert son existence grâce aux Furies et à mon passage dans le monde des ténèbres. Les ombres détestent être mises à nu, c'est comme voir l'envers d'un décor ou découvrir les astuces d'un illusionniste. Ça me fait penser à certaines personnes qui prétendent avec un certain aplomb que personne ne peut les connaître, en vous regardant droit dans les yeux pour vous faire comprendre que même vous, qui la regardez, ne lui arrivez pas à la cheville, elles sont bien trop malignes. C'est ça ! Elles ne connaissent même pas leur ombre et elles pensent se connaître mieux que quiconque ! Depuis, quand je vois une ombre en devanture sur un mec, je l'appelle « ombrè », en espagnol, ça le fait grave et je me marre en douce ! Il m'arrive de rire, c'est vrai, face à notre ignorance. Ce n'est pas de la prétention, c'est juste un rire de compassion. Pour une femme, c'est pareil. Leur ombre se comporte comme un mec. Ce sont des « ombrè » habillées en femme ! Comme quoi, la vie est cocasse !

Heureusement que ma lecture du journal d'Ève est une vraie mine d'info qui me permet de garder le cap, parce qu'avec mon ombre sur les talons, il y a de quoi douter de tout. Elle est là pour me faire douter, j'en suis sûr. Sacrée ombre, va ! Elle ne veut pas douter, mais elle adore me faire douter. Vaut mieux l'avoir comme amie que comme ennemie. Je vois mieux son jeu maintenant et je peux en sourire tout en l'ayant à l'œil. Elle me fait penser à ces chiens dominants qui profitent de la moindre faiblesse de leur maître pour prendre le dessus. C'est quelque chose, une ombre ! Elle voit souvent les choses en noir quand ça ne marche pas comme elles veulent.

J'avais une mission qui ne lui plaisait pas. Pourquoi réveiller une femme endormie ? me demandait-elle. Ève est bien comme ça. Mon ombre trouve que les Dames m'ont retourné le cerveau.

J'ai lu que j'allais faire l'amour avec Ève. Intéressant.

J'étais surpris puisque j'étais censé être asexué pendant toute la durée de mon initiation. Je m'étais habitué à être un « ange » au service des Dames, sans rien attendre. C'était une décision qui venait des Dames. Mais on m'a tout de suite mis au parfum : la nuit avec Ève aurait ses limites parce que mon ombre était encore un esprit instable. Il risquait de s'immiscer dans la lumière et comme je l'ai appris, on ne peut pas avoir l'ombre et la lumière en même temps, l'une exclut l'autre. Ce serait une nuit spéciale, je n'ai rien pu savoir d'autre. J'allais le découvrir sur place.

En plus, je n'avais pas la tête à faire l'amour avec Ève, mais mon ombre n'attendait que ça pour voir. Quoi ! J'ai un esprit voyeur en moi ? Tout est expérience avec mon jumeau de l'ombre. Mais côté émotion : zéro.

On me conseille de ne pas trop critiquer mon ombre parce que c'est grâce à mon ombre que je me différencie des autres. C'est elle qui est chargée de ma protection rapprochée. Première nouvelle ! Je suis assez grand pour me protéger moi-même ! C'est quoi cette nouveauté ? La nouveauté, c'est que mon ombre est mon ange gardien !

Vraiment ? Depuis quand on a un ange noir ?

Il paraît que c'est elle qui nous fait faire des prouesses inhumaines dans des moments d'adrénaline intense.

C'est un esprit multitâche ? Il s'en passait des choses dans notre tête ! En même temps, comme ce n'est pas scientifique, elles sont tranquilles, je ne peux pas contredire les Dames.

Les Dames m'ont répondu que c'était scientifique, l'ombre intervenait au niveau de l'amygdale dans le cerveau, c'est elle qui allumait la zone de danger. Elle est en lien avec le système reptilien du cerveau. Si elles le disent... Pour le moment, je ne suis pas en mesure de contester. D'où l'importance de faire ami-ami avec mon ombre. Elle n'a pas vocation à diriger ma personnalité. C'est moi, le capitaine du navire. Elle n'est là qu'en tant que garde du corps. Elle est parfaite en situation de danger.

C'est vrai, maintenant que j'y repense, je l'ai constaté. Un soir, elle m'avait transformé en « ninja » au cours d'une bagarre où un pote et moi, nous avons été assaillis par des connards qui croyaient nous foutre une branlée parce qu'ils étaient six contre deux. On avait voulu protéger une fille contre leurs mauvaises intentions et ça leur avait pas plu. Il y a des vicelards, ils ne comprennent que la baston. C'est moche à dire, mais c'est comme ça et je ne suis pas du genre à tendre la joue gauche face à des types qui sont là pour vous dégommer et violer une fille à plusieurs. On se demande comment les parents les ont élevés. D'ailleurs, j'en ai envoyé un à l'hosto et lui m'a envoyé au tribunal ! Les gens mal intentionnés ne manquent jamais d'aplomb. Je n'étais pas fier de moi et je me demandais si je n'allais pas être le dindon de la farce. Je comprends pourquoi les gens hésitent à jouer au héros. Au final, la fille a témoigné en ma faveur ainsi que d'autres personnes présentes ce soir-là et le juge m'a remercié d'être intervenu. Comme quoi, il y a des gens bien.

Revenons à nos moutons : Ève. J'étais plus déterminé que jamais à boucler ma mission. Il me semblait que j'avais plein de choses importantes qui m'attendaient après. Je sentais qu'il allait se passer plein de bonnes choses pour moi après et j'aurais déjà voulu être à la fin.

Les muses ont un plan B pour bloquer mon ombre quand je ferai l'amour avec Ève. D'abord, elles m'ont rappelé que la tête n'avait rien à voir dans l'amour, il fallait y mettre le cœur. Maintenant que mon cœur était éclairé, mon ombre allait s'effacer automatiquement.

Sans transition, j'ai lu dans le journal d'Ève qu'elle allait rêver de moi en cochon géant ! J'espère qu'elle ne pense pas que je suis un porc comme les potes d'Ulysse quand ils débarquent chez Circé ? Je ne rêve pas de baiser toutes les femmes que je vois ou de les violer, parce qu'à l'époque, les hommes ne faisaient pas la différence ! Pourquoi elle rêve de moi en cochon ? On m'a répondu que le cochon « mystique », le cochon « ailé », est une métaphore positive comme la vache nourricière. Le cochon évoque l'abondance, c'est elles qui avaient envoyé à Ève cette vision. C'était pour mieux la disposer à mon égard.

Vraiment ? J'espère qu'elle connaît la symbolique parce que sinon, ça va faire l'effet inverse !

Je suis revenu à Ève et à notre « future » nuit d'amour.

Un choix parmi tant d'autres

Mon ombre n'allait pas être contente. Elle ne faisait pas partie de la partie de jambes en l'air. Pas de jambes en l'air avec Ève ni de positions du Kâmasûtra, ce que les ombres adorent d'après ce que j'ai compris. Mon ombre n'avait pas sa place entre nous. Comment l'évincer ? Leçon de magie naturelle : par la méditation pour faire remonter mon côté solaire. Ça fait partie des savoir-faire que je dois acquérir.

Une fois mon ombre exclue de la chambre à coucher, je n'avais rien à faire d'autre qu'à me laisser aller, pour être en équipe cette fois avec mon âme. C'est elle qui prendrait en main les choses et transformerait la chambre à coucher en chambre d'amour. Je n'avais pas le droit de toucher Ève, mais mon âme, oui. Je ne sais pas expliquer ce qui m'arrive, je constate et j'essaie de restituer comment les phases s'imbriquent. Je ne dis pas qu'un psychanalyste serait d'accord, loin de là, mais je veux bien en discuter avec lui si j'en trouve un sur mon chemin.

Ce qui se passe en moi me rend joyeux, léger et plus libre. Je croyais que la vie n'avait plus de mystères, mais je me trompais. J'avais l'impression d'être dans la peau d'un hacker un peu spécial, un hacker qui était en train de craquer les codes de l'inconscient profond grâce à mes drôles de Dames. Mon inconscient était une boîte à mystères et ses mystères étaient infinis, profonds, inattendus, incroyables. Ma vérité venait du dedans, mais je partageais cette vérité avec une femme qui ne savait encore rien de son pouvoir sur moi.

J'ai réfléchi et j'ai trouvé que faire tomber amoureuse Ève en utilisant un autre moi-même était de la manipulation pure et simple. Ça m'embêtait d'être un manipulateur. Je n'en revenais pas que les Dames aillent jusqu'à manipuler des gens pour arriver à leurs fins !

En réalité, j'étais sur la voie de l'amour et je n'avais pas encore réalisé que mes rencontres avec Ève n'allaient pas laisser mon cœur indifférent non plus. Alors, qui était manipulé par qui ? Moi aussi j'étais manipulé par Mémoria ? J'étais obligé de lire le journal d'Ève, c'était pour moi une lecture fatale. Cette lecture allait-elle être mon salut ou ma perte ?

J'ai opté pour le salut. C'est ma part de choix. J'avoue.

Jusqu'à présent, j'avais vécu trop de choses extraordinaires pour penser du mal de ces Dames. J'aurais pu décider du contraire, que ce journal allait me perdre et je sais, maintenant que j'en suis libéré, que je me serais perdu dans la vie en abandonnant Ève et les Dames. Je n'aurais pas pu rencontrer mon destin et le vivre dans ce qu'il a de fabuleux.

C'est une drôle de mission de libérer l'inconscient d'une femme de son totem masculin. Il paraît qu'elle va me prendre d'abord pour un dieu et ensuite pour un diable. Quand Ève-la belle au bois dormant se réveillera, ce n'est pas grâce au baiser du prince charmant. Après la phase Alice au pays des merveilles, elle va vouloir déboulonner le patriarcat, et moi par la même occasion ! J'avais intérêt à me barrer aussi vite que possible avant que son éveil aux mémoires du féminin ne me retombe dessus.

Je me demandais si je n'allais pas me faire avoir d'une manière ou d'une autre. Je ne voyais pas encore l'affaire dans son entier, mais je n'étais pas le dernier des cons, je me méfiais. Dans l'étrange univers des Dames, par moment, je me sentais un vrai blaireau.

Le Nirvana à deux

Je sais que je peux devenir un artiste grâce à elles. Mais leur magie est toute relative, elles l'appliquent à des talents préexistants chez la personne. Elles n'allaient pas me transformer en concertiste de piano si je n'avais jamais étudié la musique. Elles avaient décelé chez moi un talent ou plutôt un penchant pour la peinture. Est-ce que ça me plairait de devenir un grand peintre ? Je ne savais pas encore ce que je voulais faire de ma vie : exercer une profession au milieu des autres ou me retirer dans une propriété, dans la nature pour faire autre chose. Je ne sais pas encore ce que je ferai, mais j'aimerais quelque chose de serein. Toute cette complexité dans ma tête me faisait rêver de simplicité bucolique.

Les Dames m'ont dit qu'en vertu de mon sacrifice, elles réaliseraient mes souhaits.

Je n'aime pas anticiper ce qui n'a pas encore été fait. Le moment venu, on verra. Agiter une carotte devant mes yeux va me déconcentrer.

Les jours suivants, curieusement, on ne m'a pas donné à lire à l'avance dans le journal d'Ève. J'aurais aimé connaître le passage qui parlait de sa nuit avec moi. Mon ombre mourait d'envie d'en savoir plus, elle piaffait d'impatience comme un cheval, mais les Dames avaient bloqué la lecture. Ça craint ! J'avais le jour, ce serait un mercredi, c'était déjà bien. Mercredi ? Ce n'est pas le jour de Mercure, le messager des dieux ? C'est pas louche ? Je n'étais pas le messager des dieux, mais des Dames.

Il ne me restait qu'à me préparer mentalement.

La nuit précédant ce fameux mercredi, je n'ai pas fermé l'œil. Je craignais que mon ombre fasse tout capoter. Moi qui ne fume pas, je me suis mis à fumer cigarette sur cigarette. C'est mon ombre qui me pousse à tous les vices : il fume, il boit, il mange parfois à outrance. La vie terrienne ne lui vaut rien. Avant je croyais que c'était moi, maintenant je sais que c'est elle. Moi, je veux juste profiter de la vie avec sagesse, être un bon père, un bon mari, bien faire mon taf au boulot. Je ne suis pas paresseux. Mais plus j'avançais et plus je doutais de mon ombre. Et si cette nuit, c'était un test ? Je me méfiais un peu.

Le moment venu, je tremblais un peu intérieurement. À propos d'ombre, elle était passée où, la sienne, celle d'Ève ? Et si c'était son ombre à elle qui faisait tout foirer au dernier moment ? Tout était possible. Il y avait pourtant une différence entre hommes et femmes. Globalement, les ombres de femmes s'effaçaient plus spontanément face à l'amour. Les femmes étaient préparées biologiquement à devenir mères, et la maternité était un capital d'amour exceptionnel qui faisait fondre littéralement les ombres des femmes face à l'amour. Mais pas toujours. Ça dépendait de la façon dont elles avaient été abîmées par la vie.

Je guettais son arrivée à la fenêtre. Je n'avais jamais été aussi anxieux à propos d'un rendez-vous avec une femme. Mon ombre était là, bien présente. Il paraît que je dois lui laisser un peu d'espace au début et que je reprends la main après, quand je le jugerai opportun. C'était une manière pour moi de m'habituer à tenir fermement les rênes. Les Dames voulaient juger de ma capacité à m'imposer.

Ce qu'il me reste de cette nuit avec Ève ? Difficile de trouver les mots.

Une fois dans mon repaire, Ève n'a même pas voulu un thé chaud pour rompre un peu la glace entre nous et réchauffer l'atmosphère. On ne se connaissait pas tant que ça et parler aurait été de bon ton. Je suis peut-être « vieux jeu ». En fait, c'était surtout pour me rassurer.

Par moment, je me dédoublais, je me voyais agir, je m'entendais parler et je savais que ce n'était pas bon. Ça me stressait. Mon ombre me collait à la peau. C'est compliqué de faire glisser son ombre ailleurs. Je n'avais pas consolidé ma technique d'exclusion alors au début, elle en a profité.

Cette nuit-là, je dois dire que mon ombre avait trouvé le moyen de me foutre la honte en début de soirée. D'ailleurs, je vais l'appeler « mon jumeau » parce que nous partageons le même corps. Alors que j'essayais de réchauffer l'atmosphère, on n'était pas encore dans la chambre à coucher, il a commencé par dire à Ève qu'après cette nuit, tout changerait pour elle, ce serait comme un tremblement de terre. Je ne vois pas où il est allé chercher ça. Ève a failli éclater de rire en pensant qu'un homme ne devrait pas se vanter comme ça avant de passer à l'acte, surtout qu'elle n'était pas très chaude pour des ébats torrides. Elle n'est pas du style à perdre le contrôle et à lever la jambe dans un ascenseur ou au coin d'une rue. C'est une question d'hygiène.

D'ailleurs, elle doit avoir un sacré instinct parce qu'elle n'a pas voulu que mon jumeau la déshabille. Ça m'a fait marrer. Du coup, il ne savait plus quoi faire. Je l'ai laissé mariner pour qu'il prenne bien la mesure de ses limites. Ils sont allés tous les deux dans la chambre et se sont déshabillés chacun de leur côté. On aurait dit un vieux couple qui avait épuisé tout son capital érotique.

Une fois dans le lit avec Ève, tous les deux nus, il s'est allongé sur elle et l'a bloquée de tout notre corps. Il est gonflé ! Elle ne pouvait plus bouger et Ève, elle est trop géniale, lui fait remarquer tout de suite en riant que s'il restait dans cette position, il ne se passerait pas grand-chose. Elle a mis ça sur le compte de mon immaturité, comme si j'étais un adolescent attardé. Ève est plus âgée que moi, elle a quelques années de vie conjugale derrière elle et ça m'a vexé d'être vu comme un attardé à cause de ce jumeau lourdingue. Alors pour rattraper sa boulette, j'ai voulu faire un compliment à Ève. Je n'aime pas complimenter une femme, je suis plutôt réservé, je déteste la flatterie et j'ai cherché quelque chose de discret, mais stylé. Aussi, j'ai regardé son corps et je lui ai dit que j'aimais ce que je voyais. C'est vrai. Ève était mince, bien faite et elle avait une jolie poitrine, mais je n'allais pas lui dire ça, quand une femme me plaît, c'est le tout, c'est pas en détail. Ève me plaisait indépendamment de son corps.

Je n'étais pas content de l'attitude de mon jumeau. Je le connais, il était tellement rancunier du pouvoir bloquant des Dames, au sujet des informations à venir, qu'il a voulu montrer à Ève ce que ça veut dire d'être bloqué ! J'y crois pas ! ça n'a rien à voir ! Il mélange tout ! Il magouille ses petites vengeances mesquines à sa sauce. Je n'étais pas content d'avoir un tel esprit en moi ! Si c'était un mec, je lui aurais collé mon poing sur sa gueule, mais jusqu'à preuve du contraire, on ne peut pas taper une ombre, c'est se taper soi-même. Quelle situation à la con ! J'ai repris la situation en main et mon cœur s'est montré plus cool. Le problème avec Ève en ce moment précis, c'est que je n'avais pas envie de lui faire l'amour, j'avais plutôt envie de ressentir ses pensées et la proximité physique, il n'y a rien de mieux.

Heureusement, je découvre qu'Ève aime bien rire et avant de la mettre en colère, il faut se lever de bonne heure. Elle était tellement captée par mon cœur qu'elle n'a pas vu la moindre malice à mon comportement bizarre. Peau contre peau, je suivais toutes ses émotions. Elle me voyait comme un « Eros » grec adolescent qui n'a pas beaucoup de pratique et qui est un peu maladroit en plus d'être vantard. Elle est vraiment bon public. Elle n'a pas vu le connard qui était en moi. Je dois l'avouer. Il n'y a pas d'autres mots. Je crois qu'elle a trop de culture littéraire et ça lui brouille la réalité. C'était peut-être une façon pour elle de nier l'évidence : elle avait affaire à une ombre et ce n'est pas facile ni à admettre ni à identifier. L'ombre, pour les chrétiens, c'est maléfique, c'est le diable en personne ! Je n'allais pas me présenter en lui disant mon autre nom : « Au fait, enchanté, on m'appelle aussi Lucifer, le serviteur de ces Dames. » On ne dit pas ça à une croyante ou une ex-croyante, les fausses idées, ça reste imprimé longtemps, parfois à vie.

Quoiqu'il en soit, la deuxième manche a été avec mon cœur lumineux. Mon sombre jumeau n'a plus eu droit à la parole ni à sa présence. Mon Lucifer lumineux a débarqué et l'autre a dégagé.

À partir du moment où j'ai laissé mon autre moi lumineux me guider, tout a été plus simple. Je me suis laissé couler dans la béatitude de mon âme, esprit serein et aimant. Je regardais Ève d'un regard tout nouveau. Je n'en revenais pas qu'elle était dans mon lit. Pour moi, c'était comme si j'avais Mémoria dans mon lit, comme si j'avais une déesse. C'était intimidant.

Ce qui s'est passé ensuite était renversant. Ce n'était pas comme avec Mémoria, la nuit de ma fugue, c'était moins mystique, mais l'envolée a été identique. Je ne savais même pas que c'était possible de vivre une extase pareille avec une femme en chair et en os. Entre nous deux, c'était une fusion parfaite de nos corps et de nos âmes. Pas de préliminaires, pas de gymnastique, juste l'envolée à deux dès le contact. Le nirvana à deux, c'est bluffant, on est ensemble dans la jouissance, on n'est pas séparés. On est entrés dans une autre dimension comme si nous étions transportés dans le cosmos ; on ne faisait qu'un avec l'univers. C'était vraiment une sensation merveilleuse et inoubliable. Dommage qu'il ait fallu que ça s'arrête.

Ève est restée chez moi jusqu'au petit matin. Elle aussi n'en revenait pas de ce qu'elle venait de vivre avec moi. Personne ne l'avait préparée à un tel bouleversement. Là, elle commençait à entrevoir la métaphore du tremblement de terre.

Quand Ève est partie, j'avais tellement sommeil à cause de mes esprits en moi que je n'ai pas pu la raccompagner jusqu'à la porte. C'est surtout mon esprit contraire qui me fatigue. Ève s'est penchée sur moi et mon cœur a laissé passer un « je t'aime » auquel je ne m'attendais pas. Il a une avance sur moi, mais c'est vrai, je l'avais trouvée adorable. Ensuite, j'ai sombré dans un sommeil réparateur, confiant.

Après cette nuit-là, je ne lui ai plus donné de nouvelles selon les ordres que j'avais reçus. Je ne pouvais pas lui en donner. J'étais inquiet parce que Ève ne m'a pas appelé non plus, pas tout de suite. Je ne comprenais pas pourquoi.

Je savais que l'ouverture de sa source lumineuse, de son canal, et l'arrivée de son soleil intérieur serait pour plus tard.

Mon esprit contrariant

En parlant de moquerie, j'avais un esprit moqueur en moi : mon jumeau terrible, mon esprit contraire. Après notre nuit avec Ève, il n'a pas arrêté de la dénigrer.

Il disait qu'elle ne serait jamais comme moi, que ce n'était pas un alter ego, mais juste un montage artificiel que les Dames avaient inventé pour me tromper. En réalité, disait-il, ce que les Dames voulaient, c'était que je m'aplatisse devant Ève comme un vil serviteur, etc. Il ne leur pardonnait pas de l'avoir exclu de ce nirvana, de cette extase et il essayait d'insinuer en moi le doute : j'avais vraiment ressenti avec Ève ce que je disais ou je « croyais » l'avoir ressenti ? Il continuait son travail de sape en disant que les Dames étaient les reines de l'illusion.

Il a insinué que les Dames favorisaient Ève. Pourquoi, me demanda-t-il, elle pouvait garder son fils près d'elle alors que moi, on m'avait éloigné de mes enfants ?

Là, les Dames sont intervenues illico pour dire qu'un enfant a besoin de sa mère. Le père est important, il n'y a pas de doute à ce sujet, mais la mère, c'est fondamental. En outre, les Dames n'auraient pas pu confier l'enfant à son père. L'ex-mari d'Ève n'était pas un père attentionné. C'était avant tout un amant, un séducteur de femmes. La complicité père-fils, il ne connaissait pas. Un repas partagé avec son fils uniquement, il n'en voyait pas l'utilité. Comment auraient-elles pu confier un enfant à un père dont le rôle se limitait à payer la pension alimentaire et autres frais divers ?

Inutile d'ajouter que ce débat entre moi et mon double était tabou. Jamais je n'aurais laissé filtrer quoi que ce soit à un ami. C'était mon secret et s'il y avait une personne avec laquelle j'aurais pu le partager, c'était Ève. Pour le moment, même avec elle c'était impossible. Elle

125

n'était pas prête à entendre le jeu des esprits en nous. Elle aussi m'aurait pris pour un dingue.

Il paraît que les Dames allaient m'aider à aligner tous mes esprits pour qu'il n'y ait plus de sentiments contraires en moi. Génial ! ça va se faire quand et comment ? Et là, douche froide ! Je veux parler d'une douche virtuelle, celle des idées qu'on se fait et qui ne correspondent pas à la réalité. D'après les muses, il me faudra dix ans pour aligner tous mes esprits ! dix ans ! 10 ans ! je regarde le chiffre, je me dis que le temps des muses n'est vraiment pas du tout notre temps. Pour les Dames, dix ans, c'était une minute. Elles sont vraiment sur une autre planète, mais laquelle ? Les Furies étaient sur la terre, c'est sûr, mais Mémoria ? Dix ans, ça voulait dire 2022 ! C'était loin !

Face au temps humain, ou bien on craque ou bien on continue. Si on craque, c'est fini. Finie la magie, fini le jeu des inconscients, je reviendrais à zéro. Je ne peux pas. C'était plus fort que moi, je devais poursuivre. Je détestais ne pas terminer ce que j'avais commencé. Et puis surtout, il y avait Ève. Elle prenait de la place dans ma vie désormais. Mes enfants à part, elle était devenue le centre de mon existence, de mes intérêts proches et à venir. Quelque chose avait radicalement changé en moi. Je comprenais pourquoi mon ex-femme ne pouvait plus être la femme de ma vie. Ce qui se passait en moi l'éloignait à jamais. Il me restait mes enfants. Pour le moment, ils étaient petits, je ne pouvais rien leur dire ; même une fois grands, qui sait s'ils pourraient comprendre ? Contrairement à la royauté ou aux privilèges, ma relation avec Mémoria, ça ne se transmet pas de père en fils ou de mère en fille.

Qu'est-ce qui fait que Mémoria est venue habiter une femme et pas une autre ? Pourquoi ce n'est pas ma femme qui s'est trouvée à la place d'Ève ? Cela aurait été plus simple, enfin, je crois. Les femmes qui côtoient les drôles de Dames sont chanceuses. Bien que, il faut voir à quoi ça engage. Elles m'ont poussé au divorce. Après, elles m'ont jeté dans les bras d'une inconnue. Je suppose que pour Ève je suis aussi un inconnu. Je ne savais pas qu'elle allait aussi devoir divorcer. Ça ne m'étonne pas que les religions patriarcales aient voulu contrôler les femmes. À mon avis, il y a des religieux qui étaient au courant des petits jeux d'esprit qui débarquent dans nos têtes. D'ailleurs, si j'ai bien compris, c'est tout le problème du dieu judéo-chrétien face à Adam et Ève. L'inconscient des femmes a été siphonné par une culture d'hommes comme si on avait mis un virus dans un logiciel. Les dieux ont plagié la culture des femmes, ils ont tout inversé en leur faveur. Ce n'est pas une raison pour s'accuser les uns les autres. C'est juste l'histoire des idées, je n'en fais pas une croisade.

Il faut bien réfléchir avant de décider d'écouter les Dames, tout le monde n'est pas fait pour la solitude. J'ai remarqué dans la vie que les hommes préfèrent un mariage bancal, une prison dorée, plutôt que se retrouver seuls. Les hommes qui divorcent ont souvent une autre femme sous le coude avant de franchir le pas. Ce qui n'est pas toujours le cas de femmes qui divorcent. Ce sont elles qui se retrouvent seules la plupart du temps avec des enfants à élever.

Ce qui m'intriguait chez Ève c'est que c'était une femme ordinaire qui cachait en elle tout un univers que je n'aurais jamais soupçonné. C'est fou comme les apparences sont trompeuses ! Son journal intime était une mine d'informations pour moi et sa lecture m'apprenait plein de choses auxquelles je n'avais jamais réfléchi. Je vérifiais tout ce qu'elle écrivait quand il s'agissait de culture vérifiable. Je lisais aussi certains des livres qu'elle avait lus ou bien qu'elle était en train de lire. Elle était très éclectique.

Si je dois être honnête, je dirais qu'elle me permettait d'approfondir ma pensée. Oui, c'est ça, je commençais à avoir des pensées profondes grâce à elle. Ça me rendait plus mature. C'est fou quand j'y pense. On porte aux nues des femmes célèbres, puissantes, les hommes vont honorer mère Teresa qui s'est occupée des lépreux en Inde par exemple, mais ils vont rester insensibles au fait que nos sociétés tiennent debout grâce à des millions de femmes anonymes qui sont extraordinaires. Je réalise que ces millions de femmes ordinaires s'occupent du « foyer », la pièce où autrefois il y avait le feu. Elles sont l'âme de la famille et sans elles, on serait comme des cons, tout malins qu'on est, nous les hommes.

Je me rappelle ma nuit à la belle étoile à Paris ; au petit matin, j'avais cru que j'étais devenu un bonhomme après une seule nuit passée en compagnie des Dames. Quelle nuit, mais quel naïf j'étais ! Je le vois bien maintenant. Je commençais à peine à découvrir la partie immergée de notre monde. Par moment, je me sentais plus vieux que mon âge. Est-ce que les muses faisaient vieillir ou mûrir les hommes et les femmes ? À part la folie des Dames en moi, ma vie était plutôt raisonnable avec toutes les restrictions qu'elles m'avaient imposées.

Pour le moment, les notes d'Ève étaient une caverne d'Ali Baba. Il y avait des infos partout et ça m'arrivait en vrac dans tous les sens. Ça commençait à m'amuser, surtout la semaine, ça me changeait de mes journées de travail. En fin de semaine, je m'aérais les idées avec mes potes. Je suis peut-être devenu un moine laïc sans le vouloir, mais pas un ermite. J'aime bien boire un verre entre amis. Juste une bière. J'arrive encore à boire une bière. J'aime bien aussi aller au restau, mais les muses m'ont mis au jeûne forcé. Au début, c'était dur : régime au riz blanc et café ou thé noir ou vert. Je ne suis pas « tisane ». Je n'avais plus le palais pour boire du vin. Impossible. Je ne sais pas comment elles font ça, mais dès que je buvais une gorgée de vin, le vin devenait aigre à mon palais. J'ai essayé. Je veux bien me priver de vin, et jeûner, du moment que c'est temporaire. Avec le temps, grâce à ce régime mystique, mon esprit est devenu beaucoup plus clair, je me sentais mieux dans mon corps. J'ai même perdu du poids sans m'en rendre compte.

La mise à l'épreuve : mon ombre et moi

Depuis toujours, je suis plutôt quelqu'un de tranquille, de réfléchi et de pacifique, mais je n'ai jamais tendu la joue gauche. Je le répète parce que c'est un truc des chrétiens que je n'ai jamais compris. Quand on a à faire à des cons, la gentillesse ne paie pas. Ils se paient votre tête et les laisser faire est pire.

Ce qui va suivre ne me fait pas honneur, mais les Dames veulent que je déclare ce qui se passe dans la tête d'un homme quand il ne censure plus ses pensées les plus profondes. Il paraît que l'ombre peut se révéler un esprit « tentateur » pour le pauvre « moi » qui subit sa loi. La tentation est souvent assimilée à des actes négatifs comme le vol. J'apprends que la « tentation » en initiation du point de vue de Mémoria, tourne autour de la femme, du fric et du pouvoir. Mémoria ne sélectionne pas à son service les esprits déviants, criminels ou autre.

Mon jumeau, cet autre moi, ce « surmoi », d'après la psychanalyse des profondeurs, je l'avais découvert pendant ma visite dans le monde des ténèbres. Il était devenu un esprit avec lequel j'étais sans arrêt en négociations. Mon ombre est spéciale, elle est là pour me protéger, pour gérer mon périmètre de sécurité, mais quand elle n'a pas ce problème, elle se retourne contre moi et elle pointe toujours du doigt mes mauvais côtés. Je ne sais pas si elle se prend pour un justicier de l'ombre, mais ça m'en a tout l'air. Juger est une activité humaine très répandue. On juge souvent à tort et à travers. Toujours est-il que les remarques négatives, ça peut saper le moral. Je ne suis pas un saint, j'en suis conscient, mais je ne suis pas le pire et moi au moins, j'ai souvent pris la défense des femmes et des faibles. Je n'ai jamais regardé les bras croisés, quelqu'un se faire harceler. C'est une question de conscience personnelle.

Ça me fait penser à un métier que je voulais faire. À un moment donné, je voulais devenir gendarme. Je me demande si ça ne vient pas du fait inconscient que j'aurais aimé aligner tous mes esprits, les mettre au garde-à-vous. À défaut d'aligner mes esprits sur les valeurs du féminin, je voulais aligner l'esprit d'autrui sur la loi des hommes. J'essaie de trouver une logique intérieure à mes actes manqués ou pas. Il paraît que depuis notre naissance, tous nos actes ont une logique dont la ligne conductrice n'apparaît qu'à la fin de notre vie.

D'après ce que je comprends, l'ombre est à l'origine un esprit asexué. L'ombre n'a pas de sexe, elle n'est ni homme ni femme. Notre ombre n'est pas genrée. Mais quand elle est dans notre corps, elle s'adapte au sexe du corps… ou pas ! Je n'ai rien contre les LGBT, quand je vois comme ils en bavent, ça me fait de la peine. J'essaie de comprendre comment ça fonctionne, le genre. Au final, quel que soit notre sexe, on cherche chez l'autre le principe, masculin ou féminin, qui nous fait défaut.

Bref, tout ça pour dire que désormais je vais traiter mon ombre comme un pote un peu encombrant, un « il » puisqu'il habite mon corps et que je suis un homme. Ce sera mon jumeau terrible, mon double parfois maléfique parfois bénéfique, mon « vizir » malintentionné ou mon petit diable des bandes dessinées flottant sur un nuage gris au-dessus de ma tête. Ça me permettra de faire le ménage des mauvaises idées ou mauvais penchants dont je n'avais pas pleinement conscience. Ah oui, l'expression « vivre en pleine conscience » est à la mode. Je ne sais pas qui a lancé ça, mais l'idée est bonne. Chacun cherche à se connaître à sa manière, ça ne peut que faire avancer les choses.

J'apprends aussi à faire le ménage chez moi. Le vrai ménage avec balayage des sols et lavage et tout le reste. Je ne dis pas que c'est nickel, je fais ce que je peux, mais je fais tout seul. Je n'avais pas réalisé à quel point c'est important qu'un homme fasse son ménage seul, même s'il a de l'argent pour se payer de l'aide. C'est clair, il vaut mieux ne pas avoir trois cents mètres carrés à nettoyer. Le ménage, ça permet de garder les pieds sur terre, surtout quand on nettoie ses chiottes.

Pour en revenir à mon jumeau, s'il y en a un qui n'était pas trop content de sa situation, c'était bien lui. Il y avait un dialogue entre moi et... l'autre, mon autre moi insoupçonné, mon frangin de l'ombre. Le dialogue était un peu spécial. Je ne m'étais jamais parlé à moi-même. Il n'y a que les fous qui se parlent à eux-mêmes, les schizophrènes. Qu'est-ce qu'elles ne me font pas faire ces Dames !

Par moment, ça me faisait flipper. Je ne parlais pas à voix haute parce que là, j'aurais commencé à douter de ma santé mentale, mais je parlais quand même à deux voix dans ma tête, ce qui n'est guère mieux. C'est une sensation désagréable que je ne souhaite à personne. La nature est bien faite parce que d'ordinaire, on ne se rend même pas compte qu'on pense. On « est » et c'est tout, sans se demander qui est aux commandes. Maintenant, j'étais pleinement conscient que je n'étais pas seul à penser. Il faudrait créer une autre formule que celle du philosophe Pascal : « Je pense, donc je suis ». La formule est élégante, mais « être » conscient de tous ses esprits est plus compliqué que « penser être ».

En revanche, il n'y avait aucun problème entre le troisième esprit, mon cœur éclairé et éclairant, et moi. Mon cœur me tranquillisait parce que mon cœur était devenu plus juste et bon. C'est lui l'esprit conciliateur entre mon jumeau et moi. C'est lui l'aiguille de la balance qui permet d'équilibrer le plateau, c'est lui qui est connecté au féminin-terre. C'est un esprit consolant, positif, qui donne confiance. Rien à voir avec mon double ténébreux. Je me désolidarisais de plus en plus de lui et de sa susceptibilité. Mon frère ténébreux est très susceptible, autant qu'un roi en majesté. D'ailleurs, je crois qu'il se prend pour un roi de temps à autre.

Il m'a répondu d'un air comique : « black is beautiful ». Ça me fait toujours marrer cette histoire d'ombre noire en nous. Si ceux du Klan Ku Ku se doutaient qu'ils vont devenir tout noirs à leur mort ! J'aimerais trop les voir de l'autre côté, eux qui se rêvent tout blancs et suprémacistes ! D'ailleurs, c'est peut-être pour ça qu'ils en ont peur ; ils projettent sur les gens de couleur la peur de leur ombre. Quand on sait que les Furies rebattent les cartes à propos des ombres, si ça se trouve, dans une autre vie, ces blancs qui ont tant détesté les gens de couleur, reviendront peut-être en hommes de couleur, mais toujours habités par une ombre noire quoiqu'il en soit ! C'est bien qu'ils goûtent au plaisir du racisme sur leur peau. Je blague, j'espère qu'avec le temps, on arrêtera de juger les gens d'après leur couleur de peau.

Je disais que mon jumeau ténébreux n'était pas content d'avoir été écarté des secrets des Dames et cherchait à comprendre ce que Ève avait de spécial par rapport à lui. Il avait envie de démonter ses rouages intérieurs pour comprendre comment les Dames s'y prenaient avec leur protégée pour qu'elle en sache plus que lui. L'inconscient, c'était son domaine, il s'y baladait sans arrêt la nuit. Lui qui naviguait dans les profondeurs insondables, il ne pouvait pas accepter qu'Ève puisse le doubler. Un garde du corps doit toujours anticiper et qu'Ève puisse l'en empêcher, ça ne passait pas.

Je n'aimais pas son état d'esprit. Il voulait s'introduire dans l'inconscient d'Ève. Ça ne se fait pas ! En tout cas, pas sans permission ! Moi j'avais la permission de Mémoria, pas lui. Désolé. Cette histoire le concernait dans une certaine mesure, mais ça ne le regardait pas. Il me faisait penser à ces hommes qui considèrent les femmes comme des poupées. Un peu comme des manipulateurs pervers qui veulent posséder une femme pour mieux les démonter de l'intérieur. Les femmes aussi peuvent être dangereuses à ce jeu et vouloir détruire ce qu'elles ont aimé.

Je comprends pourquoi Ève n'avait pas eu de coup de foudre pour moi à Paris et après. Elle a raison. Mon ombre est toujours en train de la juger. Il faut que je surveille de près mon frère aux idées sombres. Il doit se contenter d'être mon garde du corps parce que sorti de là, ce n'est pas toujours un bon ministre de l'Intérieur. Il a même de mauvaises idées ou de fausses bonnes idées et aussi de très mauvaises idées. Il vient de me suggérer un truc auquel je n'avais pas pensé… et ça me trotte dans la tête depuis.

D'après lui, puisque j'étais devenu le serviteur de ces Dames, puisque je savais comment mettre mon cœur en lumière, je pouvais peut-être reconquérir ma femme. Il a continué ses conseils de mauvais vizir : même que, d'après lui, je pouvais conquérir toutes les femmes du monde, je pouvais avoir toutes les femmes à mes pieds… Est-ce que ce n'est pas la tentation suprême pour un homme : pouvoir posséder n'importe quelle femme, même les plus inaccessibles ? J'avais le bon physique, disait-il, et en plus j'avais justement ce « plus » qui manquait à beaucoup d'hommes : j'avais un cœur magique et je connaissais le secret du nirvana à deux !

C'était tentant. Rudement tentant pour un homme ordinaire, mais je n'étais pas un homme ordinaire et je n'avais jamais été intéressé par les conquêtes en série. Le con ! Je dis ça parce qu'il faut en tenir une couche pour me proposer une chose pareille en connaissant le pouvoir des Dames ! Mon jumeau terrible avait une furieuse envie de revenir vers mon ex-femme en Zorro, le justicier masqué capable de faire pardonner ses absences par son charme et son sourire de gentleman et surtout par ses pouvoirs mystérieux qu'il a acquis en se séparant d'elle. Il plaidait sa cause auprès de moi, il savait exactement ce qu'il dirait à mon ex-femme. Il rêvait trop de revenir en héros, de la faire craquer, rien que pour ses beaux yeux.

Moi en Zorro ? Il est vraiment trop nul !

Il continuait de siffler dans mon oreille comme un serpent : si j'agissais vite et bien, même si mon ex était avec quelqu'un, il était encore temps pour moi de la récupérer avant qu'il ne soit trop tard. Je lui ai répondu qu'il était déjà trop tard, elle avait quitté Paris.

Eh bien, tant pis pour elle, il a fait volte-face et m'a proposé autre chose d'encore plus débile. Il me soufflait des idées pas très chrétiennes à vrai dire, comme un vrai petit diable ! Il s'inventait des scénarios tout seul. Il me disait que je pouvais faire beaucoup mieux que récupérer mon ex. Je pouvais par exemple m'inventer une secte et devenir polygame. Je pouvais aller vivre aux États-Unis, là-bas, tout est permis ! Les lois protègent la vie privée et l'argent, mais pas trop la femme. Il existe d'après lui, d'étranges communautés religieuses où la polygamie est pratiquée. Là-bas, les pauvres jeunes filles avaient souvent droit à un vieux barbu pas frais alors que moi j'étais jeune, pas barbu et plutôt bien de ma personne. J'aurais un mini-harem en un rien de temps, en quelques conférences bien placées et le tour serait joué. Les femmes se disputeraient mon lit. Est-ce que ce n'était pas un bon plan ? Il me jurait que ce serait le pied ! Polygame ! Il s'y voyait déjà : une femme par nuit si je voulais ! Les femmes m'imploreraient à genoux ! Elles se plieraient à tous mes désirs charnels les plus fous et même pas besoin de les faire jouir ! Qu'est-ce qu'on en avait à faire de l'extase ! me soufflait-il d'un air libidineux. L'absence de contraintes au lit, c'était l'extase garantie et si ce n'était pas le nirvana à deux, on n'en avait rien à cirer. Jouir tout court, à l'ancienne, c'était bien aussi.

Quoi ? Il m'a pris pour qui ? Prendre son plaisir sur le dos des femmes !

Pas forcément sur le dos, me répond l'affreux jumeau, il y a tant de positions à pratiquer. Est-ce que je pouvais seulement imaginer ? me demandait-il. Plein de femmes autour de moi pour me servir sans entendre une seule plainte de leur part ! Plein de gosses pour assurer ma vieillesse ! Il y avait des pays qui fonctionnaient comme ça et c'était la belle vie assurée pour les hommes ! Alors vendu ? Me demandait mon double dingo.

Il me disait que si je laissais les Dames diriger ma vie, elles allaient faire de moi un toutou, un de ces hommes qui suivent leur femme comme une ombre !

Tiens, une expression qui me parle ! Je lui rappelle justement que l'ombre doit suivre le propriétaire du corps et pas le contraire et jusqu'à preuve du contraire, c'est moi, l'ego, le propriétaire de mon corps. Lui n'en est que le gardien et je commençais à douter de sa fonction. Comme c'est un têtu, je vois de qui je tiens ce défaut, mon triste jumeau continuait à déconner en voulant m'impliquer :

Au nom de quoi, se demandait-il, on devrait s'aplatir devant Mémoria ? On était les plus forts, l'histoire l'avait prouvé ! Depuis quand ces Dames qui me parlaient avaient la science infuse ? Enfin quoi, disait-il, je ne voyais pas que les familles fonctionnaient super bien quand les hommes étaient aux commandes et que les femmes filaient droit ? Les femmes ne demandaient que ça, un homme vrai et viril dans leur vie et au lit. Elles ont besoin d'être protégées et lui, côté protection, il est là ! Il surveillerait ma femme partout, à la maison et dehors. Elle peut bosser, à condition que le parcours maison-boulot soit balisé. Il vaut mieux qu'elle soit croyante, une femme croyante est docile. Et au lit, pardon, on ne demande pas, on prend, c'est la règle de l'homme viril !

Mais quel abruti de frangin !

Il croit que j'ai le même état d'esprit que lui ? C'est quoi son rêve ? Un rêve de tyran ? Un rêve antique pour des hommes qui n'aiment pas les femmes et qui veulent des esclaves parce qu'ils n'ont pas de cœur ? Moi je voulais une femme qui me tienne tête avec intelligence, je ne voulais pas une esclave ! Je voulais rire avec ma femme, qu'elle soit mon amie, ma complice. On ne rit pas avec une esclave, on la commande, ce n'est pas une amie ! Non, mais, d'où il me sortait des idées pareilles ? Je vivais avec un esprit archaïque qui n'avait pas évolué depuis vingt mille ans ? D'où est-ce qu'il sortait ? De l'Égypte des pharaons ? Et il voulait que j'utilise le don si précieux des Dames à mon seul profit ! Il n'avait rien compris le coco ! J'étais devenu l'homme d'une seule femme ! Il avait oublié qu'à la fin, il aurait des comptes à rendre aux Furies ? Il faisait le malin maintenant et après ? Quand elles seraient devant lui, les bras croisés, c'est lui qui allait filer droit ! Moi j'avais pris mon parti et c'était celui du féminin et lui ?

Mon jumeau de l'ombre a failli s'en étouffer. Il m'a dit que j'étais menteur, que s'il pensait tout ça, c'est qu'au fond j'étais comme lui parce que mon fond, c'est lui ! Je voulais me faire passer pour un saint alors que j'étais exactement comme lui !

Je ne voulais plus l'entendre et je ne l'ai plus écouté.

Je n'ai pas dit que j'étais un saint, mais de là à délirer comme il le faisait, il y a des limites ! Pour me dissocier de l'état d'esprit de mon jumeau maléfique, je suis allé choisir un film d'amour dans ma filmothèque et je l'ai regardé en sirotant un café. Il n'allait pas faire la loi dans ma tête ! Surtout qu'en amour, il n'avait rien à m'apprendre, il n'avait pas de cœur ! J'ai mis un film américain intitulé en français : « Le jour de la marmotte » pour lui montrer comment un homme qui ne sait plus apprécier la magie de la nature et qui est mal luné, peut se retrouver tout con quand l'amour sonne à sa porte.

Ce débat se faisait à huis clos entre mon ombre et moi, il s'agissait de mes devoirs maison. Les Dames attendaient l'issue de la « tentation » pour voir comment je réagissais. Ah les malignes ! Elles font tester mon état d'esprit par mon double ! Mon jumeau était un peu remonté contre celles qu'il surnommait les « infernales ». Il adore les petits noms. C'est lui qui aime les « loulou », « chouchou », « bijou », « mon cœur », etc. C'est pour faire croire qu'il déborde d'amour alors qu'il déborde d'égoïsme. En fait, c'est très simple à comprendre l'esprit d'une ombre. Il est plus égocentré que l'ego, surtout si l'ego a été mal élevé et qu'il ne filtre pas l'esprit de son ombre.

En attendant, je restais prudent et j'essayais de faire de l'humour sur la présence de cet esprit nécessaire en nous, mais encombrant.

J'ai lu un truc bizarre dans le journal d'Ève : il paraît que les mauvais esprits peuvent se transmettre par la bouche en s'embrassant ! C'est dégueu ! On ne peut plus se fier à personne ! On se transmet des MST (maladie sexuellement transmissible) et maintenant des MEBT (mauvais esprit par bouche transmissible) ? Elle n'exagère pas un peu, Ève ? Elle est en dérive religieuse ? Un baiser, il ne faut pas en faire une maladie ! Ève écrit que si on n'aime pas la façon dont un homme ou une femme embrasse, si on sent un malaise, il faut s'écouter.

Heureusement pour moi, je ne suis pas un « chaud lapin ». Je ne collectionne pas les filles et je ne les mets pas facilement dans mon lit. J'ai toujours eu l'intuition de ne pas partager mon lit et mon corps avec n'importe qui. Ce n'est pas Ève qui va me dire le contraire, elle est comme moi, je le sais. Je sais tout ce qu'elle pense.

En attendant, il fallait que je stabilise ma place d'ego. Je ne devais céder en rien à mon double noir, je devais le guider par des pensées droites et positives. Les ombres sont comme les chiens, il leur faut des pensées simples, facilement identifiables, mais fermes. Je dois arriver à un tel degré de maîtrise que je pourrai créer une entente entre nous deux. Il y aura un échange naturel de bons procédés : lui me ferait profiter de ses profondeurs et moi je le laisserai agir en temps et heure. Ça devrait le faire. Je dis ça pour me rassurer.

Mon jumeau était dégoûté par les Dames qui le bloquaient. Son esprit, légèrement pervers et manipulateur, aurait aimé avoir le contrôle de ce nouveau jeu avec Ève. Elles l'ont rassuré. Elles lui ont promis que s'il se comportait bien, il aurait son rôle à jouer. Il jouerait même un grand rôle.

Pour le coup, j'étais surpris. Comment ça ? Un grand rôle ? Je pourrais en savoir plus ?

Silence.

Je le dis, il faut être bien accompagné pour ne pas perdre la boule.

Une relation spéciale avec Ève

Les Dames voulaient que j'entretienne la flamme chez Ève, mais en la laissant venir à moi pour qu'elle n'ait pas l'impression qu'une relation amoureuse soit envisageable entre nous deux. Quand j'ai entendu Ève pour la première fois depuis notre fameuse « Nuit », elle était sur la réserve. Je sentais qu'elle se posait des questions, mais qu'elle n'osait pas en parler. Moi aussi je m'étais mis en retrait. Au téléphone, Ève m'a raconté qu'elle était inquiète parce qu'il lui arrivait « des choses ». Elle était un peu perdue, elle ne savait pas dans quelle case de son cerveau classer « ces choses ».

Ah, ah ! Sa conscience entrait en conflit avec son inconscient et ma mission avançait ! Elle m'a raconté son histoire avec un chat. Elle était toute retournée parce qu'un chat qu'elle ne connaissait pas était venu vers elle et en sautant sur ses genoux, l'avait embrassée sur la bouche. C'est plutôt marrant quand on sait que le chat a un rapport avec les sorcières, je veux dire avec le principe féminin.

Elle me parlait de toutes ces choses bizarres qui continuaient à lui arriver. Sa voiture sentait bon la fleur de frésia, une fleur dont le parfum lui plaisait. Elle avait de la chance. Moi, la mienne sentait mauvais parce que je continuais à me décomposer. Bientôt, ce serait son tour, mais je ne pouvais pas le lui dire. Elle m'aurait pris pour un fou.

Elle m'a ensuite confié que des mots chantaient dans sa tête, elle avait l'impression que des chansons s'adressaient à elle. Elle aurait voulu ajouter « à nous », mais au téléphone, par mon silence, je lui interdisais d'aller plus loin dans l'intimité à notre sujet. Elle n'avait encore rien vu ! Si elle s'inquiétait de ces belles choses, qu'est-ce que ce serait quand elle découvrirait le monde des ombres !

Certaines personnes deviennent hystériques quand elles entendent parler d'ombres. Pourtant, il y a une ombre en chacun de nous. J'ai vu la mienne. Elles ne sont pas toutes maléfiques. Ça dépend de notre caractère. C'est comme dans la vie, il y a des gens sympas, partageurs, et des cons qui ne pensent qu'à leur gueule. Ils n'en ont rien à branler s'ils mettent le monde à l'envers, s'ils sabotent la terre, s'ils foutent en l'air la vie des peuples, pourvu qu'ils aient le pouvoir, le sexe et le rock-and-roll qui va avec. Ils croient que tout est bénef pour eux et que ce qui compte c'est leur vie sur terre. Je voudrais être là quand les Furies les accueilleront, ça ne sera pas le comité d'accueil des G.O. du Club Méditerranée.

En ce début d'apprentissage, Ève avait l'air d'Alice qui découvre le pays des merveilles. Pourquoi ça lui fait peur ? C'est là que j'avais tout mon rôle de guide à jouer en attendant que Mémoria prenne la relève. Il fallait que je me prépare à construire une histoire à mon sujet parce que depuis qu'elle m'envisageait en amoureux, Ève se faisait des idées sur moi. Il me fallait mettre une barrière entre elle et moi, sans la perdre de vue. Je réfléchissais, mais aucun scénario ne me venait à l'esprit. J'avais pris l'habitude de lui téléphoner souvent, même très souvent, tous les jours. Je voulais créer un lien téléphonique à défaut de savoir comment faire pour la suite. Étant donné qu'elle avait un magasin, je connaissais ses créneaux horaires pour l'appeler. Je sentais souvent la surprise chez elle quand elle décrochait.

C'est Ève qui est venue à mon secours. Un jour, elle m'a avoué au téléphone que je prenais trop de place dans sa vie et qu'elle ne voulait pas ça. Son divorce l'avait marquée et elle n'était pas prête à se lancer dans une nouvelle relation. Elle voulait se reprendre, savoir qui elle était, de quoi elle était capable seule. Parfait ! Elle était pile-poil comme Mémoria la voulait. Alors on faisait comment ? je lui ai demandé, faussement naïf au téléphone. Elle m'a proposé de ne plus se voir ! Pour le coup, c'était trop radical ! Pas question, tant qu'elle n'était pas en contact avec ses esprits. Je lui ai proposé autre chose, il suffisait qu'elle ne me regarde pas en amoureux. Elle m'a répondu qu'elle avait besoin de temps, elle me rappellerait, elle allait réfléchir.

Apparemment, on risquait l'impasse. Je ne devais pas la laisser décider sinon elle allait s'éloigner. Mon jumeau est intervenu en me disant que lui savait comment faire. Vraiment ? Il se croyait souvent plus malin que moi. Je l'ai écouté et j'ai trouvé que ce qu'il me proposait n'était pas bête du tout. Je lui ai laissé carte blanche. Je l'avais toujours à l'œil quand même. Il faut toujours avoir son ombre à l'œil. On ne sait jamais. Son plan, le voici : les femmes amoureuses sont sourdes et aveugles et elles parent leur amour de toutes les vertus, au point d'en faire un dieu. Il fallait éviter la phase du dieu à adorer en silence. Après un nirvana à deux, il voulait qu'à partir de maintenant, je me présente à elle comme un mystique asexué qui n'a pas besoin de femme et qui part faire des retraites régulièrement parce qu'il a besoin de s'isoler... L'idée du mystique avait de quoi éloigner une femme, mais comment expliquer notre nuit d'amour ensemble ? C'était contradictoire, voire fumeux.

Mon faux frère m'a présenté l'histoire de Sainte-Claire et de François d'Assise. Ils s'aimaient, mais François avait épousé « Dame pauvreté » (le pauvre !) au lieu de choisir sa Claire, du coup, sa copine s'est faite religieuse par amour pour lui.

Je ne connaissais pas leur histoire sinon je me serais méfié non pas du retour de flamme, mais du retour de la religieuse. On dit que chaque femme cache au fond d'elle une païenne lubrique, l'Église catholique a transformé la païenne en religieuse. Dès qu'on gratte un peu, c'est la sainte qui apparaît dans toute sa splendeur avant d'arriver à l'étage plus bas. Il y a des femmes, il faut gratter beaucoup pour trouver une sainte, mais pas Ève, elle ne faisait pas semblant. Elle s'est vue tout de suite en Sainte-Vierge. Ah, l'Église et les images ! ça m'a permis de souffler un peu. Sauf quand elle m'a pris effectivement pour Jésus !

Dans ce contexte mouvant, j'ai eu une aide insolite : la grand-mère d'Ève. Elle a une super relation avec Ève. Je soupçonne Mémoria de s'être glissée dans la peau de sa grand-mère.

Notre nature est drôlement faite : on cherche du surnaturel ailleurs, dans l'espace, alors qu'il est en nous, au naturel. Je sais que pour moi, le salut est dans le féminin, c'est le féminin qui me recentre, mais je n'en fais pas une religion. Le féminin n'est pas une religion, c'est juste la vie.

En cherchant des réponses à ce qui se passait en elle, Ève a expliqué dans son journal, bien mieux que ce que j'aurais su faire, l'existence d'une culture féminine dont elle commençait à découvrir la profondeur ! C'est tout bon ! Elle était sur la bonne voie. Ève n'avait plus qu'à continuer ses recherches et à parler avec sa grand-mère. Elle allait finir par entendre de ses deux oreilles son cœur lui parler aussi nettement que la première fois où elle m'avait vu. Elle avait essayé d'oublier cette voix de femme en elle, mais ça l'a tellement choquée, qu'elle en a gardé le souvenir ! C'est dingue comme on peut passer à côté de son destin par ignorance ou par peur.

Sa grand-mère a eu la bonne idée de proposer à Ève de questionner son principe féminin. Elle est bien inspirée sa grand-mère ! Je n'avais plus qu'à attendre que Mémoria remonte de l'inconscient d'Ève et ma mission était bouclée ! J'ai poussé un grand soupir. Cette mission allait vite se terminer. J'allais pouvoir m'occuper de moi, continuer à aligner bien comme il faut tous mes esprits, les reprendre en main, même si ça me prenait dix ans et qui sait ce que l'avenir me réservait ?

Mais c'était loin d'être terminé entre Ève et moi, ça ne faisait que commencer, m'annonçaient tranquillement les Dames.

J'avais raté un épisode ?

Non. Juste des détails qu'on me tendait au fur et à mesure : La nouveauté c'est que les Furies devaient remonter à la conscience d'Ève aussi. Mémoria arrivait avec sa cour infernale ! Et pour faire ça, il fallait que je mette Ève en colère.

Mettre Ève en colère ?

Dans une initiation, les Furies ne remontent que si on met une femme entre en colère.

Admettons, mais quand même ! Je n'avais pas envie de la mettre en colère ! Comment j'allais faire ça ?

On m'a dit que j'avais de la chance, j'étais tombée sur une « nymphe » qui n'avait pas de vocation guerrière. Sinon, on aurait rejoué le film « kill Bill » en privé.

Non, merci.

J'ai appris aussi qu'elle allait traverser le monde des ombres et j'allais l'accompagner tout au long de cette traversée. Si c'est comme moi, en une nuit tout a été réglé, c'est bon.

Et non ! Ce n'était pas aussi rapide. Je me retrouve encore en décalage par rapport au temps des Dames.

Mettre Ève en colère ? Comment ?

Il ne fallait pas pour autant que j'abuse de la situation. Mettre en colère quelqu'un tout en restant gentil, je sais pas faire. C'est là que mon ombre entrait en scène... Ta da ! Pourquoi ?

Pour les Furies, il n'y avait pas de temps à perdre, on devait s'y mettre tout de suite, à coups de petites phrases cinglantes, des phrases au jus de citron...

Ouais, un instant, il fallait que j'échafaude un plan quand même ! Elles m'ont dit que le plan était tout trouvé : la voie initiatique d'Ève était « la voie de l'amour », on suivait la même voie, il n'y avait pas à revenir dessus. Je devais suivre point par point le journal d'Ève parce qu'elle écrirait tout ce qui allait se passer. Je n'aurais plus qu'à suivre la trame.

Facile ? Hum, ça m'étonnerait !

Le fait est que Mémoria et les Furies attendaient de remonter avec leurs mémoires pour renouer les liens de transmission de leur culture entre les femmes et les hommes.

Je ne sais pas si je dois écrire tout ça. C'est tout le problème entre « vivre » et « raconter ». C'est plus simple de vivre que de raconter. C'est même débile de raconter. Pourtant, les Dames laissent faire Ève parce qu'elles disent que ces mémoires vont permettre de faire avancer les mentalités. On ne sera peut-être plus là pour le voir au train où vont les choses.

De son côté, mon jumeau craignait que je tombe amoureux d'Ève et pour me mettre en garde, il m'a balancé aussi sec qu'elle était trop vieille pour moi. Pourquoi, m'a-t-il demandé, je tomberais amoureux d'une femme plus âgée ? Ève était mignonne, elle ne faisait pas son âge, mais avec le temps, disait mon ombre, j'allais me retrouver avec une vieille alors que je serais encore dans la force de l'âge. Et le service au lit ? me dit-il. Je lui ai fait remarquer que les hommes âgés n'ont aucun scrupule à se mettre en couple avec des femmes qui ont vingt ans de moins qu'eux. J'attends autre chose d'une femme qu'un corps souple qui répond présent au lit. Mon âme est totalement d'accord avec mon état d'esprit. Il va falloir que mon jumeau apprenne lui aussi à se ranger de notre côté.

De toute façon, Ève était la femme de mon cœur, celle qui était venue me parler dans mes rêves. Si c'est mon jumeau lunatique qui se manifestait et me déprimait, je n'avais qu'à le remettre à sa place et ne pas l'écouter.

Je suis sorti de chez moi pour aller courir dans la nature. Je sentais autour de moi les Dames. Elles m'ont dit que je faisais face à ma légende. Ma légende ? Ma vie était loin d'être légendaire. Je n'avais pas de monstre à abattre. J'ai continué à courir comme si je courais le monde. Je n'étais pas à une révélation prête. J'étais confiant. Qui vivra verra.

Chapitre IV
Ève et moi

Savoir-agir : l'improvisation

Comme si je n'étais pas assez en galère avec le travail d'exfiltration d'ombres indésirables, les Dames ont eu l'idée géniale de me faire lire les épisodes de notre légende dans le désordre. Les extraits du journal d'Ève que j'arrivais à lire n'étaient pas chronologiques ! Je sais que je suis doué, sans vouloir me lancer des fleurs, mais m'embrouiller à ce point, je n'ai pas saisi l'avantage !

J'ai su après coup que c'était pour voir comment je réinvestissais mes savoirs. C'était surtout pour embrouiller mon double, ce surmoi si perspicace et fouineur qu'elles voulaient neutraliser autant que possible. Je l'avais à l'œil, pas besoin d'en rajouter une couche ! Elles m'ont rappelé qu'il me faudrait dix ans pour bien cadrer mon jumeau des ténèbres. C'est toute une éducation à refaire. Il avait plus d'un tour dans son sac et qu'à sa manière il pouvait se montrer nuisible !

Elles exagèrent, non ?

Non. Pas du tout, il ne fallait pas que j'oublie que mon jumeau pouvait prendre ma place sans que j'en garde le souvenir. C'était même le tour de passe-passe le plus courant dans ma vie quotidienne. Mis à part ses talents de chef « occulte », il était doué pour agresser autrui. C'est pourquoi les Dames lui ont réservé un rôle taillé sur mesure : il allait interpréter le roi de pique auprès d'Ève pour la mettre en colère parce que c'est un esprit facilement piquant et blessant. Il allait jouer le « mauvais flic » et moi le « bon flic » auprès d'Ève. C'était de la manipulation pure et simple.

Je ne suis pas d'accord, mais bon, ce n'est pas ma trame alors voilà comment s'est passée la première tentative de mise en colère. Je m'en dissocie, je n'étais que le spectateur conscient et troublé.

Un jour, Ève était tranquillement en train de faire du shopping à la Part-Dieu. Son téléphone sonne, je l'appelais, alors elle a répondu. Mais au téléphone, c'est mon jumeau qui a pris la parole. Ils ont parlé quelques instants de tout et de rien et les Dames lui ont soufflé de traiter Ève de « tas de merde », mais d'une façon particulière, presque inaudible, de sorte qu'elle puisse se demander si elle avait bien entendu.

Ils discutaient tous les deux gentiment quand, avec un aplomb incroyable, mon jumeau a glissé dans une phrase cette déclaration hostile d'une voix très basse « vous êtes un tas de merde ». Ça n'avait rien à voir avec ce qu'il disait et il a continué la conversation comme si de rien n'était.

J'ai eu la honte de ma vie ! Il est toujours d'accord pour faire le sale boulot, on dirait que ça lui plaît, mais il s'agit de ma réputation quand même ! Je ne pensais pas qu'il était aussi déjanté ! Sur le coup, Ève a demandé s'il pouvait répéter ce qu'il venait de dire tellement elle n'en croyait pas ses oreilles. Mon bâtard intérieur a fait l'étonné : quoi ? Qu'est-ce qu'il venait de dire ? Ève n'a pas insisté. Il y avait du bruit autour d'elle, ce n'était pas l'idéal pour entamer ce genre d'explication.

Quelques jours plus tard, elle m'a téléphoné pour prendre de mes nouvelles.

On a commencé les politesses au téléphone, « comment ça va ? Bien, merci, et vous ? » je suis resté comme un con quand Ève m'a demandé aussitôt, calmement, poliment, sans colère, pourquoi je l'avais traitée de « tas de merde » ? J'ai nié bien sûr de toutes mes forces. Je n'allais pas dire « Ah ça ? Excusez, ça m'a échappé, il n'y a rien de personnel ». Ève attendait une justification, qu'est-ce que je pouvais lui dire ? Elle a insisté, elle avait bien entendu et insistait tranquillement sans élever la voix. J'ai continué à nier. La pauvre ! Elle ne m'a pas cru et se posait des questions à mon sujet. Elle ne comprenait pas pourquoi je niais. Elle hésitait entre le type bien qui joue au con, ou la grosse merde qui joue de temps en temps au type bien. Moi, à sa place, j'aurais coupé les ponts avec un type comme moi. Ça fait très pervers ce genre de truc. Je me suis dit que notre relation allait foirer. Moi, c'est ce que j'aurais fait à sa place. Si je rencontrais une nana qui me traite de « tas de merde », même en douceur, elle ne me voit plus la fille, même pas en peinture, même pas en rêve !

À part ça, j'ai dit à Ève qu'elle avait dû mal entendre. Je m'attendais à une réponse cinglante de sa part et « adios amigos ». Mais non ! Elle a continué à parler avec moi, mais je sentais que le problème n'était pas résolu en elle. Elle se demandait pourquoi elle aurait mal entendu. Elle m'a demandé alors si je n'étais pas narcissique et pervers ? Je me suis mis à blaguer pour dédramatiser la situation. Elle m'a écouté et a continué à réfléchir. Elle ne savait pas quel parti prendre. Dans son esprit, elle était prête à prendre ses distances dès qu'elle aurait des preuves plus évidentes de ma déviance.

Je me demande si c'est bien normal qu'Ève soit si compréhensive. Il lui manque une case ou quoi ? Ce n'est pas normal d'être aussi patiente.

Du coup, Ève a raccroché dans cet état d'esprit, mais pas franchement en colère. Quand je lui ai dit « alors à bientôt », elle a répondu machinalement « à bientôt ». La mise en colère était ratée !

Je me pose des questions sur son mental. C'est quand même trop bizarre de sa part de ne pas s'énerver et d'accepter de me revoir. Elle n'a rien écrit sur son journal dans l'immédiat. En tout cas, je n'ai rien lu. Est-ce qu'elle pense que ça ne vaut pas la peine d'en parler ou elle retenait son jugement ? C'est une femme étrange. Je ne sais pas quoi penser. Mon jumeau aussi était déçu. Il n'attendait qu'une chose, c'est de se « fighter » avec elle. Ça promet pour la suite.

Je m'inquiète de la tournure que prennent les choses, surtout quand je ne contrôle plus rien. Je me dis qu'il ne peut rien m'arriver de grave, les Dames sont de bonnes personnes. Mais quand même, elles me fichent la trouille. Ce n'est pas parce que je suis costaud qu'il faut abuser. J'avoue, j'ai peur que mon jumeau ne fasse une connerie et que ça me retombe dessus. Avec la colère, on ne sait jamais comment ça finit.

J'étais tellement dans le doute à ce sujet que les Dames ont encore fait une de leur magie naturelle pour me déstresser et changer mon état d'âme. Elles m'ont montré comment je peux jouer avec l'énergie nouvelle que j'ai en moi. Je peux matérialiser et visualiser mon énergie. J'arrive à former une belle boule bleue. Il faut de l'entraînement, mais j'y suis arrivé. Mon énergie est bleue et prend la forme d'une sphère que je peux manipuler dans mes mains. Ça fait cliché, j'ai déjà vu ça dans un film asiate de kung-fu, mais cette fois, j'étais dans mon film et ce n'était pas du cinéma ! Je n'en avais pas besoin pour affronter des ennemis. Je me suis calmé en me concentrant sur mon énergie bleue. Elles savent utiliser l'électricité qui est en moi ! C'est que du bio ! Quel cadeau ! ça fait planer.

Encore Ève et moi

Ève fait plein de rêves bizarres. Elle m'a rêvé en géant avec un caillou sur le front. En tant que Lucifer, j'aurais dû avoir une émeraude, le symbole du féminin. Ève décortique ses rêves et ça m'amuse beaucoup. Je ne pensais pas qu'un rêve pouvait être si important. On dirait que les symboles structurent notre pensée profonde. Grâce à Ève, j'ai acheté le même dictionnaire des symboles qu'elle. C'est passionnant. C'est une autre clé de lecture du monde. Je découvre. Dans sa tête, c'est une vraie foire aux livres ! Et puis, il y a eu le moment où elle a décortiqué l'histoire de Lucifer. Elle était partie de moi, elle m'a presque identifié à Lucifer, mais elle s'est arrêtée net. Je crois que c'était trop choquant pour elle.

Ève veut comprendre le sens de la vie. Elle est tenace. Elle enquête vraiment, elle ne fait pas semblant. Ce jeu entre elle et moi commence vraiment à me plaire. Je vois que tous les deux, nous avons des choses à comprendre sur nous. Je ne sais pas où cela va nous mener, mais je suis prêt à aller jusqu'au bout. Je n'ai plus rien à perdre. J'ai déjà tout perdu.

Petites notes après la sortie au Parc avec Ève

Je crois qu'elle a fait un grand pas en avant. On était allés faire un tour en barque au parc de la Tête d'Or, il y a eu un orage. La météo s'est trompée en plein, elle avait prévu un grand soleil. Je m'affairais à attacher la barque sur la berge, je pensais que de son côté Ève était prête à sortir de la barque. Quand je me suis retourné, je l'ai vue assise, immobile, à la même place. Elle avait l'air perdue dans une rêverie, la pluie était en train de la tremper. Quand je l'ai appelée, elle m'a semblé descendre des nues. Je ne peux pas mieux dire. Elle m'a regardé bizarrement. Elle venait d'atterrir, mais de quelle planète ?

Je crois qu'elle venait de recevoir une belle dose de lumière. Mémoria avait enfin ouvert sa source ! Ouf ! On allait pouvoir avancer.

Éva m'a posé une question marrante et j'ai failli rire, mais je me suis retenu. Elle m'a demandé si j'avais vu la même lumière qu'elle, à l'instant. C'est vraiment drôle de suivre pas à pas son éveil. Comme elle est assez spontanée, ça me fait rire. Son visage est comme un livre ouvert. Il faut que je fasse attention, je dois garder mes distances. J'aime bien rire avec elle. On aime rire avec les gens qu'on aime, non ?

En attendant, Ève me regardait d'un drôle d'air, comme si elle ne me reconnaissait pas. Elle n'allait quand même pas me faire un malaise ! Je l'ai raccompagnée chez elle sans rien ajouter. Elle devait arriver toute seule à ses conclusions. J'étais curieux de voir ce qui allait se passer après même si j'avais ma petite idée.

La crise mystique d'Ève

En tant qu'occidentale, Ève traversait une couche de son inconscient, la couche chrétienne. On a plusieurs couches de culture dans notre inconscient. Plus on traverse les couches, plus on remonte dans le temps, plus on accède à des informations antiques.

Quand j'ai lu dans son journal qu'elle faisait une crise mystique dont j'étais le sujet, j'ai compris qu'elle me prenait pour Jésus, j'ai compris que la religieuse en elle était là. Quel délire ! C'est qu'elle voulait se mettre à mon service comme si j'étais un gourou ou un dieu ! Comment une femme aussi raisonnable qu'elle pouvait vriller comme ça ? Bravo les évêques ! À cause d'eux, dès que quelqu'un voit de la lumière, il pense que c'est la lumière de Dieu !

En attendant, j'aurais voulu enregistrer le coup de fil qu'on a échangé tous les deux ! Je ne savais plus si je devais rire. J'ai un peu flippé parce que c'était une responsabilité de la ramener à la raison sans perdre de vue mon objectif : ne pas la brusquer pour ne pas l'éloigner. Qu'elle me prenne pour Jésus ça, personne ne me l'avait encore fait ! Je ne suis même pas barbu ! Est-ce qu'on peut dire qu'Ève en tient une couche ? Le problème, c'est qu'il fallait que je la détourne de cette idée sur le champ, ça n'allait pas dans le sens qu'il fallait. Une religieuse, ça cherche un dieu et Ève devait chercher et trouver l'origine de sa lumière : le féminin et elle devaient entendre Mémoria. Quel imbroglio !

Elle croyait peut-être que j'allais faire des miracles et que j'allais l'emmener sur un petit nuage doré, voir Dieu le père ? Sérieux ! Quand Ève m'a téléphoné, la situation était pire que ce que je pouvais imaginer. Heureusement que je ne suis pas un gourou malhonnête qui profite de cet état d'errance ! Je lui ai rappelé qu'elle devait s'occuper de son fils plutôt que de Jésus. Je n'étais pas Jésus et je ne voulais personne à mon service. Je crois que ça l'a fait revenir à la réalité aussi sec ! Elle délire, mais elle retrouve vite le bon sens, ouf ! J'ai eu la frousse. Ce genre d'histoire, ça peut déranger les esprits. Ce n'est pas pour rien si Hercule est devenu fou momentanément.

J'ai attendu quelques jours pour qu'elle se reprenne et je l'ai rappelée pour prendre la température. Ça va ! Elle était redescendue sur terre, enfin presque. Il y avait cette lumière en elle et elle ne savait pas d'où elle venait, pourquoi elle était en elle et ce qu'elle devait en faire. Elle a cru que c'est moi qui la lui avais transmise. D'où son idée de Jésus. Mémoria ne lui avait pas encore parlé ! C'est quand même mal fait : c'est moi, un homme, qui doit lui faire comprendre qu'une entité féminine veut lui parler et que cette entité est en elle !

On ne peut pas dire une chose pareille à quelqu'un de non averti, rien que le mot « entité » fout la trouille. N'importe qui peut se cacher derrière ce mot. Mémoria avait raison, c'est Ève qui devait le comprendre toute seule et pour lui faire comprendre que je n'étais pas un dieu, il fallait que je l'aide à désacraliser ma personne. En d'autres mots, elle devait déboulonner l'idée de dieu pour comprendre qu'un dieu, ce n'est ni plus ni moins qu'un homme ordinaire qui a la chance de croiser la route des Dames ou d'une femme. C'est le féminin qui crée les dieux, qui crée la vie et pas le contraire.

C'est malhonnête de faire croire le contraire. Bon, c'est vrai que sans moi, Ève resterait dans l'ignorance de son état, mais de là à dire que c'est moi qui la crée, ou qu'elle sort tout armée de ma tête, il y a quand même une grande différence ! Faut pas abuser de la crédulité !

Quand j'ai repris ma lecture du journal d'Ève, le délire mystique d'Ève continuait, mais sur un autre mode. Elle est entrée en contact avec des gens bizarres, des groupes « vertueux » ou dans ce genre. Ça n'est pas vraiment la voie qu'elle devait explorer, mais à chacun sa façon de réagir. Je n'avais pas d'autre choix que d'attendre que ça lui passe. Chaque jour, je prenais le pouls de la situation en lisant ses petites histoires de groupes, plus barrés que vertueux. Je lui ai prêté des livres pour la diriger vers autre chose, des livres qui parlent de télépathie, de communications entre inconscients, de rêves, de familles d'esprits… Elle n'a pas aimé les familles d'esprits, elle trouve que ça fait secte. Et ses groupes soi-disant « vertueux », c'est quoi alors ?

Ses mésaventures m'ont bien fait rire. Il existe vraiment des gens très comiques dans ces groupes. Dans un de ces cercles vertueux, elle a rencontré un homme divorcé, qui vit en couple depuis peu avec une femme veuve depuis vingt ans. Ils ont pris un apéro ensemble, le type sympa apparemment. Il lui a raconté que sa copine s'appelait Rose-Marie et que pour lui c'était un signe parce que s'il décomposait son prénom, ça donnait : « oser aimer ». Depuis, il est persuadé qu'ils sont faits l'un pour l'autre. Petit problème : Quand ils faisaient l'amour, ils étaient trois. Le mari défunt était trop présent à son goût dans la chambre à coucher. Il a donc demandé à sa chère Rose-Marie de parler à son ex-mari pour qu'il fasse sa vie ailleurs que dans leur chambre à coucher. C'est cocasse parfois les histoires d'esprits défunts. Le journal d'Ève est en train de devenir une chronique des gens à la folie ordinaire.

Une autre fois, elle a été hébergée par un autre homme de ce cercle vertueux. Ève avait prévu de l'inviter dans une pizzeria pour le remercier, mais il a refusé. Je crois qu'il la courtisait un peu parce qu'il lui a dit qu'il la voulait pour lui tout seul alors que dans un restaurant, il y aurait trop de monde. Il avait prévu un « atelier pizza » à deux. Pendant la préparation, il voulait qu'elle assaisonne sa pizza comme lui. Ève a réussi à imposer ses propres goûts, mais à la fin, il a exigé qu'elle goûte à sa pizza. Cet homme de soixante ans, divorcé et pour l'instant célibataire, était très têtu. Il lui a expliqué qu'une bonne relation passait forcément par les mêmes goûts... Une bonne relation ? Qu'est-ce qu'il entendait par là ? Il croyait peut-être qu'il avait des chances avec Ève ? J'ai ressenti une pointe de jalousie.

Ève n'avait qu'une envie, c'était de partir le plus vite possible de chez lui. Auparavant, son hôte lui a demandé de signer son livre d'or. Il réservait ce livre à tous les invités qui passaient chez lui. Il le laissait à disposition dans les toilettes... Pourquoi les toilettes ? C'est sûr, il y a de la fantaisie chez les pseudo-mystiques. Ils sont loufoques, mais ne le savent pas.

Ève a raison de se demander pourquoi le spirituel peut rendre les gens si étranges. Ça devrait être le contraire. En fin de compte, mes potes du bar avec qui je bois des bières sont plus simples que ces gens « vertueux ». À mon avis, ils ont un grain, mais ça m'étonnerait qu'il germe ! En tout cas, si j'ai un conseil à donner à Ève c'est qu'elle arrête de fréquenter ce genre de groupe. Ce n'est pas là qu'elle va trouver sa vérité. Heureusement, ce n'était que passager.

Travaux pratiques pour agent de l'ombre

Pendant qu'Ève fait ses petites expériences, les Dames m'occupent. Elles m'inquiètent toujours un peu quand elles me prennent en main. Comme si je ne faisais rien ! Je trime toute la journée et parfois la nuit avec mes horaires décalés ! Elles ont trouvé qu'avec mon jeune âge et mon énergie, je pouvais faire plus. En d'autres termes, tout mon temps libre devait leur être consacré ! On ne peut pas dire que je m'ennuie.

J'ai plein de réflexions qui me viennent au sujet des Dames. Elles ont tellement de casquettes que je me demande si certains hommes ne se sont pas inspirés de leur façon de faire. Quand l'être humain imite le savoir-faire des Dames, ça craint pour nous parce qu'elles sont plus humaines que les humains. Les Dames me demandent 200 % d'investissement personnel, mais je peux à tout moment dire stop si je juge que c'est trop. Elles m'attendent patiemment, aménagent pour moi une aire de repos et comme un GPS, elles recalculent mon itinéraire avec mes nouvelles données sans crier, sans rancune. Avec elles, c'est ma santé qui prime avant leurs intérêts, tout est bienveillance. Il n'y a pas à dire, il y a de l'humanité autour d'elles.

Dernièrement, les Furies m'ont branché sur une jeune fille qu'il faut que j'invite chez moi pour une opération « exfiltration » d'ombre. Je l'ai rencontrée en boîte de nuit. C'est un pote qui me l'a présentée. La fille croit que je la drague. Je sens que ça va être coton. Les Furies m'ont dit qu'il faut que je l'invite chez moi pour l'opération, mais je n'ai pas trop envie de l'emmener chez moi. J'aurais préféré que ce soit chez elle. On ne sait jamais, d'ici que l'ombre s'invite à casa et y reste, non, merci. Mon appartement n'est pas un moulin où les ombres vont et viennent à leur aise. J'ai dû me résoudre à la faire venir chez moi. Dommage.

Les Furies m'ont dit que c'est elles qui allaient intervenir à travers moi. La seule présence des Furies, maîtresses du monde des ombres, ferait fuir n'importe quelle ombre plus vite que l'éclair. Les ombres craignent les Furies et savent très bien que si les Furies prennent la peine de se déranger, c'est pour que les ombres décampent sans demander leur reste. J'espérais qu'il n'y aurait pas de mauvaises surprises.

Le soir en question, en discothèque, j'ai attendu que la jeune fille soit à l'aise avec moi. Malgré la musique à fond, on a discuté un bon moment en tête-à-tête, mes potes m'ont laissé tranquille, ils ont cru que j'étais sur un coup. Après minuit, l'heure des ombres, je lui ai demandé si elle voulait venir boire un thé ou un café chez moi. Elle a accepté. Je lui ai demandé de prendre sa voiture, je savais ce qui allait se passer après et ce n'était pas une nuit d'amour avec la demoiselle. J'ai prétexté que je devais voir un ami après. L'ami, c'est toujours moi, enfin mon autre « moi » qui doit se reposer. Elle a eu l'air surprise. Je sais, elle envisageait la nuit les deux ensemble, mais ce n'était pas dans mes plans. Elle m'a suivi avec sa voiture.

Une fois à la maison, j'ai préparé un thé et je me suis assis en face d'elle. Elle s'attendait sans doute à ce que je m'asseye à côté d'elle, etc. Pas question. Je l'observais boire son thé sans rien dire, à distance respectueuse, il y avait la petite table de salon entre nous. Elle a commencé à écarquiller les yeux en me regardant, comme si quelque chose clochait en moi. C'est après que je me suis rendu compte que je tremblais de la tête aux pieds. Ce n'était pas un grand tremblement, mais j'ai compris que l'ombre qui était en elle venait de sortir et de transiter chez moi. Il n'a pas eu le temps de s'installer, les Furies l'ont décalqué aussitôt et cet esprit est parti comme une fusée. Quand il a voulu s'installer dans mon corps, les Furies étaient déjà là, et mon ombre, qui, à ce qu'il paraît, n'est pas commode ; elles l'attendaient toutes les trois et lui ont fait un accueil digne de leurs pouvoirs exceptionnels.

C'était rapide comme exorcisme, efficace et silencieux ! Les Furies l'ont fait dégager sans lui dire ni bonjour ni au revoir ! L'ombre s'est enfuie en créant un courant d'air froid. Par contre, la fille était sous le choc. Elle était terrifiée comme si c'est moi qui étais possédé. Elle s'est levée en vitesse et elle s'est barrée aussi vite qu'elle a pu, sans demander son reste et sans me dire merci. Il y a des personnes qui ne se doutent de rien. Elles se baladent avec une ombre en plus, ça doit les gêner. Elle a dû se sentir mieux les jours suivants, mais je doute qu'elle pense que c'est grâce à moi, enfin grâce aux Furies et à moi. C'est comme ça ma vie d'agent de l'ombre, il ne faut attendre aucun remerciement. Tout est gratis.

Je vais passer encore pour un type louche et dangereux. Merci qui ?

Les Furies ont vraiment réservé un beau rôle à mon jumeau, mais c'est toujours mon corps et ma réputation qui sont en jeu. Entre mon jumeau et moi, je dirais même que les rôles s'enchaînent et s'accumulent au-dessus de ma tête. J'espère qu'un jour ma réputation sera rétablie. Je comprends la fille. À sa place, j'aurais fait la même chose. Après tout, on ne se connaissait pas. J'aurais pu être dangereux pour elle. Elle a eu raison de fuir. Dans le doute, c'est la meilleure chose à faire.

Les Furies m'ont fait comprendre que c'est mon ombre qui était préposée à la chasse aux esprits qui squattent certaines personnes. Il y en a qui sont les gardiennes de leur propre inconscient, mon ombre, elle, est la gardienne de l'inconscient d'autrui. Elle fait le ménage des ombres nuisibles chez les autres, un chaman, quoi !

Depuis quand mon ombre était-elle devenue la pote des Furies sans que j'en sache rien ? Il paraît qu'elles se connaissent depuis des millénaires et que même, mon ombre avait un statut spécial dans le monde des ombres. Ah ! Je croyais que dans l'au-delà, on était tous logés à la même enseigne ? J'aime pas trop retrouver des différences de statut, ce n'est pas comme ça que je m'imaginais la parité post-mortem. Il paraît qu'on est tous logés à la même enseigne, mais ce qui nous distingue, entre ombres, c'est notre énergie. On a tous une masse d'énergie différente, c'est en quelque sorte notre signature.

La place du « moi » dans mon identité

J'aimerais en savoir plus sur moi en tant qu'ego, mais dans l'immédiat, ce n'était pas prévu. Je voyais que mon ombre prenait de plus en plus d'importance. J'étais un peu vexé. Je croyais que c'est moi qui faisais le boulot de chaman. Et moi j'étais qui ? Je n'étais rien

153

ni personne ? Je faisais de la figuration entre mon ombre et mon âme ? Je croyais que c'était moi qui commandais ?

En plus, Ève ne me voyait même pas ! Elle était amoureuse de mon âme, elle n'aimait pas mon ombre et moi au milieu, j'étais quoi pour elle ? D'ailleurs, un jour, je le lui ai demandé. Elle était surprise par ma question. Elle a cru que c'était une blague et n'a pas répondu. Mais c'était une vraie question de ma part. Personne ne m'aimait ? J'étais si invisible entre mes deux autres esprits ? Putain, merde, cette initiation avait pour but de me rendre plus conscient, plus humain, plus vrai, plus viril, plus moi ! En réalité, l'ego d'Ève me tournait autour pour ma belle âme, pas pour mes beaux yeux ! C'était ça la vérité ! Elle ne voyait même pas que j'étais un ego comme elle ! C'est le comble !

Je n'étais pas content. Je me retrouvais coincé entre deux stars. Mon ombre était multitâche, il était mon chef occulte à l'occasion. Mon âme était le « must have » dont tout le monde rêve pour briller, et moi ? J'étais le vilain petit canard ? Je ne savais même pas si j'avais un avenir dans l'au-delà. Ombre et lumière étaient immortelles, éternelles. Quant à moi, de nouveau, point d'interrogation. Qu'est-ce que deviendrait mon esprit quand un jour mon corps disparaîtrait ? Est-ce qu'il était recyclable au moins ? Est-ce que c'est lui qui revenait comme un con siècle après siècle, pour tourner en rond autour des mensonges et des illusions du monde des hommes ?

On m'a demandé de ne pas m'en faire à ce sujet. Ma place était acquise. Admettons, mais où ? Mes esprits allaient s'harmoniser avec le temps. Je devais traverser ce moment d'inconfort, c'était normal, ça n'allait pas durer. Ensuite, c'est moi, ego, qui aurait les cartes en main et je pourrais révéler tout mon potentiel parce que, pour le coup, c'est mon ombre et mon âme qui se mettraient à mon service pour me faire vivre les plus belles choses de ma vie.

Ah bon ? Ça m'a réconforté.

Pour le moment, je ne m'intéressais qu'aux personnes que les Dames mettaient sur mon chemin.

C'est ainsi que j'ai dû « accompagner » un garçon dont l'âme, il y a très très longtemps, avait habité le corps d'un roi. Son âme, pas son ego actuel ni son corps actuel. C'est moi, cette fois, en tant qu'ego, qui trouvait les mots pour le consoler. Il avait le moral en berne parce que ses parents divorçaient. Même s'il était déjà adulte, il avait à peu près mon âge, ça le rendait super triste. À tout âge, un divorce c'est moche pour les enfants. Avec ou sans argent, c'est un monde qui s'écroule. Ça me faisait de la peine. Je pensais à mes enfants. On ne peut pas obliger les couples à vivre ensemble quand ils ne s'entendent plus, mais un divorce, c'est la merde pour les petits et les grands.

Dans ma nouvelle fonction « d'accompagnant spirituel », les Dames me faisaient rencontrer toutes sortes de personnes qui avaient besoin d'un coup de pouce, d'un peu d'espoir, d'un mot gentil, d'une réflexion qui les fasse aller plus loin dans leur tête. En fait, c'est ce que tout le monde fait quand on est capable d'empathie envers les gens. Il y a une chose qui m'a marqué : un jour, dans un bar, alors que je parlais avec une de mes copines, la femme qui était avec elle m'a touché sans raison. Pendant que je parlais, elle a touché plus exactement le pan de mon blouson. J'ai eu comme un étourdissement, comme une perte d'énergie très brève, mais très réelle. On s'est regardé quelques secondes, elle me souriait béatement. Je lui ai souri, je ne savais pas quoi dire. Comment elle avait fait pour me prendre de l'énergie ? Il y a des mystères que je ne comprends pas.

Les amitiés dangereuses

Je reviens à Ève et à son journal.

Après ses petites escapades « vertueuses », Ève est allée rechercher les origines de la religion chrétienne en remontant à un patriarche commun aux trois monothéismes : Abraham. Je commençais à peine à lire la Bible, mais à voir les extraits qu'Ève choisissait, les Écritures « saintes » n'étaient pas si saintes que ça ! Ça m'a permis de comprendre que j'avais bien fait de ne pas m'occuper de religion. À ce rythme, l'enquête d'Ève allait prendre du temps avant qu'elle n'arrive à comprendre qu'elle était habitée par des entités bienveillantes.

J'ai pris mon mal en patience puisque de mon côté j'étais très occupé.

La littérature parle de la mort comme d'une faucheuse, une ombre noire avec une faux. Il faut oublier la faux. En cas de mort proche ou imminente, l'ombre peut se manifester pour avertir l'intéressé(e). C'est gentil de sa part, elle essaie de communiquer avec nous. Parfois, il arrive à l'ombre de se manifester quelques années avant pour donner le temps à la personne de s'habituer à l'idée. Mais les gens sont dans une telle ignorance des esprits qui nous habitent, qu'ils prennent peur et imaginent toutes sortes de fausses idées.

J'ai connu le cas d'une vieille dame de quatre-vingt-dix ans qui vivait seule depuis longtemps. Une nuit, elle s'est réveillée et a vu une ombre en face d'elle, en train de la fixer. Affolée, elle a appelé la police en disant qu'un homme s'était introduit chez elle, qu'il était venu jusque dans sa chambre à coucher et qu'il la fixait sans rien dire. Elle a cru mourir de peur. Elle a décrit cet « homme » comme un homme tout en noir, grand, mince, qui ne parlait pas. Elle ne voyait pas son visage et ne savait pas le décrire. La police est arrivée, mais n'a trouvé personne, il n'y avait aucun signe d'effraction sur la porte et pour cause. Ils ont fait toute la cage d'escalier, ils ont interrogé les voisins. Niet ! Personne n'avait rien vu… La vieille dame avait été tellement secouée par cette vision, qu'elle ne voulait plus rester chez elle. Elle est allée en maison de repos et n'est décédée que quelques années plus tard. Cette ombre ne lui voulait aucun mal, c'était son ombre. Elle était sortie de son corps pour l'avertir que son temps était révolu. Je suis certain que cette gentille dame, qui avait beaucoup souffert dans sa vie, a eu une mort douce et que la lumière du féminin est venue la consoler.

Pour en revenir à Ève, elle apprend de son côté que faire du bien ce n'est pas évident.

Il s'est passé quelque chose entre Ève et un homme que je connaissais aussi en tant que pote de bar. Ève ne m'en a pas parlé directement, je ne l'ai su qu'après coup. Ouais, je commence à devenir jaloux des fréquentations d'Ève. Je ne vais pas dévoiler le prénom de ce gars parce que c'est dommage d'associer à un prénom quelque chose de négatif. Je deviens plus sensible aux détails.

C'est un type qui voulait garder sa femme sous le coude et faire d'Ève sa maîtresse. Ça faisait un moment qu'il lui tournait autour alors qu'Ève lui avait dit clairement qu'il n'avait rien à attendre d'elle. Un soir, il est venu la voir chez elle pour boire un verre. Il avertissait de son passage au dernier moment parce qu'il la casait entre deux rendez-vous pour être chez lui à l'heure et ne pas inquiéter sa femme. Un soir qu'il était passé en coup de vent, avant de partir, sur le pas de la porte, il lui a dit en riant : « Tu peux fermer ta porte à clé maintenant », comme s'il était le dernier qui avait le droit de franchir sa porte. Ça lui donnait l'impression qu'elle était un peu sa maîtresse. Ève n'a pas apprécié son humour. Je suis d'accord, son humour est à chier.

Le comble, c'est quand il a essayé de brader Ève à un ex-mercenaire pour du fric. Ce mercenaire de cinquante ans, qu'il avait connu je ne sais pas comment, cherchait une femme française pour faire un mariage blanc contre de l'argent et il avait promis à mon pote aussi de l'argent s'il arrivait à lui trouver la femme idéale pour ce genre d'affaires. Il a pensé à Ève ! Pourquoi ? Il la prend pour qui ? Il a présenté ça à Ève comme une opportunité ! Je n'y crois pas ! D'accord, Ève est parfois un peu « blonde », mais c'est à cause de Mémoria. De là, à profiter d'une copine… Il allait mettre Ève dans les emmerdes pour toucher un peu de tune ! C'est dégueulasse ! Comment il fait pour être en contact avec des gens pas très francs du collier ? On dirait qu'il les collectionne.

Je me demande pourquoi Ève continue de fréquenter ce type ? Ce que je sais, c'est que ce n'est pas elle qui l'appelle. Ève, qui réagit à retardement, ne s'attendait pas à une telle transaction. Ça l'a choquée.

Cette histoire d'ex-mercenaire, ça m'a intrigué. Je voulais voir de qui il s'agissait. Les Dames me permettent de voir ce que certains ont dans la tête et je voulais faire un tour dans la sienne. Comme j'avais eu les infos avant que tout n'arrive entre Ève et lui, j'ai eu le temps d'analyser la situation. Je me suis fondu dans la masse et ni vu ni connu, j'ai pu l'observer à l'aise. Ce type n'a même pas cinquante ans.

Il est malhonnête : il est marié dans un autre pays et peut se retrouver bigame sans se soucier de la loi. Allez savoir après comment il a gagné son argent ?

Quant à mon pote qui voulait servir d'intermédiaire entre Ève et le mercenaire, celui qui voulait en faire sa maîtresse, j'ai fouillé dans sa tête, ce n'est même pas le pire des hommes. C'est un bon père, un bon pote, prêt à rendre service, un bon fils et un bon mari, si on admet qu'il trompe sa femme sans mettre sa famille en danger. Il est bosseur, sympathique. Putain, qu'est-ce qui lui manque alors ? Pourquoi il déconne comme ça ? Pour du fric ? Il n'en a pas marre de se mettre en danger ? Il ne fréquente pas les bonnes personnes. Je le lui ai déjà dit ! Il a la tête dure ! Il a raison le dicton qui dit qu'il ne faut pas se méfier de ses ennemis, mais de ses amis.

Il n'a pas le droit de traiter Ève de cette façon, elle est trop cool avec lui. Ça doit être son côté nymphe-cruche. Mais bon, je surveille. Après tout, c'est mon rôle. Je n'ai pas eu besoin d'intervenir, elle l'a envoyé balader et elle a bien fait. Mon pote a même osé lui dire que si elle avait accepté de se marier avec ce mercenaire, il aurait été vachement jaloux. L'enfoiré ! Il aurait fait un parfait proxénète ma parole : je te mets sur le trottoir, mais n'oublie pas que tu es à moi ! ça craint ! J'ai du mal à m'en remettre parce que je ne m'attendais pas à ça de sa part. Il cache bien son jeu. En plus, il sait que je tiens à Ève. Là encore, il fait semblant de ne pas comprendre. Ça me fout les boules. Je ne sais pas si je vais pouvoir lui pardonner. Je vais le mettre en quarantaine et après je verrai. Il fait l'innocent. Je vais lui mettre les points sur les « i », on verra s'il continue à faire l'abruti. Pour se faire plaindre, il est là, mais assumer ses conneries, ce n'est pas pareil. Il y a des limites à tout, même à l'indulgence.

Il ne faut pas rester dans le sillage des cons, ça donne de mauvaises idées. Ève a eu une inspiration encore plus tordue : elle s'est dit que cet ex-mercenaire au passé sulfureux irait très bien avec une copine de son entourage, manipulatrice et violente, qui a toujours besoin d'argent. Cette copine se vante toujours auprès d'Ève qu'elle est faite pour dresser les types costauds, qu'elle sait comment s'y prendre, pas comme Ève, et qu'elle les fait tous manger dans sa main. Elle n'en fait qu'une bouchée. Je l'avais rencontrée une fois cette copine et elle avait promis à Ève qu'elle pouvait m'avoir comme amant quand elle voulait. Ça n'avait pas plu à Ève. Cette fausse copine regardait Ève comme une pauvre fille qui ne lui arrivait pas à la cheville. Ève n'avait jamais rêvé des conquêtes masculines de cette femme. C'étaient tous des hommes portés sur le sexe et pas très raffinés. Mais à force de répéter la même rengaine, ça a fini par agacer Ève et si Ève s'agace, ses Furies pointent le nez pour voir ce qui se passe.

Il faut faire attention aux mots, surtout s'ils sont prononcés devant des Furies cachées dans une femme ordinaire comme Ève. On ne sait pas qui on fréquente. Les Furies peuvent prendre au mot. Quand elles remontent à la surface, elles adorent provoquer les gens qui montrent une assurance crasse. Il faut rester modeste au lieu de claironner une toute-puissance qui n'existe pas comme on le croit. Ève en a donc parlé à sa copine vantarde. L'argent a beaucoup tenté sa copine, mais elle a tout de suite pigé que signer des papiers de mariage avec cet étranger, c'était jouer à la roulette russe. Pas folle, la guêpe, elle flaire les arnaques à la seconde.

Comment Ève a-t-elle pu avoir une idée pareille ? Est-ce qu'elle aurait vraiment laissé faire sa copine ? Je préfère ne pas savoir ! J'aurai tout entendu !

Ève a quand même mis « notre » ami commun en quarantaine pendant deux ans. Il n'a pas arrêté d'appeler pendant deux ans, jusqu'au jour où Ève a répondu. Il était tout merdeux lui aussi et ne savait plus comment raccrocher les wagons. Elle a juste clarifié la situation entre eux deux pour qu'il ne fasse plus des plans sur la comète sur son dos. Elle lui a parlé de moi en lui disant qu'elle avait des sentiments pour moi. Elle espère que ça le tiendra à distance. Il a dit oui à tout et ils sont repartis sur d'autres bases. Espérons... Ève n'aimerait pas qu'à cause d'elle, mon amitié avec lui soit remise en question. C'est pour ça qu'elle ne m'en avait pas parlé. D'ailleurs, au début, elle était trop fâchée pour en parler calmement. Ève a juste oublié que je pouvais lire son journal.

Je ne sais pas jusqu'à quel point on peut pardonner certaines choses. Ève pense que malgré les mauvaises intentions de notre ami en question, personne n'a eu à en souffrir. Elle-même, en repensant à sa façon d'être, pense qu'elle aurait dû être plus cash envers lui et couper court à toutes ses divagations au lieu d'en rire. Parfois, sa première réaction est de rire d'une situation anormale et ce n'est qu'après qu'elle en mesure toute l'énormité.

C'est dur de pardonner quand on est touché dans son cœur. Je reconnais, ça m'a troublé. Je sais qu'Ève peut se défendre, mais moi aussi je voulais manifester mon indignation et j'ai décidé de couper les ponts momentanément avec cet ami. Peut-être deux ans, comme Ève, je ne sais pas. Je verrai. Il me fallait du temps pour accepter cette version de lui que je ne connaissais pas. Soudain, j'ai repensé à l'effort que j'avais demandé à Ève il y a quelques années déjà, quand je lui avais demandé de pardonner à une personne qui lui avait fait beaucoup de mal. C'est vrai, c'est facile de demander à quelqu'un de pardonner, mais quand on est dans la situation soi-même, ce n'est pas évident.

Dans cet état d'esprit perturbé, Mémoria m'a rappelé que je devrais être heureux que sa protégée soit si peu rancunière parce qu'un jour, c'est peut-être moi qui profiterai de son pardon.

Moi ! pourquoi je devrais avoir besoin de son pardon ? S'il y a une personne en qui Ève peut avoir confiance, c'est bien moi. Jamais je ne lui ferais du mal. En plus, avec les Furies qu'elle a en elle ! Il faudrait être fou pour les défier ! De quoi elle devrait me pardonner ? Je n'ai pas eu de réponse. Bref, je vais laisser le temps adoucir ma rancœur, ça m'aidera à pardonner.

Il n'empêche que la présence de Mémoria agissait inconsciemment sur les personnes. Parmi ses fréquentations, Ève avait remarqué une chose assez déconcertante : certaines femmes ou certains hommes voulaient « se mesurer » à elle. Dans ce genre d'amitié non dangereuse, il y avait le mentor et la reine. C'était assez marrant à observer.

Ève écrit dans son journal que très vite dans l'histoire de l'humanité, l'homme s'est auto-proclamé dieu créateur du monde et de l'univers. Elle écrit que dans les mythes de Mésopotamie, par exemple, les prêtres ou moines racontaient que les grands dieux pouvaient créer le premier homme, déjà adulte, rien qu'en crachant au sol. J'ai marqué un temps d'arrêt. Je me demande comment les gens ont pu adhérer à un imaginaire pareil ! Déjà que changer les cailloux en hommes, je trouve ça limite, il y a un côté « tête de pioche » au caillou-homme, mais naître d'un crachat ! Bonjour l'humanité ! C'est peut-être pour ça que beaucoup d'hommes continuent à cracher dans la rue dans certains pays. Si je pense que la femme met neuf mois pour faire naître un bébé, qui est loin d'être un homme, j'ai envie de dire que côté création, la femme assure, c'est de l'art d'excellence comparé à un crachat.

Pour en venir au fait, Ève avait un ami de longue date que je ne connaissais pas. On ne savait pas grand-chose de nos vies respectives. Ce que j'écris, je l'ai lu dans son journal. Elle avait invité cet ami un soir pour partager un repas à deux et s'apprêter à passer une soirée sympa en discussions variées. Elle savait qu'il était bavard.

Son ami a commencé à lui raconter ses dernières aventures et mésaventures sentimentales, c'était assez marrant, maladroit, intellectuel, mais comique à la Woody Allen, avec son ami dans le personnage de l'acteur logorrhéique. Elle l'a laissé parler, mais il parlait sans lui laisser la possibilité d'échanger. Dès qu'Ève intervenait pour apporter son point de vue, il avait déjà prévu toutes les objections et les contrait une à une. Il commençait par dire : « je comprends ce que tu dis, mais ce n'est pas ça, si tu permets, je vais t'expliquer ».

Elle pense que son ami fait partie des hommes qui développent le complexe du mentor. Tout comme les dieux, ce type d'homme a le sentiment que son rôle est celui « d'éduquer » la femme.

Le complexe de la reine

Moi aussi je pourrais parler de femmes qui se prennent pour des reines. J'en ai croisé. Si on fait le tour des complexes, il y en a un paquet. Pas besoin d'être la reine d'Angleterre pour se prendre pour la cerise du gâteau. La femme, qui s'est auto-couronnée, s'installe dans le rôle avec tellement d'aplomb que peu de personnes résistent à son autorité et surtout pas le mari. J'espère qu'Ève n'est pas comme ça dans la vie. Je veux bien faire d'elle ma princesse, prendre soin d'elle, mais pas question d'avoir une reine à la maison qui aurait à redire sur tout ce que je fais, tout ce que je pense ou sur toutes les personnes que je fréquente.

En tout cas, les « reines » qu'Ève croise veulent souvent avoir le dernier mot sur elle, comme si Ève était attachée au « dernier mot », comme s'il y avait un enjeu majeur derrière. Une de ces reines lui a écrit sur WhatsApp « C'est moi la plus intelligente ». Il ne me semble pas qu'Ève fasse des concours d'intelligence en sachant que ce n'est pas ce qui compte. Ça l'a fait rire.

Mon attachement à Ève

Ma relation avec Ève a beaucoup évolué avec le temps. Nous sommes presque sur la même longueur d'onde. Quand on se voit, on se comprend de mieux en mieux, sans faire de longs discours. On parle beaucoup de nos rêves. Ève s'est penchée sur la question depuis que nous avons trouvé une relation neutre. On continue à apprendre plein de choses sur nous deux. J'aime bien parler avec elle, mais ce n'est pas toujours possible, il faut que j'attende la permission. On est tous les deux sous une surveillance stricte, on ne peut pas faire tout ce qui nous passe par l'esprit.

Mon jumeau apprécie de plus en plus Ève, mais il déteste fréquenter les femmes plus âgées que lui. Les années passent et Ève prend de l'âge. Elle a cinquante ans ; ça ne me dérange pas qu'elle soit plus âgée. Tant qu'elle soigne son apparence et que côte à côte on ne nous prend pas pour une mère et son fils, ça va. Non, franchement, elle est bien. Je n'ai rien contre les couples avec une différence d'âge à condition qu'il n'y ait pas, d'un côté comme de l'autre, des carences affectives qui poussent à rechercher l'image du père ou de la mère. Ça serait trop bizarre, ça ferait un peu incestueux.

Ce n'est pas le cas pour moi. Ève a quelques années de plus que moi, mais elle a gardé un esprit jeune et un corps jeune. J'aime bien la façon dont elle s'habille, ni trop à la mode, ni vieux, elle est sobre. Elle fait attention à ne pas attirer l'attention dans la rue, mais elle adore la fantaisie pour les autres. J'aime bien son style discret. Je ne cherche pas une mère en elle. La mienne me suffit. Ça va, j'ai de bons rapports avec ma mère ni fusionnels qui indiqueraient la mainmise de son esprit sur le mien ; ni distants qui indiqueraient un problème relationnel. On a la bonne distance mère-fils. On prend régulièrement des nouvelles l'un de l'autre. On s'inquiète de savoir si tout va bien. C'est normal.

Projets pour l'avenir

Je me suis souvent demandé pourquoi on disait que le diable se cache dans les détails. Je suis content d'avoir la réponse, enfin, ma réponse à moi. Depuis que je découvre le féminin, je m'aperçois que mon destin était tracé dans les grandes lignes. Je précise bien : dans les grandes lignes, c'est là que se trouve la prédestination. Dans les interlignes, il y a la part de liberté et toute l'amplitude du monde des hommes pour interférer avec le destin de chacun. La trame de ma vie, c'est mon pays, ma famille, la société, mon caractère, les évènements marquants de l'histoire dont je ne suis pas responsable. Au milieu de cette trame, il y a mes choix personnels comme celui de quitter mon pays d'origine.

Si on pouvait devenir amis, plus tard, Ève et moi, amis et plus si affinités entre ego, ça me dirait d'aller en Italie avec elle voir les œuvres des peintres italiens. Je la prendrais bien comme guide. Puisqu'on parlait peinture et qu'elle s'intéressait à l'art, je lui ai demandé de me parler des peintres italiens Leonardo da Vinci et

163

Michelangelo. D'après elle, Michelangelo ne sait pas sculpter les seins de femme. Elle dit que les seins qu'il sculpte sont horribles et n'adhèrent pas à la poitrine des statues de femme. Elle dit que Michelangelo sculpte des torses d'homme et ensuite il plaque dessus deux boules. Il faudra que j'aille voir ça. Ça m'amuse. Les défauts des grands sont marrants, ça ne veut pas dire qu'ils sont moins grands. Après tout, Michel-Ange était gay, il n'avait peut-être pas la corde sensible au niveau du féminin, il préférait les corps des hommes, leurs muscles, leur esthétique. Ça peut se comprendre.

Une autre fois, j'ai montré des dessins à Ève. Ils représentaient la même femme dans une nudité progressive. Elle a regardé mes dessins sans rien dire. Je ne lui ai pas dit tout de suite qu'il s'agissait d'elle. Quand je le lui ai dit, j'ai vu la déception sur son visage. C'étaient juste quelques ébauches pour la faire réagir. Elle n'était pas obligée de faire cette tête ! Elle a dit que ces portraits n'avaient rien à voir avec elle, ils n'étaient même pas ressemblants. Elle m'a demandé si je faisais ce cinéma à d'autres filles. Au début, elle ne captait rien à mes tentatives pour lui ouvrir l'esprit à une autre réalité. Ce n'était pas facile pour moi de trouver des astuces pour la conduire vers la perception de son monde intérieur, de son féminin. Elle continuait à me considérer comme quelqu'un d'ambivalent à tel point qu'elle m'a annoncé un jour d'un ton sec que mon univers n'était pas le sien. Elle a jouté que la vraie vie était dehors et pas dans un prétendu paradis caché dans sa tête, elle renonçait à me fréquenter.

Mon jumeau n'a pas du tout apprécié. Il m'a soufflé illico : « Tu as entendu le ton sur lequel elle l'a dit ! Elle ne serait pas un peu prétentieuse sur les bords ? Pour qui elle se prend ? Moi je ne lui dis pas que son journal, c'est moyen par moment. Elle n'a qu'à essayer d'écrire un roman, elle verrait ce que ça veut dire de se frotter à l'art. De toute façon, elle n'a rien compris à son éveil. Puisqu'elle est si maligne pourquoi elle ne devine pas que tu as peint le chemin de son éveil ? Il faut tout lui dire ? »

Mon jumeau susceptible n'a pas pu s'empêcher de lui glisser d'un air mauvais, juste quand elle passait la porte : « Je suis trop gentil avec vous ! »

Aïe, aïe, aïe… Ève a fait comme si elle n'avait rien entendu et elle est partie. Heureusement ! Je ne sais pas comment j'aurais pu rattraper le coup du sale type. Mais après, elle ne m'a plus donné signe de vie.

Les Dames sont formelles sur nos conversations, je ne dois rien expliquer à Ève. Elle doit comprendre toute seule. Je peux lui tendre un mot ou deux et c'est tout. Je suis là pour éviter les débordements si elle perd la boule chemin faisant, mais rien de plus. En même temps, si je peux la taquiner un peu, il faut bien que je m'amuse aussi. La vie n'est déjà pas drôle alors si je ne peux pas taquiner la muse…

La petite phrase acide de mon jumeau, ça n'a pas fait rire Ève. J'ai capté pourquoi les Dames m'avaient parlé au tout début de l'allée des citronniers qui mène au paradis ! Ou pas ! Il paraît qu'il y a une belle allée des citronniers représentée en mosaïque à Ravenne en Italie. J'irai peut-être la voir. En tout cas, ce n'est pas moi celui aux remarques acides, c'est mon jumeau qui joue au citron. J'avais l'impression d'avoir perdu Ève et je m'inquiétais de son silence.

Je l'ai laissée tranquille, c'était à Ève de revenir vers moi. Ça aussi, ça faisait partie des consignes. Ça m'arrangeait parce que j'avais plein de choses à faire et ça me fait du bien de prendre des vacances par rapport à cette situation. N'empêche, j'avais peur que ce soit vraiment fini entre nous. Ça me rendait triste. Mais les Dames ont plus d'un tour dans leur sac.

Après plus de deux semaines sans nouvelles, Ève m'a rappelé en m'expliquant qu'elle me rappelait parce qu'elle avait l'impression tenace que si elle coupait les ponts avec moi, elle allait en mourir. Elle voulait comprendre ce que je lui cachais. Elle voulait comprendre pourquoi elle avait le sentiment que sa vie était entre mes mains.

Bah, pas tant que ça, mais elle se posait les bonnes questions. On a donc continué à se revoir et à se parler. Je faisais bien attention à ce qu'il n'y ait plus aucune ambiguïté dans notre relation. Pas de sexe, pas de sentiment amoureux, pas de déclaration d'affection.

Et puis en juin, miracle ! Mémoria lui a enfin parlé et son soleil intérieur s'est enfin activé ! C'était pas trop tôt !

Ce n'était pas la même lumière qu'au parc de la tête d'Or, sa lumière s'était transformée en un soleil intérieur, celui-là même que les païens adoraient et pour lequel certains continuent à faire le salut au soleil le matin. Je ne cherche pas à savoir comment ni pourquoi ça existe. Ève l'a en elle, je l'ai en moi, ça me suffit, je n'ai à convaincre personne. À chacun son soleil. C'est génial, on est pareils avec Ève, on va enfin pouvoir mieux se parler et se comprendre. On n'a pas la même énergie, Ève et moi, la lumière ne s'exprime pas de la même façon chez elle et chez moi, mais je suis si content de trouver quelqu'un avec qui parler plus librement de ce que je vis. Ça me manquait. Maintenant, Ève est une vraie partenaire, elle me correspond, ce n'est plus un simple binôme.

Les muses et moi, une histoire antique qui revient

Ève était sauvée et moi aussi par la même occasion. J'allais pouvoir me détendre.

Pour Ève, par contre, commençait le questionnement au sujet de son soleil et de Mémoria qui lui parlait directement. Elle ne savait pas trop quoi en penser. Je suis d'accord avec elle. Je crois que Ève est comme moi, elle veut du naturel qui ne soit pas teinté de religion. En fait, on dit que c'est Mémoria qui nous parle parce qu'elle tient un discours féministe et qu'elle parle des mémoires du féminin, mais au fond, qui est cet esprit ? Les Grecs en ont parlé. Les Romains après eux. Les chrétiens auraient dû en parler, mais les premiers évêques ont préféré suivre la trace des religions monothéistes et effacer toute trace du féminin. J'ai lu des bouquins à ce sujet et je dois dire à leur décharge que l'époque était riche en allumés : entre la politique qui voulait récupérer ses billes et les croyants qui croyaient à tout et n'importe quoi vu l'analphabétisme ambiant, difficile d'unifier un discours. Ils ont tranché dans le vif et le vif contentieux de l'histoire, bah c'est souvent la femme !

En vrai, on ne sait pas trop qui est cette entité qui nous tient des discours au féminin. Je suis trop content qu'Ève et moi on pense la même chose. Elle est laïque dans son cœur et moi aussi. Elle a quand même voulu savoir ce que pensaient de la lumière d'autres cultures que sa culture catholique.

Ève est partie voir les moines thaïs à Genève pour leur demander des informations sur leur lumière. Un moine conduisait un atelier avec un groupe d'aspirants à la lumière.

Pendant l'atelier de concentration pour conduire le public à percer l'enveloppe noire de leur ombre, Ève baignait déjà dans sa lumière intérieure, toute sa tête en était illuminée, mais ça ne se voyait pas à l'œil nu. Peut-être qu'en regardant ses yeux, un œil averti de moine accompli aurait pu voir sa lumière. Ève attendait la fin de l'exercice pour parler au moine. À la fin de la séance, quand tout le monde est parti, Ève est restée pour lui expliquer sa situation spirituelle. Le moine qui conduisait l'éveil des gens à leur source de lumière a été étonné de son état avancé. Il lui a posé des questions précises sur son parcours. Elle a trouvé étrange que le moine connaisse très bien le chemin dans ses étapes, mais qu'il n'ait pas la lumière. Le moine voulait lui faire connaître son supérieur, mais Ève a refusé.

Pour ma part, je crois que Ève a bien réagi en refusant de le rencontrer. Elle a évité de se laisser influencer. Son entité parlante était en elle, elle voulait entendre son discours jusqu'au bout avant d'en parler à quiconque.

Tout allait pour le mieux. Je pouvais me retirer. Mission accomplie.

Je me demandais ce que j'allais faire maintenant que j'avais fini. Toute cette liberté que je retrouvais me faisait drôle. Je commençais à peine à m'habituer à la compagnie d'Ève, à son journal intime. Qu'est-ce que j'allais faire sans elle ? J'allais bien sûr m'organiser pour voir mes enfants plus souvent. Je ne sais pas. Je me tâtais. Je n'ai pas eu le loisir de réfléchir longtemps, les Dames ont rappliqué en me disant que ce n'était pas fini, elles avaient encore besoin de moi.

Ah bon ? Pour faire quoi ? Les Dames n'arrêtaient pas d'allonger mes temps de service.

Est-ce que j'avais oublié, m'a demandé Mémoria, que je devais accompagner Ève dans sa traversée du monde des ombres ? Ce n'est pas parce qu'elle avait la lumière en elle que le travail était fini. Je devais l'aider à faire sortir sa colère, c'était obligé pour qu'elle puisse traverser le monde des ombres. J'avais oublié ou j'avais voulu oublier ? Les Dames ont ajouté que moi aussi j'avais encore de la colère. Elles l'avaient neutralisée ma première nuit avec elles à Paris, mais rien n'avait été réglé.

Pour ne rien cacher, j'étais content de poursuivre ma relation avec Ève. Plus je la connaissais et plus je lui trouvais de l'intérêt. Le fait qu'on soit tous les deux dans la même galère, ça me la rendait proche. Mon ombre pense qu'Ève est « plaisante à regarder ». Je déteste cet adjectif « plaisant ». C'est bien des mots de bobo, sans vrai sentiment ni chaleur humaine.

C'est son esprit qui fait d'Ève ce qu'elle est pour moi. Elle a quelque chose dans les yeux. Elle a un regard. Quand elle vous regarde, elle vous regarde vraiment. Parfois, elle m'intimide. C'est la seule qui me fait ressentir ce sentiment. D'habitude, c'est moi qui intimide les gens. Les Dames m'ont dit que plus le temps passerait et plus nos émotions fusionneraient ainsi que nos esprits. C'est ce qu'elles appellent « se correspondre », pas seulement d'âme à âme, mais aussi d'ego à ego et d'ombre à ombre. C'est l'alignement de tous nos esprits qui se fera pour notre plus grand bien. Nous sommes l'alter ego de l'autre et tout ce que Ève ressent, je vais le ressentir encore davantage.

J'ai un doute sur cette « sororité » d'esprit. J'ai connu des couples fusionnels, ce n'était pas souvent à leur avantage. On a plus envie de les fuir que de les fréquenter. Je n'ai pas envie d'être son « clone » mental. J'ai ma personnalité et j'y tiens ! Les Dames m'ont dit que je n'avais rien compris à l'affaire. Nous allions avoir des inconscients communicants pour nous permettre de mieux nous comprendre l'un l'autre, pas pour devenir des « clones » ! Chacun garde sa personnalité.

J'aime mieux ça !

Le moment de la « mise en colère »

Ça, c'est un grand moment !

En initiation, il y a la « mise en colère » parce que la colère fait remonter les Furies chez les femmes. C'est un moment délicat où tout peut basculer en fonction de la colère en nous. Ça peut engendrer des réactions violentes. Chaque initiation est différente. Une initiation, c'est difficile à raconter, ça se traverse. Mais ce qui est sûr, c'est que pour traverser le monde des ombres, il faut faire sortir sa colère sinon on ne peut pas y aller.

C'est un esprit féminin qui doit servir de guide parce que l'enfer, ou plus exactement le monde des ombres, est un lieu d'amour. C'est dingue non ? Pendant deux millénaires, on nous a vendu un enfer infernal avec diables et compagnie, tortures et feu divin alors que c'est tout le contraire. C'est un monde de silence, de calme, sans volupté parce que les corps sont absents. Si on veut essayer de traverser le monde des ombres par soi-même, sous l'effet d'une drogue ou accidentellement, par maladie, schizophrénie ou autre, c'est dangereux. Même avec un guide masculin, ça ne marche pas, ça peut conduire à la folie. C'est un peu ça le topo. Je le vis sur ma peau et je parle de ce que je vis et non de ce que je lis. Les livres racontent souvent plein de conneries à ce sujet et à mon humble avis, il vaut mieux en parler si on est passé par le « chemin des Dames ». Et je ne parle pas du chemin tristement célèbre en France, celui de la Première Guerre mondiale.

Je crois bien que, à part Dante, je n'ai pas lu d'autres livres de quelqu'un qui parle de sa propre traversée du monde des ombres en étant accompagné d'une femme. Je ne suis pas convaincu sur la traversée de Dante. Il n'a pas su se dégager des idées catholiques de son temps. Les ombres n'ont pas de corps, et il imagine des défunts soumis à des tortures physiques. On dirait qu'il décrit son époque faite de tortures et de troubles politiques, comme si son enfer poétique était le pendant de la vie en Italie au moyen-âge. La violence des hommes ! Sans oublier qu'il pense que Lucifer est un vrai démon et il lui tire un portrait pas très flatteur avec des cornes, de la bave, des poils partout, la totale. Comment il a pu se gourer autant ? Dire que notre imaginaire est encore celui de Dante, huit siècles après ! Il nous a fait un sacré cadeau avec son imaginaire ! Comme quoi, l'imaginaire, ce n'est pas rien, ça modifie les mentalités et pas toujours en bien.

Dans notre vingt et unième siècle, il y a tellement de violence encore qu'on n'arrive pas à imaginer autre chose, que ce soit en littérature ou au cinéma. Un extra-terrestre pacifique verrait notre filmographie, il se demanderait comment on fait pour vivre dans un tel enfer. Oui, parce qu'au final, notre terre est bel et bien un enfer. Bah, pas pour tout le monde, évidemment, mais dans l'ensemble, même si les démocraties ont fait évoluer en mieux les peuples, elles ne redistribuent pas toujours la richesse équitablement. Les bruits du monde doivent rester hors de mes propos pour le moment. Je reviens à Ève.

En attendant, il fallait que mon ombre mette Ève en colère une bonne fois pour toutes avant sa traversée.

Le mieux placé à ce jeu était mon jumeau. Il ne faut pas faire ça dans la vie. On n'aide pas les gens en les mettant en colère surtout dans le monde du travail ou en famille. Au contraire, il faut se montrer bienveillants. Plus on met les egos en colère et plus ils se chargent de colère.

Dans une initiation au féminin, ce n'est pas la même chose. Faire remonter la colère a un but pédagogique et elle ne comporte pas d'atteinte à la personne, ni physique ni morale. J'ai lu que des moines plantent des clous dans la tête de leurs élèves, à un endroit précis pour accélérer le process d'éveil. Ève a trouvé que les hommes qui font des initiations entre eux sont vraiment gonflés ! Ils pervertissent toute la bonté du féminin, sa patience, la longueur des temps, pour aller plus vite, ils s'inventent des méthodes inexcusables.

Ève oublie que les Dames bousculent aussi la vie des gens.

Sans doute, mais les Dames ne sont pas favorables aux « voies » rapides qui éloignent les gens de la vie de tous les jours. Si elles conseillent la retraite, l'abstinence, la solitude, c'est au milieu des autres et pour un temps, pas pour toujours. Elles conseillent le travail, le sport, des loisirs manuels ou physiques pour compenser le surinvestissement mental que cause leur proximité.

La vie en communauté, entre hommes ou entre femmes, ne permet plus de prendre ses distances et d'être libres. Les communautés sont des milieux fermés qui coupent des réalités. En plus, ça crée des tensions sexuelles malsaines. La preuve, chez les catholiques et les scandales de pédophilie, ça pue sec au Vatican ! Les murs de la cité suintent les crimes impunis. S'il y a une chose que les Dames pointent du doigt, ce sont les crimes faits aux enfants.

Bref, je n'aurais jamais cru me retrouver à prendre des notes en compagnie d'une muse. Ève est devenue ma muse en chair et en os. Pour moi, ça vaut tout l'or du monde. Pour la première fois de ma vie, je me sens profondément heureux parce que je suis en harmonie avec moi-même. Je sais que je dois encore travailler cet équilibre avec mon ombre, mais j'ai confiance.

Chapitre V
La délicate opération de mise en colère

Une soirée qui a des retombées

Je suis content que ce soit mon ombre qui se charge du boulot. Je n'aurais pas aimé mettre Ève en colère. Elle ne mérite pas qu'on la mette en colère, mais quand il faut, pour le besoin de la cause des Dames, alors je m'incline. Ça ne pose aucun problème à mon ombre. D'après lui, ça met du piment dans la vie. Quel blaireau ! Je déteste les engueulades de couple, ça me détruit. Il y a eu plusieurs soirées entre mon jumeau et Ève pendant lesquelles ils essayaient de faire le point du masculin et du féminin. Évidemment, mon jumeau adorait mettre de l'huile sur le feu, sans mettre le feu, juste en attisant les propos de sarcasme. Ça, il sait faire ! Ève était découragée.

C'est encore la grand-mère d'Ève qui a permis de faire avancer les choses. Ève avait des doutes à mon sujet en tant qu'amoureux. Sa grand-mère l'a encouragé à aller au bout. Elle lui a dit qu'Ève avait assez de bon sens pour savoir où mettre le curseur « stop » et elle a ajouté à propos de notre relation : « Si ce sont des roses, elles fleuriront sinon, il ne restera que les épines. »

C'est comme ça que tout a continué entre nous, malgré nos soirées de « conflit » masculin-féminin entre mon ombre et elle.

Mon jumeau représentait un masculin à l'esprit contrariant. C'est normal, il représente les interdits, les normes sociales et en général elles sont en faveur des hommes. Ève voulait en discuter avec mon jumeau. Je n'aurais pas pu mieux expliquer qu'elle, ce qui se passait entre eux deux. En écoutant mon jumeau s'exprimer, je constatais qu'entre lui et moi, il y avait une grande différence. J'étais nettement plus cool que lui, mais je me rendais compte qu'il m'imposait par moment ses pensées à la con sur les femmes, du genre : « une femme c'est mieux en robe ou en jupe » ou « une femme, ça fait mieux le ménage qu'un mec ». Quant au partage des tâches, on peut dire que lui, c'est une tache ! Pas moi. Je partage volontiers l'espace domestique et pas que pour traîner sur un canapé, aux manettes d'un jeu vidéo.

J'étais curieux de voir mon jumeau à l'œuvre, dans cette opération délicate qui peut virer au vinaigre à tout moment.

Moi j'étais d'un genre plutôt accommodant par rapport à lui. Entre mon jumeau et moi, je cherchais toujours à calmer le jeu, c'était moi l'esprit de paix. Pas autant que mon âme c'est vrai. Ma version lumineuse était hors concours.

Quant à Ève, qu'elle soit elle aussi un esprit contrariant, je l'avais remarqué au cours de notre dernière rencontre. Elle ne mâchait pas ses mots. Je ne lui en voulais pas trop, mon jumeau lui avait lâché, entre deux conversations, qu'elle était méchante, à cause de ses Furies. Elle méchante ? Elle reconnaissait qu'elle pouvait se donner un air méchant ou dire parfois des choses qui dépassaient sa pensée, mais en général, personne n'avait peur d'elle. Elle pouvait avoir des pensées méchantes sans jamais passer à l'acte. Elle préférait alors couper les ponts avec la personne qui la mettait dans cet état d'esprit. Aussi, elle avait répondu un jour à mon jumeau qu'il n'avait pas intérêt à revenir vers elle la bouche en cœur pour lui parler d'amour ! Ce n'est pas merveilleux de les voir se fritter pendant que je compte les points ?

Tout cela était parfait pour une autre rencontre musclée entre elle et mon jumeau borné. C'est ce qui s'est passé. Ils se sont revus. Ils devaient ajuster leur esprit l'un à l'autre. J'ai fait ce que m'ont forcé à faire les Dames, j'ai glissé ailleurs pour lui laisser toute la place. Tout ce que j'ai su par la suite, c'est à travers le journal d'Ève parce que j'ai eu un trou de mémoire abyssal. C'est normal quand on laisse son ombre aux commandes.

Ça devait être la soirée décisive, celle où Ève allait se mettre en colère. Mon jumeau s'était habillé en smoking, on avait une soirée à Lyon après. Ève nous recevait chez elle. Son fils n'était pas là, il était chez son père. Ça faisait plusieurs fois que mon frère terrible essayait de la mettre en colère. Ce n'était pas facile de faire remonter les Furies d'Ève à sa conscience pour faire sortir sa colère.

J'avais le contrôle au tout début, c'est moi qui ai sonné à la porte et c'est à moi qu'Ève a ouvert. J'étais intimidé. Pour la première fois, je réalisais que je ne voulais pas la perdre. J'aurais aimé voir où elle écrivait son journal. J'avais envie de ressentir l'atmosphère qu'il y avait dans son foyer. J'étais devenu très sensible à ce genre de choses. À présent que mes sens étaient en éveil, tout ce subtil me plaisait. Avant, ça ne me parlait pas, comme les dîners aux chandelles.

Ce que j'ai lu ensuite dans le journal d'Ève m'a impressionné. Mon jumeau a vraiment été à la hauteur de la situation. Il a trouvé les mots qu'il fallait pour faire sortir Ève de ses gonds. C'est marrant, mais je m'attendais à ce qu'Ève réagisse, le mette à la porte. Rien de tout ça. Quand Ève se met en colère, elle ne dit pas n'importe quoi, elle est encore plus intéressante, elle a fait sortir plein d'histoires passées que je n'imaginais même pas. On peut dire qu'elle a sorti les vieux dossiers historiques, voire millénaires, entre les hommes et les femmes. Mais l'important, c'est qu'à la fin, les Furies sont arrivées en elle et Ève les a reconnues. Elle les a senties remonter dans son esprit, mais elle ne s'est pas mise à hurler pour autant ni à donner des coups de pied dans mes tibias, ce qui m'aurait ramené à moi. Elle a pris peur. Elle se demandait si elle n'était pas en train de devenir méchante.

Elle sentait un vague malaise en elle, une pression sur mon mental. Elle avait peur de devenir violente et un peu folle. Oui, les Furies peuvent faire cet effet quand elles débarquent, mais avec Mémoria, tout est sous contrôle. C'est la magie naturelle d'une initiation naturelle.

Peut-être qu'Ève a raison, peut-être que l'histoire des hommes n'est qu'un tissu de mensonges. Y aurait-il eu un complot des pères fondateurs contre les femmes ou bien tout s'est fait un peu au hasard ?

L'histoire n'est pas morale, c'est sûr, mais j'aurais tendance à croire qu'il n'y a pas de hasard, vu les Dames que je fréquente.

La soirée entre mon super jumeau et Ève était plus un face-à-face de positions très différentes entre un adepte du patriarcat d'une part et une tentative d'alliance avec le féminin de la part d'Ève. À mon humble avis, le patriarcat a trop à perdre pour laisser de la place au féminin, la place qu'elle mérite. Je crois que l'alliance qu'Ève recherche tombe dans le vide. Ou alors, il faudra encore quelques millénaires pour arriver à des sociétés équitables.

Enfin, quoiqu'il en soit, l'essentiel était l'arrivée des Furies. Les jours suivants, en lisant son journal, je me disais que cette fois, je pouvais dire « mission accomplie », on pouvait aller en enfer. Euh, je veux dire dans le monde des ombres.

Même pas en rêve ! M'ont soufflé les muses.

Pourquoi ?

D'après elles, il manquait une prise de conscience de ma part. Qu'est-ce que j'avais raté ?

« Raté » était bien le mot qui convenait.

Ça y est ! Je parie que mon double avait déconné et maintenant, ça me retombait dessus ! Qu'est-ce que j'aurais dû savoir ?

Ce que j'ai découvert m'a sidéré, vu que mon ombre est froide, même plus que ça ! Je n'ai pas de mots pour le dire. Les Furies m'ont repassé le film de la soirée. C'est leur spécialité de rembobiner le film de notre vie. D'habitude, c'est quand on est mort, mais là, j'étais bien vivant.

Mon abruti de jumeau maléfique n'a rien trouvé de mieux que d'intimider Ève pendant la soirée. Intimider est un pauvre mot, il l'a menacée de toute sa force de mâle. Il a menacé son intégrité de femme ! Comment il a pu faire une chose pareille ? La mission était « mettre en colère sans porter atteinte à l'intégrité physique ou morale » ! L'abruti l'avait allongée sur le canapé sans lui demander la permission. Ève n'avait rien vu venir tellement il avait été rapide. On aurait dit qu'il avait fait ça toute sa vie. Il l'a bloquée dans ses mouvements et s'est moqué de ses Furies en lui disant qu'elle n'avait qu'à les appeler à son secours pour voir qui, de lui ou d'elles, était le plus fort. En d'autres mots, il l'a menacée de viol ! C'est... C'est une catastrophe !

La leçon millénaire des muses

Qu'est-ce qui lui est passé par la tête ? Je me désolidarise complètement de lui ! Je le dis haut et fort, ça ne me concerne pas et ça ne me regarde pas ! On m'avait dit de glisser ailleurs pendant que mon double discutait et mettait Ève en colère et moi je n'ai fait qu'obéir aux ordres des muses. Je leur ai toujours obéi, pourquoi j'aurais fait le contraire ? Je n'ai rien à me reprocher. Il ne faut pas venir me dire maintenant que je devais le surveiller. Je ne peux pas « glisser ailleurs » et « être là ». Il faut choisir !

J'ouvre une parenthèse pour vous, mes enfants. Ce qui suit ne doit pas vous faire peur. La présence des Furies est exceptionnelle et les miennes sont bienveillantes, elles ne pratiquent pas la magie noire. Je n'ai jamais eu ce sentiment sinon je n'aurais pas continué à dialoguer avec les Dames. Il faut savoir se dissocier à tout moment si l'instinct le commande. Fin de la parenthèse.

Les Furies ont rappliqué, elles n'ont pas voulu entendre mes raisons. Elles se sont pointées et m'ont fichu la trouille de ma vie. J'étais en train de dormir et je rêvais. Je rêvais que je me sentais léger comme une plume, comme si je flottais dans les airs. J'avais presque le sourire aux lèvres. Ensuite, cette agréable sensation s'est transformée en un mauvais présage. Quelque chose clochait dans cette semi-béatitude. J'ai ouvert les yeux et je me suis retrouvé littéralement au-dessus de mon lit, en apesanteur.

Oh oh ! C'était quoi ça ? Qu'est-ce qui se passait ? Dans le silence de la nuit et de ma tête, les Furies m'ont sonné les cloches en me traitant d'ego ignare, d'ego dormeur, d'ego irresponsable, etc. Quoi ? Qu'est-ce que j'avais fait ? De quoi elles m'accusaient ? Elles m'accusaient d'être tombé dans le piège qu'elles tendaient à tous les prétendants à la lumière du féminin depuis l'origine du monde. De quoi elles parlaient ?

D'une abomination à leurs yeux qui durait depuis des millénaires : le viol initiatique !

C'est quoi ces conneries ?

« Ça », ont repris les Furies, c'était l'initiation virile à la manière des vieux pères, un viol pour les nymphes aux mémoires de femmes, pour qu'elles se souviennent que sur terre, ce n'est pas elles qui sont aux commandes. Le viol initiatique, c'est de l'intimidation pure et simple qu'on pouvait voir en grand et en couleurs à Pompéi, dans la Villa des mystères, derrière le soi-disant culte rendu à Bacchus. Tous les cultes originaux ont été manipulés. Voilà, ce n'est plus un mystère ! On pouvait passer à autre chose ?

D'après les Dames, le viol initiatique et profane a été voulu par le patriarcat pour dompter toute épouse qui écouterait Mémoria ou ses Furies. Le patriarcat a perverti les cultes du féminin pour embrouiller l'esprit des femmes d'abord et des gros balourds comme moi ensuite.

Quant au viol ordinaire, pas besoin de faire des analyses poussées, les guerres sont le terreau idéal pour faire surgir le taureau caché au fond de la tête des hommes. Parfois, il n'est même pas caché, il vit en surface et attend le moment propice pour réapparaître tel un pantin de sa boîte. Il sévit en ville comme à la campagne, chez les érudits comme chez les ignorants, en temps de paix comme en temps de guerre. Le taureau est le fléau des femmes aujourd'hui comme hier. Il faut en finir et lever le voile sur des pratiques qui ne sont plus acceptables. Quant aux hommes qui disent crânement au sujet d'un viol de femme « qu'il n'y a pas mort d'homme », ils mériteraient de subir le même sort pour qu'ils vivent le traumatisme sur leur peau.

Dans le silence de la nuit, cette réalité a résonné dans ma tête comme si on me criait dessus. J'écoutais dans un état second, en suspension, complètement tétanisé par ma position surnaturelle et par leur discours. Je n'étais au courant de rien, je ne connaissais pas toutes ces histoires tordues sur les initiations. Je n'y étais pour rien moi ! Les Furies étaient un peu plus furies que d'habitude… « Si ce n'est toi, c'est donc ton frère ».

Bah oui, mais pour moi ça change tout !

Je leur ai dit que j'étais peut-être responsable, mais pas coupable. J'ai repris une belle formule de la loi française faite pour blanchir des politiciens coupables du sang contaminé, il y a quelques années. C'est ma prof qui m'avait expliqué les aléas de la justice française.

Les furies m'ont demandé si je me croyais dans un tribunal d'hommes avec des lois faites à la louche pour protéger ceux qui en ont les moyens. Dans leur monde à elles, il n'y avait qu'une loi. Elles me l'avaient donnée cette loi, ce n'était pourtant pas difficile à mémoriser une seule loi !

Une seule loi ? Pourquoi je ne m'en souvenais pas ? De quelle loi il s'agissait ? Elles avaient une loi magique qui pouvait résoudre tous les problèmes du monde et j'étais passé à côté ? C'était quoi ?

« La loi du cœur ! » ont-elles crié en silence.

D'après elles, j'aurais dû intervenir à la vitesse de l'éclair quand mon ombre avait menacé l'intégrité physique d'Ève. J'aurais dû sentir le danger venir avec mon cœur au lieu de m'endormir béatement sur mes lauriers ! Dans la vie civile, si les lois étaient appliquées et si Ève portait plainte, cela pouvait me coûter trois ans de prison et quarante-cinq mille euros de dédommagement. Est-ce que j'en étais conscient ?

Non. Pas d'accord, je répétais que je n'avais rien fait !

Mon jumeau, pris la main dans le sac, a fait le malin. Il m'a soufflé dans l'oreille qu'il n'y avait aucun témoin chez Ève, dans un tribunal « humain », il ne pouvait pas être inculpé, c'était sa parole contre celle d'Ève. J'avais honte pour lui qu'il cherche à se dédouaner devant les Furies qui avaient tout vu ! Il faut le faire ! À croire qu'on n'a pas été élevés par les mêmes parents ! Il me flingue ma réputation le con ! Non, mais, quelle enflure, ce jumeau !

Les Furies voyaient tout, même les intentions. Elles pouvaient repasser le film de la soirée autant de fois qu'elle le voulait. Je n'avais pas envie de faire le malin à la manière de mon jumeau et de tous les hommes qui nient l'évidence. Je dirais même que je balisais grave. Pourtant, c'était mon jumeau le seul coupable. Je l'avais fait sortir pour les servir, les Dames m'avaient poussé à me dédoubler ! Elles s'en souvenaient ?

Évidemment qu'elles s'en souvenaient ! Le « dédoublement » initiatique servait à faire sortir tout le noir qui dormait au fond de mon inconscient ! Les egos se rêvent blancs et purs alors qu'ils sont enveloppés de noir et qu'ils pêchent toutes leurs idées troubles dans le labyrinthe mental de leur ombre. Il suffit qu'une autorité souffle un ordre à un ego pour qu'il le suive sans réfléchir, au garde-à-vous, le pouce sur la couture du pantalon ! Les Dames m'avaient soumis à l'épreuve du taureau et j'étais tombé dans le panneau. J'étais civilisé, c'est certain, mais elles avaient réussi à faire sortir le taureau des temps anciens. Est-ce que la métaphore du taureau était plus claire en moi, à présent, demandaient les Dames ? Est-ce que j'avais bien imprimé que le taureau, qui traversait toutes les civilisations depuis les grottes préhistoriques jusqu'aux symboles polythéistes égyptiens, dormait encore dans la tête des hommes aujourd'hui ? Le taureau n'était pas seulement la puissance à laquelle l'homme rêvait de se comparer, c'était aussi le manifeste des initiations au féminin. Comme tout symbole, le taureau présentait un côté positif et un côté négatif. Le côté négatif, c'est quand l'homme utilisait son phallus pour violer une femme à la manière d'un taureau qui pénètre la vache, sans ménagement. Pendant des millénaires, les maris ont utilisé la même fougue pour prendre possession de leur jeune femme. Belle partie de plaisir non partagé ! Il a fallu que les femmes attendent des millénaires pour que cette pratique soit considérée comme condamnable. C'est long des millénaires ! On en a gardé le compte. Vous êtes lents comme des escargots dans votre compréhension du féminin !

Quoi ! Elles étaient en train de me faire la leçon ? Elles étaient en train de régler leurs vieux dossiers sur mon dos ? Mais moi, j'étais gentil, elles le savent bien sinon elles ne m'auraient pas choisi ! Elles ont continué à parler sans me laisser la parole. Je n'en avais rien à faire de leur passé millénaire ! Le passé, c'est le passé. Parlons plutôt d'aujourd'hui ! J'étais innocent ! J'oubliais que je ne pouvais pas les interrompre.

Elles ont continué à me parler d'histoire. En Grèce, dans le labyrinthe crétois, disaient-elles, ce qui attendait le jeune homme, c'était exactement cela : être confronté à son propre taureau. C'est pourquoi ils se présentaient deux à deux, un garçon et une fille, dans ce labyrinthe. Ce n'était pas pour être mangés, c'était pour être mis à l'épreuve. Les hommes ont un problème avec les femmes. Si les Dames n'évacuaient pas ce fléau de la tête des hommes, ils continueraient à pratiquer le viol, sans que les lois soient plus fermes à ce sujet. Certains hommes, dans des pays même modernes, pensaient encore que les femmes « n'attendent que ça, d'être violées ». Est-ce qu'ils se prennent inconsciemment pour des porteurs de lumière alors qu'ils n'ont que leur fond noir à offrir ? Il faut que ces idées trompeuses cessent ! Il faut que le viol initiatique cesse ! Plus besoin de mystères aujourd'hui. Il faut faire toute la lumière sur des pratiques caduques. Il en est de même pour les corridas et la mise à mort de pauvres taureaux innocents. Est-ce que les toréadors tuent leur taureau intérieur ou ils ne font que tuer un taureau sans rien changer à leur mentalité ? Que reste-t-il de ces antiques combats initiatiques mis en place en des temps où les hommes avaient besoin de se confronter à leur violence animale ? Ils n'ont plus lieu d'être, ont conclu les Dames.

Mais alors, je me suis indigné, puisque c'était un piège, elles pouvaient me dédouaner, non ?

Oui, c'était un piège initiatique comme les hommes aiment à en faire aux nymphes endormies ! Dans une initiation, c'étaient les Furies qui, d'une voix douce, jouaient aux méchantes sirènes. Elles poussaient les initiés vers la pente dangereuse, vers la limite à ne surtout pas franchir.

Mais moi je n'avais rien fait ! C'est mon jumeau ! Comment je dois le dire ?

Justement, me criaient silencieusement les Furies dans ma tête. C'était mon absence de cœur qui était inacceptable. Je n'aurais pas dû glisser ailleurs complètement en laissant mon ombre aux manettes ! Pour être un humain digne de la race des humains, il faut du cœur ! Quelle que soit la circonstance, en toute circonstance ! « Le cœur », reprirent-elles en chœur, c'était le centre de tout. Pourtant, on m'avait fait répéter la leçon du cœur que j'avais trouvée débile ! Pourquoi les gens pensent-ils toujours au cœur sentimental, mou et hésitant ? Elles parlaient du cœur ferme, ayant du bon sens, le sens du juste et du bien.

Moi qui étais le double humain de mon ombre, l'esprit le plus proche de leur âme, j'aurais dû veiller sur mon jumeau comme un père aimant sur son enfant terrible, avec amour, mais avec fermeté. Une menace d'intimidation est inacceptable pour un homme éveillé au féminin. Ce sont des comportements de délinquants.

Après cette belle leçon, les Furies m'ont reposé doucement sur mon lit.

J'étais tout étourdi et je n'étais pas certain de bien comprendre. Les Dames ont pris un autre exemple pour illustrer leurs propos.

Celui, paraît-il, d'un cardinal australien irréprochable, proche du pape, qui avait eu la mauvaise idée de violer deux enfants de douze ans pour les punir d'avoir bu le vin de la messe. Ça se passait à la fin des années mille neuf cent quatre-vingt-dix. Les Furies avaient envie d'aller rendre visite la nuit à ce cardinal mécréant et pervers, qui profitait de son statut pour briser la vie de deux enfants innocents. Comment pouvait-il justifier son acte pervers par une punition sans commune mesure avec l'erreur des enfants ? Une punition sexuelle ? C'était ça le tribunal divin des chrétiens ?

À sa mort, ce cardinal allait voir ce que signifie la justice du cœur ! Ce n'est pas son dieu qui allait le sauver de la torture mentale des Furies. Il allait brûler, non pas d'un vrai feu, pas du feu d'un bûcher, il allait brûler intérieurement au contact du principe d'amour. Aucun dieu ni aucun humain n'est à la hauteur de cet amour-là, même pas le pape, incapable de mettre de l'ordre dans ses rangs.

J'étais d'accord, qu'elles aillent sur le champ voir ce cardinal pour lui fiche la frousse comme elles avaient fait pour moi. Pourquoi attendre le jour de sa mort ? Personne n'a plus peur de rien à force de ne pas être puni de leur vivant. Pourquoi la justice des Dames n'était pas immanente ? Elle devrait tomber là, tout de suite, d'une manière ou d'une autre ! ça ferait réfléchir un peu les gens aux mauvais penchants. Ce cardinal avait un sale esprit, j'aurais aimé fouiller sa tête moi aussi, avec leur permission. Les Furies étaient scandalisées par l'attentisme du Pape, soi-disant le représentant du dieu d'amour sur terre. Le Pape ne s'est pas prononcé contre ce cardinal, il a attendu la sentence publique. « Ce cardinal, me disaient les Furies, a été condamné à seulement six ans de prison alors qu'un des deux enfants s'est perdu dans la drogue et en est mort. »

Moi aussi, du coup, j'étais scandalisé comme elles. Ève y est allée aussi de ses considérations dans son journal :

« Il était le troisième homme du Pape ! De qui s'entoure le Saint-Père ? Ce cardinal ose trouver sa peine injuste et demande un pourvoi en cassation ! Mais quel culot ! » Nos émotions sont en symbiose Ève et moi.

Les Furies étaient en pleine effervescence au contact de notre réalité terrestre. Elles ne peuvent pas intervenir parce que le monde des hommes doit grandir à son rythme, mais je sentais que ça les démangeait. On ne peut pas forcer les mentalités des hommes, mais les lois humaines peuvent accélérer la conscience des plus récalcitrants.

Je me demande ce qu'elles lui concoctent. Elles ont raison, ce cardinal aurait dû être défroqué sur le champ et déchu de tous ses droits ecclésiastiques. Il devrait aller en prison purger sa peine. Il faut arrêter avec cette justice religieuse qui ne correspond, ni à la justice des humains, ni à celle du principe d'amour divin. À quoi sert de mettre des « sacrés cœurs » partout si l'Église n'a pas de cœur ? Cette institution n'en a jamais eu en ce qui concerne les femmes et les enfants. Elle devrait faire son mea culpa aussi envers les femmes que la Curie a soumises à des hommes violents, sans les éduquer aux valeurs d'amour dont elle s'est fait la championne. La championne de l'hypocrisie !

Les Furies suivaient l'actualité sur la terre à travers Ève, c'est vrai, j'avais oublié qu'elle était leurs yeux et leurs oreilles sur terre. J'ai cru qu'elles ne s'occupaient que du passé et de leur monde. Elles m'ont rappelé qu'en remontant dans l'esprit d'Ève, elles prenaient acte de tout ce qui se passait sur notre terre en ce moment. C'était elle, la mortelle sur terre. Est-ce que j'oubliais les choses au fur et à mesure ? Euh… Je sentais qu'elles allaient revenir sur mon cas.

Je faisais profil bas en attendant ma peine. J'allais être puni, forcément... Si je suivais leur discours, ça ne rigolait pas chez les Furies et je n'avais pas envie de rigoler non plus, dans la position où je me trouvais. Moi aussi j'étais sur le banc des accusés et j'avais à craindre pour moi le tribunal des morts. C'est ancré dans mon esprit : les egos n'ont pas de cœur. Putain, merde ! je ne savais pas que le cœur suffisait à éviter le pire de nos mauvaises idées ! Il suffit de balayer une mauvaise idée avec un peu de cœur, comme on balaie sur notre portable tous ces cookies de merde. Je comprenais maintenant pourquoi Mémoria m'avait averti qu'un jour, Ève aurait à me pardonner et je serais bien content de trouver en elle un esprit aussi peu rancunier que le sien ! C'est vrai. Je commençais à me mettre à sa place au lieu de penser à ma gueule et je me suis dit que le jeu des sirènes était un jeu dangereux. Il fallait arrêter ce jeu et expliquer le problème parce que même si les mythes l'expliquent depuis des millénaires, il faut revoir les mythes avec les mots et les images modernes sinon ça ne veut plus rien dire.

« Dans quel état j'erre ? »

J'ai voulu savoir ce que la psychanalyse disait de notre ombre. Est-ce que quelqu'un s'était déjà penché sur cet esprit ? Bah oui ! C. Jung ! On me l'avait dit quand j'étais encore un ignorant. Si j'ai bien compris, notre ombre a été identifiée en psychanalyse des profondeurs par C. Jung et il a appelé cet esprit : le super ego ou Surmoi en français. Il aurait même écrit que c'était un esprit autonome, mais il n'a pas pu le démontrer. Je n'ai pas lu les derniers ouvrages à ce sujet, il doit y en avoir. Il faut que je cherche. Les psychanalystes ont dû avancer depuis Jung.

D'après mon expérience personnelle, je confirme, notre ombre ou super ego est un esprit autonome. C'était une entité difficile à cerner tant que mon conscient n'était pas relié à mon inconscient. J'apprends sur ma peau que la fameuse « plein conscience » ne peut être réelle que si le conscient est relié à l'inconscient. Une initiation responsable, comme je suis en train de la vivre, permet ce « miracle » sans altérer le mental.

J'apprends aussi que « l'ombre » avait déjà été identifiée par les Égyptiens antiques. Pourquoi notre ombre monte la garde devant la porte de notre inconscient profond ?

Parce que traverser l'inconscient profond peut conduire à la folie. On peut y entrer tout seul, sous l'effet de drogues, mais on peut rarement en ressortir sain et sauf.

Contrairement à tout ce qui se dit, le monde des ombres, mieux connu sous le nom « d'enfer », est un monde calme, posé, silencieux, qui ne supporte pas les esprits agressifs des vivants. Il réagit parfois par des manifestations effrayantes à ceux qui veulent forcer le passage dans l'autre monde.

Dès qu'on s'endort, notre Moi est mis hors service comme un robot qui serait débranché. Mais il n'est pas totalement débranché parce que c'est le moment où notre ombre se réveille. Notre ombre vit la nuit. Elle voyage dans l'inconscient profond et fait un travail de remue-méninges pendant que notre Moi se repose. C'est l'ombre qui repasse en revue ce qui s'est passé dans la journée et qui rumine sans arrêt pour décider du classement de ces informations : elle trie, refoule dans l'inconscient ce qui crée problème ou ce qui doit être « archivé ». Elle maintient à portée de conscience ce qu'il faut garder en mémoire. L'ombre est une archiviste hors pair qui sait très bien quand ressortir les vieux dossiers. C'est un aide-mémoire précieux, mais pas toujours, parce qu'il censure pas mal de choses.

C'est complexe, l'esprit d'une ombre, plus j'essaie de l'intégrer à ma conscience et plus je suis admiratif de ses pouvoirs. Je suis dans une phase d'humanisation de mon ombre parce qu'il faut dire qu'à l'état brut, une ombre ne fait pas souvent dans la dentelle. Elle soupçonne tout le monde du pire.

Mon ombre et moi, on s'apprivoise mutuellement et ça me plaît. Avoir un ami en soi, un vrai qui ne nous fait pas de coups bas, c'est plutôt génial. J'espère y arriver. D'ailleurs, Ève, qui fait de la balade méditative dans Lyon, a vu des inscriptions au sol qui l'ont bien amusée. Il y en a une qui dit « soupçonne-moi du meilleur ». Le conseil est de bon augure ; ça fait chaud au cœur, mais ce n'est pas facile à mettre en pratique.

L'enfer, un imaginaire dépassé à revisiter

L'imaginaire d'Ève m'étonne encore. Son imaginaire est relié à ce que les thérapeutes en psychologie analytique appellent les « grands rêves ». Un grand rêve appartient souvent à une banque d'images de l'inconscient universel.

Quant à l'ombre d'Ève, c'était un mystère. Où était son ombre ?

Les Furies sont revenues sur l'incident causé par mon ombre. Je cherchais à me faire oublier, mais peine perdue avec elles. Elles m'ont laissé parler, elles ne sont pas pressées.

D'après les Furies, mon ombre et moi, nous étions tous deux coupables d'avoir intimidé Ève ! Comment avait-on osé ? C'était digne d'un Hercule à la pensée épaisse, c'était digne des héros mal dégrossis de l'antiquité, mais moi ! Homme du vingt et unième siècle, pas trop stupide de surcroît, tomber dans le piège et dire ensuite « je n'ai fait qu'obéir » ! C'était une insulte à tout le travail qu'elles avaient fait sur moi et sur ma mission ! Elles avaient espéré trouver en moi un esprit « sans peur et sans reproche », un esprit de guerrier, de chevalier. Elles avaient espéré que, d'un seul geste, j'aurais éloigné la pensée vagabonde qu'elles soufflaient à mon ombre. Si j'avais eu du cœur au lieu d'obéir bêtement, j'aurais éloigné la pensée néfaste d'un revers de main. Au lieu de cela, je l'avais laissée faire ! Menacer physiquement est un crime, c'est punissable.

Elles qui pensaient faire de moi un modèle pour les générations à venir ! Est-ce que je me doutais que tous mes actes étaient consignés dans le journal d'Ève et donc dans notre légende ? m'ont-elles demandé.

Pas vraiment non. Son journal n'était pas fait pour être lu par le grand public, tout comme mes notes. D'abord, qui comprendrait tout ça ? Moi qui étais dedans, je ne savais même pas si je comprenais quelque chose. J'avais besoin de digérer ce qui m'arrivait. J'écrivais pour mes enfants ; eux, peut-être qu'ils me comprendraient et encore ! Je n'en étais pas certain.

Les Furies me gardaient sous pression. Notre légende raconterait comment le héros en marche, leur Lucifer au service du féminin, n'avait pas encore compris que l'épreuve suprême dans une initiation à deux est de ne pas succomber aux voix qui poussent à faire le mal. Est-ce que c'était clair maintenant ? Le cœur doit être au centre des pensées et des actions !

Je me sentais un peu minable. Alors comme ça les Dames n'arrêtaient pas de me tendre des pièges et moi je sautais dedans à pieds joints ! Quel imbécile ! Je n'avais pas compris toute la subtilité de l'affaire. Je comprends pourquoi elles ne me faisaient pas tout lire dans le journal d'Ève. C'est comme faire connaître le contenu d'un examen avant l'épreuve. Ça n'a plus de valeur.

Il était temps, ont répondu les muses, que l'idée même du viol quitte l'esprit de tous les hommes. Il est resté ancré dans l'inconscient depuis des millénaires, à cause de tous ces vieux mythes qui sont incompris. Trop de jeunes se sont perdus à cause d'une pulsion qu'ils croyaient légitimement inspirée. Ça suffit.

Elles ont ajouté que rares étaient les hommes à travers les temps qui avaient réussi cette épreuve. Bloquer les mauvaises pensées, ça s'apprend avec le cœur, ça fait partie de la maîtrise de tout esprit qui se dit civilisé.

Au fur et à mesure que les Furies m'expliquaient les choses et les ratages des héros antiques, je me sentais misérable, abattu. Et maintenant ?

Maintenant, ont répondu les Furies, Ève avait compris que l'intimidation entre elle et moi était un examen de passage, c'est elle qui déciderait ce qu'il faudra faire de moi. Si j'étais capable d'arrêter d'aimer mon ex-compagne, je serais peut-être capable de voir en elle la femme qui m'était destinée depuis la Nuit des Temps…

C'est quoi cette « Nuit des Temps » ?

« La Nuit des Temps » représentait pour les Furies le moment du basculement psychique de l'être humain, quand une partie de sa nature animale avait été refoulée par sa conscience, pour faire émerger l'humain. C'est la naissance de l'inconscient, cette partie de nous qui est consacrée à l'oubli, cette partie qui appartient à l'ombre, notre énergie noire. C'est elle qui se promène dans notre inconscient et qui parfois fait remonter ce comportement animal contre lequel nous devons lutter nuit et jour ; ce que certains appellent notre esprit « reptilien ». C'est de cette bataille intérieure que parlaient les pharaons quand ils étaient initiés. Ont-ils été meilleurs souverains pour autant ?

Je ne sais plus quoi dire. Ça me paraît limpide et en même temps compliqué.

Les Dames se demandaient si je serais capable d'aimer Ève malgré notre différence d'âge. L'homme est moins généreux que la femme. Mon cœur n'avait-il pas ouvert mon esprit d'ombre et d'ego sur la beauté intérieure d'Ève ? Elle qui s'était montrée digne tout au long de l'épreuve, en m'accusant à peine de mensonges, elle qui gardait tout en son cœur parce qu'elle me protégeait comme une gemme précieuse qui a besoin d'être polie ! Une seule fois, elle avait posé une question à mon sujet à un ami commun, tout au début. La réaction a été si inattendue qu'elle n'avait plus jamais rien dit à personne.

Le rapprochement progressif

C'est vrai, Ève avait été incroyable. Quant à moi, les Furies voyaient bien que je n'étais pas le pire des hommes et que j'étais sensible à mon cœur. Ève était devenue importante à mes yeux, je l'aimais beaucoup.

C'est ce qui désolait les Furies : pour elles, aimer beaucoup, ce n'était pas aimer.

C'est quoi encore cette nuance ? Quand on aime beaucoup, c'est bien plus qu'aimer, non ?

Elles m'ont dit d'arrêter de faire le comique. Pour elles, « aimer » tout court aurait suffi, question de sémantique. Ça voulait dire que je n'étais pas encore tout à fait conscient de l'éternité qui nous unissait. Elles espéraient qu'en traversant le monde des ombres ensemble, un souvenir me reviendrait à l'esprit. À présent que le jeu était presque fini puisque Ève avait vu et entendu tous les esprits qu'elle devait voir et entendre, il ne nous restait plus que cette dernière épreuve : traverser le monde des ombres ensemble et en ressortir sans problème.

Sans problème ? Pourquoi ? Il pouvait y avoir des risques ?

Les Furies sont parties en me laissant dans un état second ! Les Dames et Ève ne faisaient plus qu'un dans mon esprit et je ne savais plus si je devais avoir peur d'Ève ou si je devais l'aimer. Tout se mélangeait en moi. On dit que l'amour bannit la crainte, ma situation était si inattendue et inimaginable qu'une partie de moi l'aimait déjà, mon cœur, pendant que moi, je commençais à la craindre. Quand je pense que c'est elle qui avait peur de moi au début ! Je devrais dire quoi maintenant ?

Il y en avait un qui était tout content dans l'histoire, c'était mon double. Il voyait en Ève quelqu'un à sa hauteur, quelqu'un qui portait en elle ses Furies sans faire de tapage, sans se mettre en avant, sans s'énerver pour un rien. Avec Ève, mon jumeau noir sentait qu'il allait vivre l'aventure de sa vie. Il ne se trompait pas parce que c'est lui qui allait devenir mon principal atout dans la prochaine épreuve. Mon jumeau ne voyait pas l'heure de se dédouaner de ses conneries précédentes. C'est déjà ça ! Une ombre remplie de remords, c'est bien. Moi, j'étais un peu plus sur la défensive. Cette fois, il était hors de question que je le laisse faire. On devait travailler en équipe et je n'allais pas le lâcher d'un neurone. Je devrais dire « d'une semelle », mais comme c'est une ombre, on ne peut pas le suivre à la trace. Il n'y a que mon cerveau qui peut le suivre.

Je n'arrivais pas à comprendre quel genre de femme Ève était en train de devenir. Est-ce que la présence des Furies dans sa tête n'allait pas faire d'elle une femme tyrannique ? Si je la contrariais un jour, en admettant qu'on soit ensemble, elle n'allait pas me suspendre en l'air comme venaient de le faire ses Furies ? C'était inquiétant quand même. J'avais l'impression qu'elle était de nouveau une inconnue pour moi comme lorsque je l'avais vue pour la première fois à Paris, il y a si longtemps déjà ! Si j'avais pu imaginer ce qui nous attendait !

Néanmoins, plus je pensais à Ève et plus je ressentais une vague d'amour me submerger. C'était un sentiment qui venait du plus profond de moi-même, un sentiment nouveau, semblable à ces baisers du ciel pendant mes nirvanas en solitaire. Cette vague d'amour me coupait le souffle et déposait sur mon cœur de doux baisers qui remontaient de mon inconscient. C'était renversant.

Ève et son journal

Ève était en avance sur moi pour la connaissance des mythes. Je suivais à la lettre ce qu'elle écrivait parce que sa façon de comprendre les mythes antiques m'éclairait du dedans. Ça ressemblait à ce qu'on vivait tous les deux.

Normalement, quand on traverse le monde des ombres, on ne doit pas avoir d'agressivité, on doit être sans armes et sans pensée négative. C'est pourquoi Ève se demandait comment Ulysse avait fait pour aller en enfer avec ses mains encore pleines du sang des Troyens, son épée et en plus, avec l'idée d'utiliser le sang pour attirer les ombres ? On s'attire des ennuis plutôt. Est-ce que ça voudrait dire qu'Homère ne connaissait pas bien les règles du monde des ombres et il a tout inventé ? C'est une vraie responsabilité l'écriture inspirée parce que celui ou celle qui écrit peut influencer les inconscients pendant des siècles. Je ne peux pas me vanter d'avoir lu beaucoup de livres sur les « initiations » en littérature, mais je n'ai pas le souvenir d'avoir vu le témoignage d'une femme à ce sujet. On dirait qu'Ève n'a pas le même point de vue que les écrivains sur les enfers dont ils parlent. Elle dit que c'est la magie noire qui véhicule des rites de sang, pas la magie blanche. Aussi, elle se demande si chez Homère, il n'y a pas un mélange de deux pratiques différentes, parfois le bouche-à-oreille joue des tours. Je suis curieux de voir ce que le journal d'Ève sera à la fin.

Je n'ai pas accès à tout ce qu'elle écrit. J'espère qu'elle me le laissera lire à la fin, rien qu'à moi. Je suis sûr qu'il fourmille de détails que je ne donne pas. Une femme qui parle de son initiation sans qu'un homme interfère dans sa légende, ça pourrait être très intéressant pour celles et ceux qui seront concernés à l'avenir.

Je crois que la différence entre un livre inspiré par Mémoria et un livre normal vient de la magie autour des mots. Mémoria met de la magie dans les mots écrits par Ève et parfois les mots se retournent contre Ève ou contre moi. On peut penser que c'est injuste. Oui, Ève l'a pensé et moi aussi. En réalité, c'est la pédagogie pratique des Dames. Pas de discours inutile : Pour faire en sorte que chaque mot ait un sens, une densité charnelle, pour qu'il marque l'esprit de l'ego et qu'il apprenne à peser ses mots, Mémoria prend Ève au pied de la lettre. Ça ramène illico Ève à sa responsabilité : elle ne peut pas inventer n'importe quoi. Elle doit rester fidèle à la voie qui a été choisie pour nous : « la voie de l'amour ». Elle ne peut pas faire toutes les variations qu'elle veut, Ève doit rester ancrée à son thème et à la trame que Mémoria a choisie pour elle. Ensuite, pour bien montrer à Ève qu'elle n'a pas les pleins pouvoirs dans l'écriture, de temps à autre, Mémoria pioche des mots au hasard, dans son journal, et leur donne vie. Ce n'est pas toujours une bonne surprise pour nous deux. Je dois dire que quelques maux inattendus sont sortis du néant. Ce n'est pas une raison pour maudire Mémoria. Ève l'a très bien compris et a tout de suite revu ses mots pour qu'ils ne se transforment pas en « maux ».

Depuis qu'elle a compris l'importance de chaque mot, chaque fois qu'Ève fait, défait et refait son récit, elle cherche le meilleur angle pour ne pas nous blesser par des mots mal choisis. Malgré ça, nous sommes amenés, elle et moi, à revivre certains passages du récit qu'elle réécrit. C'est comme marcher sur des œufs ; je suis à la merci de son écriture. Avec le temps, Ève a appris à contourner les obstacles, elle n'écrit plus la nuit parce qu'avec la fatigue, elle entrait dans un état second et ne maîtrisait plus ses mots. Comment savoir alors si ce qui arrivait dans la vie était dû à son don de voyance ou si c'étaient ses écritures qui avaient provoqué ce qui arrivait ? Impossible de le savoir, mais quand le négatif se produisait, Ève avait tendance à penser que c'était de sa faute. Elle a mis du temps à comprendre que ses mots avaient un pouvoir agissant dans sa vie. Maintenant, elle fait très attention, mais je reste sur le qui-vive tant qu'elle n'aura pas terminé ses écritures et tant que je ne serai pas libéré de leur poids sur ma vie.

L'ombre et le tunnel, les défunts et les tentations

Les esprits, ça fout les jetons à tout le monde ou presque. C'est normal, ils sont invisibles et on n'a pas l'habitude de gérer l'invisible.

C'est à cause de notre ombre que nous voyons du noir quand on ferme les yeux. Mais, comme tant de personnes sur le point de mourir en ont fait l'expérience, une fois que l'ombre retourne vers son monde des ombres c'est la lumière bienfaisante qui arrive et qui nous prend en charge si on se laisse guider. Il y a des ego qui préfèrent ne pas suivre la lumière, c'est leur choix. Ils ont peut-être encore des choses à régler sur terre ou bien ils sont attachés à des personnes encore en vie sur terre.

Il me semble qu'une fois le corps décédé, chacun de nos trois esprits reprend sa place : l'ombre dans son monde sombre sur terre, l'âme du féminin qui nous habite rejoint son monde de lumière. Quant à l'ego, je n'en sais pas assez pour me lancer dans des certitudes. Je n'ai été missionné que pour voir notre ombre et notre lumière, pas pour faire des conjectures sur notre ego après la mort du corps. C'est frustrant, c'est vrai, mais il y a tellement d'idées fantaisistes à ce sujet que je n'ai pas envie d'en rajouter une couche. Je me sens particulièrement concerné puisque je suis un ego. J'aurais aimé savoir ce que je vais devenir moi aussi. Rien n'est certain dans le monde des esprits. Nos esprits ont l'air beaucoup plus libres que nous et nous autres humains, nous avons la fâcheuse tendance à projeter nos pensées limitantes à tout l'univers. On adore tellement classer qu'on voudrait mettre au carré même les esprits. Or, le propre d'un esprit, c'est d'être libre, non ? Autant laisser la liberté à l'ego de faire ce qu'il veut, d'explorer ce qu'il veut.

À mon humble avis, il n'y a que les mathématiciens et astrophysiciens qui ont l'avantage de ne pas s'encombrer de cultures mystiques et qui s'approchent de réalités extraordinaires à travers les lois de la physique et de l'univers. La science est souvent venue nous libérer des pensées religieuses aliénantes. C'est pourquoi les religions préfèrent les gens incultes. Les sciences liées à l'univers m'ont toujours fait rêver d'un ailleurs merveilleux. Ce qui manque à ces sciences c'est de faire rêver les personnes au quotidien sur la terre.

Chaque civilisation avance au rythme de ses compréhensions et de son imagination.

Savoir que la mort n'était pas une fin en soi, me rendait joyeux, serein, optimiste. Tout ne finissait pas avec la mort, on avait encore plein de choses à vivre après. C'est génial.

Les Dames ne me donnaient même pas le temps de m'asseoir sur mes lauriers, il fallait enchaîner à toute vitesse, comme si le temps leur était compté. Pardon ? Le temps leur était vraiment compté ? Pourquoi ? Silence… C'est à cause de la pression qu'elles exercent sur nos esprits. Si on les fréquente trop, on n'a plus envie de rester sur terre et on commence à devenir bizarres. Pour le moment, je devais revoir Ève au plus vite pour lui donner rendez-vous chez moi un soir à minuit. Je ne sais pas si elle allait accepter. Les muses m'ont demandé de ne pas l'inviter de façon habituelle, mais de l'inviter par télépathie. Puisque nous étions connectés, je pouvais mettre en application ce que je vivais avec elle, à savoir leur enseignement silencieux par télépathie. C'était un autre sacré défi pour moi. Est-ce que j'en serais capable ? Si Ève émettait et que je la captais, vice-versa, je pouvais émettre et elle pouvait me capter. Ça me paraissait logique. Il restait à en avoir la preuve. Je me suis donné un peu de temps.

J'ai préféré la revoir pour mieux consolider nos liens, pour me rassurer surtout. Est-ce qu'elle m'en voulait ?

Quand j'ai revu Ève et que je lui ai raconté ce que les Furies m'avaient fait, elle a ri de la situation. Je me demandais si elle avait conscience que tout partait d'elle. Ève avait admis depuis un moment déjà que je n'étais ni un dieu, ni un super héros, ni quoi que ce soit qu'elle avait idéalisé. J'étais juste un homme avec ses qualités et ses défauts. J'étais imparfait, comme un ego, elle aussi avait compris qu'elle était imparfaite et c'était bien qu'elle soit revenue sur terre. On pouvait enfin parler sans projections et sans illusions.

Le jeu était terminé, mais il restait la dernière étape : l'emmener dans le monde des ombres. Je me demandais comment. Inutile. J'ai reçu des consignes très précises.

J'ai cru comprendre que les Furies ne voulaient pas plonger Ève tout de suite dans leur monde de peur de l'effrayer. Elles y allaient progressivement.

Les Furies lui ont envoyé des visions de défunts pour qu'elle se rende compte que tous les défunts n'étaient pas des ombres. La dégradation du corps libérait bien trois esprits en nous : l'ombre, l'ego et l'âme. Les visions de ces « ego » défunts concernaient uniquement des hommes. Une multitude d'hommes défunts, habillés comme dans les années cinquante ou soixante, attendaient l'ouverture d'un passage. C'étaient tous des hommes d'un certain âge, mis à part un jeune homme de dix-huit ans ou vingt ans peut-être. Ils regardaient tous Ève. Elle les observait en étant placée plus haut qu'eux, comme si elle volait. Ève était gênée par leur regard insistant. Eux avaient le regard grave comme s'ils allaient à la messe, sauf l'adolescent qui sautait un peu partout et plantait son regard moqueur devant le visage d'Ève. L'impertinence des adolescents !

Je partageais toutes les visions d'Ève, c'était pratique.

Les défunts qu'Ève voyait n'étaient ni défigurés par la corruption du corps, ni angoissés, ni effrayés. Je ne sais pas pourquoi les films d'épouvante continuent de montrer des corps putréfiés qui sortent de leur tombe. Il est vrai que les « ego » conservent l'enveloppe transparente de leur corps, blanchâtre ou en couleurs. Ça dépend de leur état d'esprit, je ne tiens pas à détailler. Trop étrange pour notre raison humaine.

Je réfléchissais au temps qui passait et à nous deux, Ève et moi.

D'un coup, j'ai eu une idée de génie : si je proposais à Ève de tout laisser tomber ? Maintenant, elle savait qui elle était, elle entendait

Mémoria lui parler, elle sentait en elle ses furies. On pouvait dire « stop » et essayer de mieux nous connaître tous les deux, dans la vie quotidienne ? On avait compris l'essentiel, pourquoi creuser plus profond en nous ? Pourquoi traverser le monde des ombres ?

J'ai eu envie qu'Ève renonce à aller plus loin. J'ai vraiment eu envie de la revoir sans tout ce cirque autour de nous, mais je ne pouvais pas non plus l'influencer. Je sais, si je lui avais dit, on part ensemble quelque part ou bien on s'installe ensemble, elle aurait tout arrêté sur le coup, mais est-ce que j'en avais le droit ? Et si je faisais un faux pas ? Si ce n'était pas une bonne idée ? Si tout disparaissait entre Ève et moi, faute de ne pas être allés jusqu'au bout ?

Je lui ai téléphoné un soir et je me suis lancé. On va dire que j'ai coupé la poire en deux. Je lui ai proposé une chose, mais pas la deuxième. Je lui ai proposé de quitter la caverne d'Ali Baba, façon de parler, mais je ne lui ai pas proposé de partir ensemble. Je n'en suis pas certain, mais je n'ai pas voulu risquer de la faire dévier de son destin. Après tout, son histoire avec son féminin, c'était son histoire.

Ève aussi aurait aimé que tout s'arrête. Elle était anéantie par les temps. Elle venait de comprendre qu'aller au bout de son chemin lui prendrait des années. Elle n'a pas osé me demander si je l'attendrais au bout du chemin. Elle venait de trouver une amie en elle, Mémoria, comment la laisser tomber sans savoir qui était cette voix qui lui parlait dans son cœur ? Elle était tiraillée, je le sentais bien. C'est pourquoi elle me voyait à présent comme son amoureux de papier, un amoureux qu'elle s'inventait pour mieux décrire comment fonctionne un mythe et elle essayait de faire la part des choses sans investir son avenir sur moi. J'étais comme un modèle pour un peintre. Elle s'inspirait de moi, de ma façon d'être pour mieux camper son personnage. Elle se disait qu'elle ne devait pas confondre son personnage et moi.

Cependant, les recoupements entre ses écritures et nos vies étaient nombreux et par moment, elle se prenait à espérer que peut-être j'étais l'amoureux de sa vie. Ève pensait que je n'allais pas l'attendre, je la trouverais trop âgée. Elle préférait suivre le discours de son amie intérieure, quel que soit le temps que ça lui prendrait, plutôt que suivre un jeune homme comme moi, plein d'avenir, qui pouvait la laisser tomber pour n'importe quelle autre femme plus jeune, pour son ex-femme par exemple. Ève avait déjà eu une mauvaise expérience de ce genre dans sa jeunesse. Elle pensait que ce serait la même chose pour moi. Ève pensait que la majorité des hommes n'ont pas la patience ni la maturité pour apprécier la différence entre une femme et une autre. Faire la différence, cela signifie n'aimer qu'une seule femme, la reconnaître comme unique pour soi parmi des millions d'autres. C'est ça le vertige de l'amour pour elle, c'est l'unicité. Elle a mis la barre un peu haut, mais je pourrais devenir comme elle. Mon ombre n'est pas prête, mais ce n'est pas impossible qu'elle suive mes sentiments naissants.

Un soir, alors que j'étais chez elle et qu'on discutait de nos vies passées, elle m'avait raconté cet amour déçu. J'ai pensé aussitôt que Mémoria avait des plans depuis longtemps pour elle, mais cet officier qu'elle avait aimé ne faisait pas partie de son destin. Son destin, c'était moi. Je ne pouvais pas le lui dire, elle ne devait pas faire de moi le centre de son univers. Pour lui montrer que j'étais un homme différent, plein de patience, bien que jeune, je lui ai dit que j'étais de la trempe des guerriers, je savais attendre. Je ne sais pas si elle a gardé en elle ces mots que je n'ai pas prononcés à la légère. Avec Mémoria, les mots engagent et moi, je venais de m'engager auprès d'Ève, corps et âme.

C'est vrai, je changeais jour après jour, Ève devenait plus qu'une partenaire, elle était devenue jour après jour ma moitié et ce n'étaient pas que des mots. On apprenait tellement de choses l'un au contact de l'autre, mais on vivait séparés, chacun chez soi, assez loin pour ne pas se croiser dans la rue.

Il y avait beaucoup de solitude dans nos vies. Je voulais lui remonter le moral, lui faire comprendre que je partageais ses sentiments.

J'ai repensé à la boule de cristal. Je lui avais demandé d'en acheter une il y a quelque temps déjà. C'était écrit. Ève l'avait achetée à Genève, dans une cristallerie de renom qui estampille ses précieux objets. Cette boule avait coûté très cher. Elle l'avait fait ranger dans sa boîte par la vendeuse, avec un protocole très précis, il ne fallait pas qu'Ève la touche de ses mains. Elle l'avait ensuite emportée chez elle avec mille précautions. Il était temps de faire sortir la boule de cristal de son écrin. C'était le moment ou jamais de vérifier la magie de Mémoria. Grâce à cet objet incroyable, Ève allait prendre acte qu'elle avait basculé dans une autre dimension, que tous ses sens étaient ouverts et pas par le toucher d'un dieu égyptien. Je voulais voir son regard émerveillé lorsqu'elle découvrirait ses nouveaux sens. On s'est quittés sur ce prochain objectif. Je lui avais donné rendez-vous chez moi la semaine suivante, elle devait apporter le cristal.

Je me souviendrai toujours de cette soirée chez moi. Ève s'est installée, je lui ai demandé de prendre le cristal dans ses mains. La boule était magnifique, parfaite, d'un éclat extraordinaire. Aussitôt qu'elle l'a eu entre ses mains, elle a poussé un cri. Ce qu'elle venait de découvrir dépassait tout ce qu'elle imaginait. Mémoria était trop cool, elle avait ouvert son toucher à une perception surnaturelle : Ève pouvait sentir sous ses doigts le grain du cristal. Alors que c'était un cristal pur, du plus pur, elle a senti les grains de sable qui composaient le cristal. Ce qui est normalement impossible. Le sable est vitrifié et ne peut en aucun cas se sentir au toucher. D'ailleurs, Ève ne savait même pas que le cristal était composé de sable vitrifié.

C'était trop marrant de voir Ève découvrir son potentiel. Comment vivre des moments aussi exceptionnels sans Ève ? C'était unique ! Ce jour-là, Ève est devenue ma raison de vivre. C'était comme si on était les derniers spécimens d'une espèce perdue, les derniers humains qui pouvaient mettre des mots sur les images ternies d'une BD antique restée sans son texte.

L'entrée d'Ève dans le monde des ombres : présenter patte blanche

« L'entrée » dans ce monde n'a rien à voir avec celle que Dante décrit pour lui. D'ailleurs, il faut oublier l'imaginaire de Dante puisque pour lui, Lucifer est un grand diable. Sept cents ans après son œuvre appelée « inferno », beaucoup croient encore que Lucifer est mauvais. Voilà comment un seul ouvrage peut contaminer par sa pensée des millions de personnes sur des siècles.

Je reviens à Ève et à l'épreuve de l'entrée.

La préparation pour moi a commencé quelques mois avant, quand les muses m'ont demandé de me laisser pousser les cheveux sans me dire pourquoi. J'obéis. Quel lien ça pouvait avoir avec le monde des ombres ? Mémoria m'a tout expliqué et j'ai subi moi aussi le test en question. C'était « le » moment de mise en lumière de mon ombre. J'allais le voir en majesté. Je me demandais comment et pourquoi. Quelques jours avant la nuit spéciale prévue par les muses, j'ai dû me préparer physiquement et mentalement. Cette nuit-là, elles m'ont pris à part et ont fait de mon ombre un Osiris. Elles l'ont métamorphosé en dieu de l'enfer égyptien ! C'était mon ombre qui était à l'honneur et je dois dire qu'il m'a fait honneur.

Quoiqu'il en soit, je m'étais exercé à la télépathie avec Ève, ce qui, dans un premier temps, l'avait inquiétée. Elle craignait que je la manipule. Elle a pourtant suivi son instinct qui lui disait de m'écouter. C'est la première fois qu'elle m'entendait par télépathie, elle a tout de suite reconnu ma voix sans que j'aie besoin de me présenter. Ce qui me conduit à croire que nous possédons une empreinte vocale dématérialisée, propre à chacun et chacune. Je n'en finis pas de découvrir le monde parallèle de l'inconscient. C'est vraiment une porte ouverte sur un autre univers.

Le fait est que c'est par la magie de la télépathie, qu'Ève est arrivée un samedi soir, chez moi, à minuit, pas trop rassurée.

Je savais grâce à Mémoria pourquoi Osiris devait apparaître à Ève. Pour une fois, j'étais le spectateur en pleine conscience de ce que faisait mon ombre. Il m'a bluffé. Il n'était pas dans un rôle, c'était Osiris en personne, comme s'il avait fait ça toute sa vie. Tout était parfait : l'atmosphère de mystère avec les bougies, les couleurs vert et bleu, ses boucles de cheveux sur ses épaules, le regard fixe. Comment il faisait pour ne pas ciller des yeux ?

Quand Ève a frappé à la porte, évidemment, mon jumeau n'a pas répondu. Il avait laissé la porte ouverte et au bout d'un moment, Ève a ouvert la porte. Elle pensait que je travaillais et que je n'avais pas entendu frapper. Quand elle a vu ce qu'elle a vu, elle n'osait même plus avancer. Elle est restée près de la porte, hébétée par la scène. Elle a tout de suite capté qu'elle ne devait pas parler. Elle se demandait pourquoi on lui faisait assister à cette survivance du mythe égyptien. Elle avait le sentiment d'être transposée dans un autre monde. C'était le cas, et elle restait là, figée, à contempler de tous ses yeux ce que cela pouvait signifier pour elle. Elle regardait mon jumeau qui la regardait à son tour. Elle n'arrivait pas à interpréter son regard. Son regard n'exprimait rien et c'est ce qui déconcertait Ève. Le regard de mon ombre était fixe et cette fixité dénuée de tout sentiment était un miroir parfait. Un miroir de quoi ? Un miroir des pensées d'Ève qui faisait face. Ève aurait pu projeter sur lui tous les films intérieurs qu'elle se faisait sur les hommes, toutes ses peurs, toutes ses déviances, toute sa folie cachée. Elle aurait pu lui hurler dessus, le frapper, le secouer ou bien rire, se moquer, désacraliser l'instant.

Ève n'a rien fait de tout ça. Elle admirait ce tableau vivant qui la transportait dans le mystère des initiations antiques. Elle trouvait son Osiris merveilleusement beau, si beau et distant qu'elle l'aurait presque adoré à genoux. Elle a bien senti qu'il n'était pas là pour se faire adorer. Ce n'était pas un gourou mystificateur. Elle a compris qu'il n'allait pas parler. Quand elle a bien tout enregistré, elle s'est retirée sur la pointe des pieds, sans faire de bruits, la tête pleine de questions.

C'était son test, son moment de vérité qui allait dévoiler si Ève était capable de contenir l'étrange, de s'en éloigner dans le respect avant de le questionner tranquillement, à tête reposée.

Il faut craindre les mauvaises pensées qui sont en nous d'abord. Il faut craindre les gens qui récupèrent des fragments de la culture au féminin pour en faire commerce. Je n'en ai jamais été aussi conscient.

Ève était parfaite dans cet étrange milieu qu'elle découvrait. Si c'était à refaire, je lui dirais de ne rien changer. Elle avait atterri à l'étage des antiquités égyptiennes et au lieu de toucher à tout et de s'extasier bruyamment sans manière, elle a observé en silence. Elle ne savait pas qu'elle était à la veille de traverser le monde des ombres, qu'elle se trouvait dans l'entrée, qu'il s'agissait d'une épreuve pour tester son équilibre mental, ses projections néfastes. Elle aurait pu être inapte, c'est le genre d'attitude que les Dames ne maîtrisent pas. Ève a compris d'emblée qu'elle ne devait pas parler, mais ressentir. Ce qui est la bonne attitude dans ce monde du silence. Dans le secret du mystère, Ève a su se tenir, on voit qu'elle a été bien élevée. Elle n'a touché à rien, n'a pas parlé. Elle a tout de suite capté la métamorphose particulière de ma personne et s'est tenue à distance. Elle aurait pu éclater de rire ou s'exclamer : « Tu joues à quoi ? » C'est probablement ce qui serait arrivé si j'étais devenu son ami intime. Elle est partie sur la pointe des pieds et elle est allée écrire. C'est ce que Mémoria attendait de sa part.

Si elle avait eu un autre comportement, tout se serait arrêté là, les muses ne l'auraient pas autorisée à traverser leur monde. Cette épreuve avait été organisée pour elle, pour tester son sens du respect et du sacré. Pareillement, si elle en avait parlé « à des copines » comme les femmes savent le faire, la loi du silence aurait été rompue ainsi que le lien avec les Dames. Les mots n'ont pas leur place dans ce monde fragile et évanescent.

« Osiris » ne représentait que la frontière au-delà de laquelle Ève allait s'aventurer puisqu'elle avait réussi son épreuve.

Les Dames avaient validé notre « passeport » pour l'au-delà, qu'est-ce qui allait se passer maintenant ?

Le gardien du monde des ombres, c'est notre propre ombre. C'est elle qui interdit l'entrée non autorisée dans l'au-delà et elle le fait parfois violemment. Quand dans un rêve, un ego veut forcer le passage, en prenant l'apparence d'un enfant innocent, la réaction est immédiate, l'ombre claque la porte au nez. C'est pour le bien des personnes. L'inconscient profond est dangereux, je le répète, il conduit à la folie. Les personnes qui rêvent de franchir l'interdit croient avoir rêvé, croient à un cauchemar, mais il s'est passé plus que cela.

Cette traversée du monde des ombres avait un objectif précis. L'autorisation n'avait pas pour seul but de nous présenter notre avenir, bien que cela fasse partie de cette traversée, ni de nous glorifier de notre passé quand il est avantageux, mais de nous mettre face à une autre réalité, une ultime épreuve qui peut faire dégringoler notre vie ou nous faire renaître plus grands. Tous les chemins qui conduisent à l'éveil de soi sont possibles, mais il ne faut pas mêler les enfants à une initiation. Il ne faut mêler personne, même les proches, parce qu'une initiation c'est entre soi et soi. Un proche ne peut pas aider s'il n'a aucune idée du monde parallèle qui nous habite. Il ne peut que faire des projections à la mesure de son ignorance et donner de mauvais conseils. Il faut surtout que les intéressés s'en remettent à leur instinct et pas à celui d'autrui.

Le lieu interdit du monde des ombres appelé autrefois le Tartare

Le Tartare, s'il fallait traduire cet espace en mots plus concrets, c'est peut-être ce que les psychanalystes appellent aujourd'hui, le « ça ». C'est une partie de l'inconscient profond qui est problématique parce qu'il concerne le « principe de plaisir ». C'est le lieu des pulsions humaines parfois archaïques, pas toujours bienvenues dans le monde réel, pulsions que le Surmoi doit bloquer. Un lieu à l'énergie primordiale, dirait Mémoria.

L'épreuve ultime est enfin arrivée, inattendue. On devait traverser le monde des ténèbres, mais pour aller où ? Qu'est-ce que Mémoria voulait lui faire savoir ?

Après l'épisode d'Osiris, Ève cherchait des réponses dans sa culture. Elle croyait que son imaginaire lui jouait des tours et que si Mémoria lui avait envoyé des Égyptiens, c'est parce qu'elle avait regardé trop de documentaires sur eux. Ève n'avait pas compris que ce n'était qu'une couche qu'elle devait traverser.

Ève pensait que la culture égyptienne faisait partie des colonnes « psychiques », de notre « être occidental ». Ces fondements nous avaient été transmis à travers la religion judéo-chrétienne. Mais, à travers le passage d'une civilisation à une autre, la banque d'images antiques perd de son sens et par conséquent, nous perdons un peu de notre identité profonde, de notre passé millénaire et de tout ce qui peut redonner de la vie au mystère de notre existence sur terre. Dans ce mystère se trouve l'idée que l'on se fait du « Mal ». Le mal est souvent associé à quelque chose d'obscur qui surgit de nulle part. Ève avait posé la question fatidique à Mémoria : « D'où venait le "Mal" ? Est-ce qu'elle aurait mieux fait de ne pas poser la question ? » Mémoria lui a répondu à sa manière. Elle nous a mis en situation et elle a attendu nos conclusions.

Je précise pour vous mes enfants que ce qui suit va vous paraître très bizarre. Je rappelle que je ne pratique pas de magie noire ni Ève non plus. Ce n'est pas ordinaire de partager ses rêves de façon si complète avec quelqu'un et de pouvoir interagir dans un rêve. Là, j'avoue, je n'ai pas d'explication sur ce pouvoir virtuel qui nous est venu tout droit de Mémoria. Alors, n'ayez aucune crainte, le genre de cauchemar partagé que je vais décrire, n'arrive pas à n'importe qui.

À ce niveau, la psychanalyse n'est pas d'une grande aide.

En prenant du recul, on pourrait croire que nous sommes deux fous, isolés dans une folie à deux. C'est un peu ça. Mais à la différence des fous, les Dames ne nous ont jamais fait perdre pied avec la réalité. Cet équilibre mental est à lui seul un tour de force.

Enfin, le moment tragique est arrivé une nuit. La nuit favorise la bascule dans l'inconscient profond et sa réalité.

En deux mots, Ève s'était retrouvée dans un lieu de haute sécurité pour traduire au mieux cet espace-temps bizarre. Comme dans un rêve, Ève est arrivée au milieu d'un film commencé sans elle, elle était plongée dans un lieu sans savoir de quel lieu il s'agissait. Elle allait le découvrir peu à peu.

Ève était entrée dans son rêve et il se transformait en cauchemar. Elle était obligée d'avancer le long d'un couloir qui ne lui disait rien de bon. Ce couloir était sinistre et sentait le danger. La lumière non plus n'était pas une bonne lumière. Il y avait un éclairage minimaliste, juste pour comprendre qu'elle était placée en appât. Elle ne voulait pas être là. Elle avait toujours évité les lieux critiques, ceux qui font clignoter en rouge les alarmes intérieures. Elle n'a pas eu le temps de réfléchir longtemps. Elle s'est retrouvée face à une grille noire, énorme, funeste, épaisse, ajourée en moucharabieh, mais blindée. Elle faisait office de porte. Elle a compris que cette porte était interdite, c'était la limite d'un autre au-delà complètement différent. Soudain, elle a entendu le déclic horrible de la sécurité qu'on enlève, quelqu'un avait ouvert la porte. Elle s'est sentie prise au piège. Qu'est-ce qui allait sortir de cette porte ?

Au même instant, une énergie noire, inhumaine, gigantesque, s'est penchée sur elle pour l'avaler comme un trou noir avale la lumière. Elle a juste eu le temps de penser que tout était fini pour elle, qu'elle n'allait jamais se réveiller de ce cauchemar, son corps serait inerte sur son lit et son esprit absent à elle-même pour toujours. Cette entité aurait avalé tous ses esprits. Elle ne serait plus qu'une coquille vide au petit matin.

C'est alors que mon ombre est entrée en action Elle a réagi à la vitesse de la lumière et a claqué cette énorme porte au nez et à la barbe de cette entité. Le bruit a été violent. Non seulement mon ombre a été rapide, mais en plus, elle a montré une force phénoménale !

Là, j'ai compris pourquoi on a besoin de guide quand on va dans notre inconscient profond : on touche au cosmique. L'esprit arrive à la frontière des forces cosmiques où lumière et énergie noire sont comme aux premiers jours du monde. C'est là que l'être humain peut devenir fou.

Il s'était passé quelque chose qui n'avait rien de diabolique, mais que je qualifierais plutôt d'attraction fatale : celle de l'énergie noire qui est attirée par la lumière. Avec son soleil intérieur, Ève était devenue une source de lumière. Dans le monde des ombres, Ève brillait et constituait une « prise » idéale dans laquelle l'énergie noire veut passer parce que l'ouverture de son inconscient créait un couloir entre deux mondes, une espèce de « trou de vers ». J'essaie d'expliquer comme je peux. Ça vaut ce que ça vaut.

Ève a cru que cette ombre gigantesque qui voulait la gober c'était moi et que ses Furies et Mémoria étaient intervenues pour la sauver.

Pendant plusieurs jours, elle est restée terrorisée sans me téléphoner. Elle regrettait de m'avoir connu, elle se faisait plein de scénarios catastrophes à mon sujet. Elle ne voulait plus me voir. Elle avait même peur que je continue à piocher dans sa tête des choses, mais elle ne savait pas comment fermer sa tête à clé.

Et voilà comment être au service des Dames peut se retourner contre nous !

Ève était loin de se douter que je ne dormais presque plus la nuit pour rester connecté à elle et ne pas rater le moment du partage de ce rêve et de cette rencontre avec le « Mal ». Je savais que je devais intervenir avec mon jumeau et on attendait tous les deux, chaque nuit, le moment crucial. C'était la seule occasion pour nous de nous racheter. Sans compter que je ne voulais pas qu'elle meure. Avec qui j'aurais fini ma vie ? Je ne voulais pas vieillir seul. Si Ève ne partageait pas ma vie, personne d'autre le pouvait. Moi je le dis : personne d'autre. Elle était ma vie désormais. Elle était celle pour l'amour de qui j'étais allé plus loin que tout.

Mémoria n'est pas n'importe quelle entité, elle se tenait à mes côtés et m'assurait qu'Ève n'était pas impulsive. Elle allait, comme à son habitude, laisser passer ses émotions et puis elle réfléchirait à tout pendant des jours et des jours. Elle allait se faire sa propre conviction en méditant.

Si je m'étais présenté à elle, en essayant de la persuader que ce n'était pas moi, ça m'aurait rendu illico suspect à ses yeux. Je l'ai laissé en compagnie de Mémoria.

De mon côté aussi je méditais. Je me disais que, il y a des millions d'années, des animaux fantastiques peuplaient la terre et c'étaient des géants. Il restait peut-être une trace de ce gigantisme dans notre psychisme. Notre psychologie profonde était peut-être hantée par une énergie primordiale tout aussi gigantesque.

Ce qui est certain c'est que Ève gardait au fond de son inconscient profond, un patrimoine psychique archaïque. Un patrimoine extraordinaire qui pouvait se connecter avec les origines de notre galaxie.

Après, voilà ce que j'en pense : le Mal, avec un M majuscule, n'existe pas. Tout vient de nous, le bien et le mal, nous en sommes les seuls responsables.

Après cette dernière épreuve, j'ai dû me reposer longuement. Ça fait réfléchir toutes ces nouveautés. J'avais besoin de méditer seul. Ève aussi. Les Dames sont des remue-méninges. Je prends mon temps pour faire le tour des questions qu'elles soulèvent. Elles soulèvent plus de questions qu'elles n'y répondent, mais peut-être qu'elles ne peuvent pas répondre à nos cerveaux embrumés par notre culture et la matière.

Il nous manque peut-être la science qui pourrait expliquer ce qui se passe en nous. Peut-être que les Dames ont tout simplement un esprit lacanien : elles nous laissent croire ce que nous voulons croire ou ce que nous pouvons croire. Ce que nous croyons marque nos limites de compréhension. C'est peut-être ça l'explication de leur silence. Elles ne donneront pas d'explications sur notre monde et l'univers, c'est à nous de les chercher, selon nos limites.

Le naturel fantastique d'une initiation

J'apprends par Ève que le « fantastique » est un genre littéraire où le surnaturel surgit dans le réel. Je ne suis pas très branché littérature, mais maintenant je m'y mets. Je suis en mesure de dire que le « fantastique » peut être très naturel en initiation. Être médium, télépathe ou lire l'avenir, peut sembler surnaturel. Pourtant, ces facultés ne sont pas de la magie. C'est le potentiel du cerveau qui est développé. Ce n'est pas donné à tout le monde, j'en conviens, mais ça ne fait pas de moi un magicien ou un extra-terrestre et encore moins un dieu. C'est peut-être parce qu'il y a eu trop d'abus et de spectacles autour de la médiumnité et de la télépathie. La clairvoyance, je n'en parle même pas !

Contrairement au patriarcat qui a voulu bloquer le savoir d'une femme comme Ève, je ne suis pas jaloux de son savoir et je n'en ai plus peur. Les Dames ne cherchent pas à faire de moi un homme servile. Elles n'ont jamais cherché à m'abaisser. C'est tout le contraire, elles ont fait de moi un homme plus conscient. Leur initiation met à égalité le féminin et le masculin en nous. Ève aime rire, danser, blaguer et s'amuser, tout comme moi. J'aime les valeurs du féminin comme le partage, l'entraide, la bonté, mais je n'offre pas ma gentillesse à n'importe qui. Je choisis, je me laisse guider par mon instinct.

Mon jumeau qui avait l'habitude de voir tout en noir, ou en négatif, de par sa nature, est devenu un frère sur lequel je peux compter. Avant de connaître les Dames, les rares fois où je rêvais, c'était en noir et blanc. Ce qui me permet de penser que les ombres ne voient pas les couleurs. Par contre, quand j'ai connu Ève, ma muse, j'ai commencé à rêver et en couleurs ! Je me souviens de tous les rêves partagés dans des discussions sans fin. J'ai adoré ces moments d'intimité spirituelle avec Ève.

Mon esprit s'est ouvert à quelque chose de plus grand que moi, il s'est ouvert à l'invisible et au féminin. J'ai remis à plat toutes mes certitudes et je suis capable aujourd'hui de vivre avec un certain degré d'incertitude. Est-ce que ça ne serait pas le « lâcher prise » dont tous les thérapeutes parlent ?

Naviguer entre deux mondes, un monde fantastique et un monde réel, est un exercice qui peut faire perdre la tête ; mais avec des muses pour guide, avec de la réflexion et du bon sens, on peut surmonter ce danger. S'il y a des pièges dans une initiation, c'est notre propre esprit qui les fait naître. Un de ces pièges est notre mentalité, nos fausses croyances, notre propension à se faire du mal et en faire aux autres. Le plus grand handicap dans la relation homme-femme, c'est l'idée que l'homme se fait de la femme, et l'idée que la femme se fait de l'homme, chacune et chacun prisonnier de la mentalité de son genre, de sa classe sociale et de son pays.

Sur les traces des esprits antiques avec Ève

Eurydice et Orphée

Je ne savais pas qui étaient ces deux personnes et pourquoi il y avait un mythe autour d'elles.

Chez les Grecs, c'est un couple de légendes, un couple en initiation. Le mythe dit qu'Eurydice était la femme d'Orphée avant qu'ils entrent en initiation. Ensuite, il y a du blablabla qui cache une bonne partie de ce qui se passe réellement entre eux et on apprend qu'elle a été emmenée en Enfer. Pour l'Antiquité, l'enfer est un monde souterrain. L'épreuve de son mari, Orphée, est d'aller la chercher et de la ramener saine et sauve à la surface. Ça ressemble un peu à mon histoire avec Ève, mais à grands traits. Le plus grand problème évoqué dans ce qui reste de ce mythe n'est pas le sexe, mais le regard. Je suis d'accord, le regard est une épreuve à elle seule, surtout dans la durée. Orphée devait remonter des enfers avec sa femme, sans la regarder. C'était la seule contrainte qu'il avait pour la retrouver. Pourtant, Orphée n'a pas résisté. Pour être certain que sa femme le suivait, il s'est retourné et il l'a perdue à jamais.

Je comprends mieux ce passage. Pour être plus clair, je vais revenir à ma situation. De mon côté, je ne devais pas entraîner Ève dans une relation amoureuse avec moi sinon Ève se serait attachée à moi au lieu de regarder à l'intérieur d'elle-même. Pour moi, c'était facile de rester distant envers Ève, tout en lui promettant un amoureux à venir, puisqu'au début, j'étais encore amoureux de ma femme. Je créais ainsi un double lien qu'elle ne comprenait pas, mais qui l'obligeait à chercher en elle ce qui se passait.

De son côté, Ève a eu la bonne attitude en se questionnant sur elle, en tant que femme, et sur moi, en tant qu'homme. Les Dames aidant, ses questions l'ont conduite exactement vers son centre : le principe féminin. Si je l'avais regardée avec amour, Ève se serait raccrochée à moi, en ayant sur moi des attentes qui n'étaient pas justifiées, que ce soit celle d'un futur mari, d'un héros ou d'un dieu. Ève devait tout attendre d'elle et rien de moi. C'est comme ça que je comprends le mythe d'Orphée : en regardant sa femme avec amour, Orphée s'est proposé inconsciemment comme son sauveur et a détourné Eurydice de son centre féminin. L'initiation ne pouvait plus continuer. C'est un point de vue comme un autre.

J'ai empêché Ève de faire de moi un dieu, ce n'est pas pour qu'elle s'accroche à moi comme à une bouée de sauvetage. Même si je lui ai montré le chemin, je ne suis pas son salut. Le salut est en elle. C'est tout le problème du patriarcat qui veut au contraire que la femme reste les yeux rivés sur l'homme et que la femme en fasse son pôle d'attraction.

Avec Ève, pas question de discuter entre nous de ce qui se passe en nous. Chacun garde pour soi son mystère. On n'était pas à la sortie d'un film où on revisite l'histoire à sa manière. Le mystère doit rester à l'intérieur de soi. Chaque mot prononcé dénature forcément ce qui se passe, le modifie, le transforme jusqu'à l'annuler. Pour prendre une image plus parlante, c'est comme le magnifique reflet dans l'eau d'un paysage de montagne. Si vous plongez votre main dans l'eau pour « toucher » la beauté du reflet, la surface se plisse et le paysage dans l'eau disparaît comme un rêve. Les mots agissent de la même façon. J'ai emprunté cette image à Ève. La comparaison me plaît.

Entre Ève et moi, il n'y avait aucune raison pour nous d'aller manger une pizza ensemble et de se la raconter. En plus, parler à chaud, c'est une très mauvaise idée. On peut dire n'importe quoi d'irrémédiable. Il faut attendre de bien comprendre les choses avant d'en parler parce qu'on risque de dire de grosses, grosses conneries.

Hercule d'après Ève

Pour en revenir à Hercule, si Déjanire a offert la tunique de Nessus à son mari, c'est pour reconquérir Hercule. Si Hercule n'avait pas été infidèle, il ne serait pas mort. C'est un peu con de mourir pour cause d'infidélité après avoir été initié par une déesse. De là à dire que peut-être il n'avait pas bien compris tous les enjeux du féminin, je me le demande. C'est peut-être pour ça qu'il n'est qu'un demi-dieu. Ève a raconté dans son journal qu'elle est allée au musée gallo-romain de Lyon et elle y a fait une découverte. Sur un bas-relief, elle a vu le cortège de Bacchus et dans un coin, un Hercule complètement bourré, les yeux vitreux, qui met la main aux fesses à une bacchante nue, laquelle n'a pas l'air enchanté par le geste. C'est la réputation d'Hercule le prédateur qui arrive jusqu'à nous.

Moi aussi, j'ai été infidèle comme tout le monde, mais je n'ai jamais été un prédateur ni un queutard. Une initiation conduit à une renaissance, mon cœur pleurerait vraiment si une autre femme remplaçait Ève. Je l'entendrais pleurer de l'intérieur. Pour moi, la fidélité est devenue une source de vie. Quelle femme pourrait remplacer Ève dans mon lit ? Je n'y pense même pas. Elle est unique à mes yeux.

La fin pour moi : un cadeau et une autre tentation

J'avais fait ce que les Dames attendaient de moi et je me suis mis en retrait. Je n'ai plus contacté Ève. Elle devait suivre son chemin d'éveil seule, en compagnie de Mémoria.

Mémoria était contente de mes services et m'a fait un cadeau à la mesure de sa générosité. Elle m'a donné les numéros du loto gagnant. Je l'avais raté il y a quelques années à cause de mon ombre et de sa bourde monumentale. En sauvant Ève et en remontant tous les deux sains et saufs, les Dames ont tenu à me récompenser avec l'accord d'Ève. Sans elle, il n'y aurait pas eu de cadeau. Ève a écrit les numéros gagnants dans son journal et la date. Pour Mémoria et les Furies, peu importait l'issue amoureuse entre Ève et moi, ça nous regardait. Elles étaient déjà satisfaites du résultat. Leur protégée avait maintenant toutes les cartes en main pour débrouiller la pelote de fil des mémoires du féminin, enchevêtrée dans l'arbre de vie que les religions s'étaient approprié. Chaque religion a son arbre de vie, mais aucun esprit féminin n'y souffle les mémoires des femmes.

On est en 2018. J'ai noté les numéros pour le loto à venir, la date aussi. Ça va se passer en 2022 et ça va changer notre vie à Ève et moi. C'est un sacré cadeau ! Je ne m'y attendais pas. Les Dames ne font pas les cadeaux à moitié. Il m'a fallu un temps d'arrêt dans ma tête pour m'y habituer. J'ai même pensé « c'est trop ». Les Dames m'ont dit d'en faire bon usage et elles étaient certaines que je saurais récompenser qui de droit avec tout l'argent. Elles avaient confiance en moi.

On est en 2018, c'est dans quatre ans. Évidemment, je pourrais ne pas y croire, mais jusqu'à présent, tout ce que j'ai lu était arrivé, le bon comme le moins bon. Je vais sagement patienter pour voir si ce cadeau trouvera sa place dans la réalité. Je peux vivre à la baisse, j'en suis capable, mais je n'ai pas la vocation d'un Siddhârta-Bouddha qui se place sous un arbre avec un bol de riz. J'aime bouger. J'ai pratiqué toutes sortes de méditation : assis, couché ou en mouvement. Je préfère le mouvement. Je revendique le fait de rester ancré dans le monde des hommes et dans la vie. La vie c'est maintenant et j'aime la vie. Je ne suis pas devenu un moine solitaire pour toujours. J'avais suivi mes enfants de loin et maintenant je pouvais enfin les suivre de près.

Moi aussi j'avais vieilli. J'avais pris quelques années de plus. J'allais avoir quarante ans. Si les Dames veulent me payer le prix de ma jeunesse et de mon sacrifice, je suis d'accord. Je saurai quoi faire de cet argent. J'ai reçu des instructions détaillées à ce sujet. Elles me semblent justes. Quant à la tentation, elle est à la hauteur du cadeau. Je me souviens qu'à une occasion particulière, j'avais dit à Ève qu'on partagerait le bénéfice du doute. Le moment est arrivé de voir si je vais tenir ma parole. Une parole c'est important, elle engage. Je suis quelqu'un de constant, de fidèle, de tenace, non seulement dans le travail, mais aussi en amour. Je lui avais dit qu'on partagerait le bénéfice du doute, c'est ce que je ferai. Je ne vais pas disparaître avec tout le butin, je n'y pense même pas.

Je n'ai pas les mains percées et je ne suis pas non plus ce qu'on appellerait un radin. J'aimerais garder cet équilibre. Je vais profiter du temps qu'il me reste avant cette date pour me préparer mentalement à ce grand bouleversement. Une chose est de naître riche, une autre chose est de le devenir. J'investirai utile et éthique.

De mon côté, moi aussi j'ai un cadeau pour Ève. Je sais que pendant qu'elle essayait de comprendre ce qui lui arrivait, elle s'était promis de laisser son témoignage pour aider d'autres femmes perdues comme elles sur leur chemin vers leur féminin.

Tout au long de ces années, mon ombre n'avait pas arrêté de lui dire qu'elle ne publierait jamais rien. Il faisait obstruction. C'est vrai. Ève avait plusieurs fois envoyé des ébauches à des maisons d'édition sans succès. Depuis que mon jumeau a appris à connaître Ève, il a changé d'avis. Enfin, depuis qu'il a vu qu'il n'était pas traité en ombre maléfique et qu'il avait plutôt le beau rôle dans notre légende. Maintenant, c'est mon jumeau qui s'indignait du traitement qu'on faisait de son monde des ténèbres et des ombres comme lui. Pourquoi on faisait d'eux des monstres assoiffés de sang alors que les ombres n'ont plus de corps ni pour manger, ni pour boire, ni pour parler ? Mon jumeau a décidé de ne plus empêcher Ève de publier, il est même persuadé que les gens ont le droit de savoir qu'ils ont à leur côté un esprit vraiment fantastique, aussi fantastique que les héros de Marvel. Il va s'employer à lui faciliter la tâche après avoir fait de la résistance.

Je confirme, mon jumeau est un super esprit qui gagne à être connu, mais toutes les ombres ne le sont pas. C'est comme chez les humains, il y a des gens bien et d'autres à fuir.

Pour en revenir à Ève, je connais ses souhaits les plus cachés. Son souhait secret, ce serait de laisser des petits cailloux sur ce chemin antique qu'elle a trouvé rude. Elle voudrait laisser des traces concrètes pour les femmes et les hommes qui se retrouveraient dans notre situation. Elle aimerait pour eux qu'ils ne se perdent pas, faute de ne pas avoir les codes. Les religions ont caché le chemin pour que les traces du féminin se perdent. Malgré la désinformation à ce sujet, Ève espère que ses mots pourront parler au cœur des femmes et des hommes. Si elle a tenu bon, dans la solitude et le silence, c'est en pensant à toutes celles et à tous ceux qu'elle pourrait aider, qu'elle pourrait faire espérer et rêver. Retrouver tous les fragments d'un discours féminin qui ont été perdus, plagiés, reformulés pour noyer le poisson, ça reste son espoir secret. Elle aimerait partager notre légende. Au moins, elle sera allée au bout de ce qu'elle estime être son devoir. Elle a mis sa vie entre parenthèses afin de pouvoir terminer ce travail qu'elle considère comme sa mission.

Je ne connaissais pas le pouvoir d'un imaginaire jusqu'à ce que je tombe « dans » celui d'Ève. Toutes les civilisations sont construites sur de l'imaginaire, l'esprit humain en a besoin pour rêver et vivre, c'est sa source de créativité. Sans créativité, sans culture, on n'est rien. Les fanatiques le savent bien, ils commencent toujours par détruire le culturel.

J'ai trouvé en Ève ma « poule aux œufs d'or », c'est mon trésor et pour moi la chasse au trésor a été bonne puisque j'ai gagné au loto grâce à elle, mais pas seulement. Elle a donné du sens à ma vie. Elle est mon arbre de vie. Tout le monde peut trouver sa « poule aux œufs d'or ». Elle est souvent cachée dans une femme ordinaire. La poule est une image, une métaphore de cette femme particulière, comme la cruche. Mais la cruche, dans le langage ordinaire, est devenue synonyme d'idiote et la vache, synonyme de salope. La boîte de Pandore est devenue synonyme de malheur qui arrive à travers la femme et le crâne de cristal est assimilé à des extra-terrestres venus propager le savoir et la science. Pourtant, à la base, toutes ces images parlent de la femme qui peut sauver une civilisation. Il suffit qu'un seul homme soit capable de l'entendre, qu'il soit sincère et honnête, qu'il ne modifie pas son discours, qu'il ne se fasse pas plus beau qu'il ne l'est et il peut faire repartir en mieux la machine à penser humaine qui s'encrasse autour des guerres.

Voilà, tout est fini pour moi, j'ai porté à terme ma mission. Ça me fait drôle de penser que je suis arrivé à la fin. Je continue à me repasser le film de tout ce que j'ai traversé avec Ève. C'est mon film à moi, normal que j'y sois attaché. En revenant sur terre avec tous mes esprits, j'ai repris contact avec les nouvelles du monde. J'ai lu les journaux, les revues, écouté les médias, regardé internet et la télé. Les nouvelles sur l'avenir du monde sont plus alarmantes qu'il y a quelques années, quand je suis entré en initiation. J'ai appris par Ève que la fin de l'année 2019 réservait une mauvaise surprise à cause d'une épidémie qui toucherait le monde entier. Mais le pire serait un autre problème, d'après le peu que je sais, en 2022, une guerre probable en Europe. Je n'ai pas d'autres détails pour le moment. Notre légende nous a tenus un peu éloignés des réalités sociales et politiques. C'est dur de retourner dans le bain boueux de l'actualité.

Ève continuait à noter scrupuleusement tout ce qui se passait dans sa vie cachée et le merveilleux féminin s'y développait encore.

L'entité intérieure d'Ève et le portail cosmique

Mémoria est une entité intérieure qu'il est difficile de définir si ce n'est par ses mémoires qui concernent les femmes et leur place dans la société des hommes. Mémoria est dématérialisée. On ne pourrait pas en faire un portrait. On n'entend que sa voix. Je n'ai vu que sa lumière et son soleil. Ève aussi. Mais d'où viennent sa voix et sa lumière ? Ça restera le mystère de notre légende.

En parlant de portrait, Ève a vu quand même une femme en rêve. En fait, elle ne rêvait pas puisqu'elle ne dormait pas. On appelle ça comment ? Une vision ou un rêve éveillé ? Ce qui est sûr, c'est que ce n'était pas la réalité et pourtant, cette femme est entrée dans sa vie d'une drôle de façon.

Ève assistait à une science incroyable qui a eu lieu dans ces endroits mystérieux de son inconscient. C'était un endroit éclairé par une lumière de lune, très douce. Elle a vu une femme-médecin antique, habillée d'un vêtement long à la manière d'une déesse, elle était mince, agile, gracieuse. Elle tournoyait avec grâce autour de quelque chose. En s'approchant, Ève a constaté qu'elle soignait l'esprit du vieux Jack, le modèle du serial killer. Cette femme avait l'allure d'une femme-prêtresse. Du visage de cet homme, il ne restait que deux yeux rouges de colère. Il essayait de s'agripper à la vie en cherchant de ses yeux rouges un corps à posséder ! Soudain, ses yeux rouges se sont tournés vers Ève, il essayait de trouver le moyen de fuir à travers elle. Ève a aussitôt détourné le regard pour regarder la jeune femme. Imperturbable, la femme-médecin chantait une berceuse magique.

Elle a chanté pour Jack, calmement, avec concentration, tout en faisant virevolter autour de lui des bandelettes dorées pareilles à des rubans, des bandelettes de lumière enchantée qui aussitôt se recouvraient des mots magiques qu'elle chantait. En même temps, ces bandelettes venaient se poser par magie sur l'esprit du vieux Jack comme les bandelettes pour une momie. Par une magie qui ne se voit que dans les rêves, les bandelettes ont réduit l'ombre de Jack et l'ont ramené à l'état de nourrisson. C'est tout emmailloté de ces bandelettes de béatitude que ce vieil esprit s'est endormi, les yeux fermés. Enfin, il reposait en paix pour les siècles des siècles !

La vache ! Alors là, il y a de quoi se poser des questions ! Je ne vais pas m'aventurer sur ce chemin miné. Pour commencer, cette femme prêtresse aurait pu confier à Ève l'identité réelle de ce tueur en série. Pourquoi elle ne l'a pas fait ? Bah, Mémoria a répondu qu'elle n'est pas là pour servir à faire des scoops de journaliste.

Ève s'est demandé pendant des jours et des jours qui pouvait être cette femme prêtresse dont elle n'avait pas vu le visage. Elle avait l'air d'être jeune et raffinée, son corps, son allure semblait celui d'une femme de trente ans. Étant donné qu'il était question de bandelettes et de momification magique, elle est allée fouiller dans la civilisation égyptienne. Il semble que la déesse Isis avait été une grande magicienne à l'origine des secrets de la momification. Apparemment, ce que Ève avait vu n'avait rien à voir avec la momification des pharaons, mais elle penchait pour la déesse Isis. Ève se demandait si elle ne commençait pas à devenir un peu trop mytho.

Ouais, elle a raison de se poser la question. Toute imagination a ses limites. Peut-être qu'elle avait atteint les siennes.

Une autre question que je me suis posée est : pourquoi Isis intervenait sur lui et pas sur d'autres serial killers ?

D'après ce que j'ai compris, le féminin ne peut pas intervenir dans la vie des gens, ne peut pas intervenir dans les sociétés, ce serait de l'ingérence dans la vie des êtres humains. Chacun a un destin à accomplir, ce destin peut prendre plusieurs vies jusqu'à ce que la personne trouve la voie du féminin. Mais, si une muse comme Ève croise le chemin d'un mauvais esprit qui ne devrait plus être là, si ce vieil esprit met en difficulté une personne, en danger même, alors la déesse intérieure a la possibilité d'intervenir. Il paraît que c'est une loi non écrite du monde de l'au-delà. J'ai lu quelque part dans les légendes que si un mortel croisait une sirène et qu'il la reconnaissait, elle ne pouvait rien lui refuser. Elle devait exaucer trois vœux. À mon humble avis, c'est un raccourci très très simpliste.

Les contes et les légendes ! Il faut en prendre et en laisser !

Il paraît que la déesse Isis aurait inventé la momification. Mais pas n'importe quelle momification. Pas une momification destinée aux élites pour revenir à la vie, après des rituels complexes, typiques des religions d'hommes. Isis avait inventé la momification curative, une thérapie de soins qui n'existe pas dans nos vies. Elle a lieu dans une autre dimension. C'est une thérapie réservée aux esprits en souffrance et pratiquée par des esprits féminins. Sa science n'a absolument rien à voir avec les sciences de l'embaumement du corps, mises au point par des prêtres qui officiaient pour les pharaons et hauts dignitaires, au son de pièces sonnantes et trébuchantes.

Bon voilà, on peut prendre et laisser ce qu'on veut.

Ève, c'est ma muse à moi, c'est ma nymphe qui était endormie et qui s'est réveillée grâce à ses sœurs un peu spéciales. Elle me fait rêver tous les jours et j'adore ça.

Je viens de réaliser qu'Isis est peut-être la déesse intérieure d'Ève en plus d'être la scribe de Mémoria ! J'ai besoin d'un temps pour assimiler. Et si c'était la même personne ? Je m'y perds un peu avec tous ces esprits autour de nous !

Je vois qu'Ève n'a pas encore capté le truc de la déesse intérieure. Elle a déjà du mal à intégrer Mémoria dans son quotidien, alors une autre déesse, ça fait beaucoup ! Dans son journal, elle ne dit rien sur ses liens avec Isis. Elle ne parle même pas de déesse intérieure, elle ne sait pas encore ce que c'est. Elle parle de « son centre », de son principe féminin, du féminin sacré, mais elle ne fait pas encore le lien avec sa déesse. C'est moi qui me pose des questions sur les esprits qui l'habitent, mais je ne lui dis strictement rien. De toute façon, on ne se téléphone plus et on ne se voit plus.

Si les Dames ont fait intervenir mon ombre en tant qu'Osiris, il était logique que sa femme Isis ne soit pas loin, l'un ne va pas sans l'autre. Je n'aurais jamais pensé qu'Isis pouvait être la déesse intérieure d'Ève ni que moi j'avais un lien avec Osiris. Je veux parler de l'imaginaire d'Ève. Je ne savais qu'elle allait plonger si loin dans l'imaginaire et que cet imaginaire allait impacter nos deux vies. Je ne sais pas comment l'expliquer rationnellement. C'est sûr, pour certains, il y a un lien étroit dans notre psychisme entre l'inconscient collectif passé et l'inconscient individuel.

Une métaphore en entraînant une autre, je suppose que c'est peut-être ça l'explication de l'image d'Hercule qui soutient les colonnes du ciel. Je commence à réaliser que les mythes sont remplis de morceaux de vérités éparpillés comme un puzzle qu'il faut rassembler.

Soudain, j'ai eu un « insight » comme disent les thérapeutes, une intuition profonde, une illumination : Mon ombre n'aurait-elle pas été, il y a quelques millénaires de ça, l'ombre de cet Osiris mythique dont parlent les Égyptiens antiques ? D'accord, c'est un mythe, d'accord c'est de l'imaginaire, mais depuis que je nage dans le naturel fantastique, je m'aperçois que réalité et imaginaire sont étroitement liés. Ce qui expliquerait pourquoi mon ombre ou surmoi était si à l'aise, il n'était pas dans « un rôle », il était peut-être lui-même ce qu'il était, il y a des millénaires. Mais comme dans l'au-delà, les millénaires passent comme des secondes sur notre terre, si ça se trouve mon jumeau a plein d'infos sur son passé. Il pourrait partager avec moi non ?

Blague mise à part, il y a eu plein d'autres situations assez cocasses entre Ève et moi, comme le jour où on m'a fait tenir le rôle de Saturne. Ce n'était pas « une nuit avec un dieu », mais plutôt une après-midi avec un esprit de dieu antique.

Les Dames voulaient qu'Ève et moi-même prenions bien la mesure de l'évolution des temps. Le temps des dieux était révolu. Les dieux d'autrefois ne sont plus à la hauteur des enjeux d'aujourd'hui. Les temps changent, c'est pourquoi, il faut changer de mentalité, il faut jalonner les nouvelles mentalités avec de nouveaux mythes qui parlent aux jeunes générations. Des mentalités plus ouvertes, pas le contraire comme le voudraient certaines religions. Finis les dieux, il vaut mieux revenir à l'humain et à ce qu'il a de bien par rapport aux dieux : Le temps des hommes évolue plus vite que le temps des dieux. Les dieux aiment figer le temps des humains. C'est vrai, ça fait deux mille ans que les chrétiens lisent une Bible qui parle de gens qui vivaient dans d'autres contextes, d'une tout autre façon. On pourrait changer de bouquin, non ? Le monde n'est pas une île déserte à ce que je sache !

Les Dames nous ont fait rejouer un pas de deux avec le dieu Saturne entre Ève et moi.

On a bien compris, l'amour à la manière des vieux dieux est un amour sans cœur. Il n'y a surtout pas d'extase sexuelle. Je crois que plus on remonte dans le temps et plus les dieux ne sont pas bien finis. Ils comprenaient ce qu'ils voulaient comprendre. Ils gardaient près d'eux comme compagne la femme qui leur avait ouvert un tant soit peu l'esprit, mais de là à lâcher la bride à toutes les femmes…

Pourquoi chercher les raisons d'aimer Ève ? Elles sont aussi naturelles et infinies que ce qui nous a unis au-delà de toute compréhension humaine. Nous avons grandi ensemble, de l'intérieur, en nous rapprochant chaque jour l'un de l'autre. Dans le nouveau monde intérieur qui est le mien, je ne peux pas aimer deux femmes, il n'y en a qu'une qui me correspond et qui correspond à tous mes esprits, c'est Ève.

À ce sujet, un jour, il y a longtemps, Ève est venue chez moi pour discuter. Elle me disait qu'elle avait compris qui j'étais. À mon tour, je lui avais posé la question, à savoir si elle-même savait qui elle était. Elle m'a répondu qu'il y avait plusieurs esprits en elle. J'ai confirmé pour montrer que je le savais et c'est tout. C'était fini le temps où on passait des soirées entières à parler. Ce n'était plus nécessaire.

Ève n'arrête pas de me surprendre.

Les entités et le portail intérieur

Je trouve fascinant tout ce qui reste à découvrir sur nous et les esprits bienveillants qui nous entoure.

Ève est une boîte à secrets magnifiques, ce n'est pas une boîte de Pandore qui apporte des malheurs contrairement à ce qu'écrivait le grec Hésiode. Le cerveau de la femme ne renferme pas une boîte à reproches. Mémoria n'est pas venue faire la guerre aux hommes, elle n'a pas transmis à Ève la haine des hommes. C'est tout le contraire. Elle est venue pacifier sa relation avec les hommes et moi, ma relation avec les femmes. Est-ce que c'est Mémoria qui s'est manifestée de façon plus concrète, plus humaine, dans le corps d'Ève ? Je veux dire, est-ce que c'est Mémoria qui a traversé je ne sais quels lieux pour venir saluer une dernière fois Ève à travers son « portail cosmique » ?

Ou bien c'est Isis ? Difficile à dire.

Ça doit être Mémoria puisqu'elle a dit qu'à la fin de notre légende, on se reverrait. À moins que ce ne soit Isis dans son corps de lumière ?

J'étais loin de me douter que le plexus solaire était le portail cosmique. Le plexus solaire se trouve entre le sternum et le nombril. Il est composé d'un faisceau de nerfs disposés en rayons de soleil. C'est une espèce de centrale électrique placée dans le corps pour distribuer les nerfs vers la rate, le foie, l'intestin grêle, les glandes surrénales, les reins, etc.

Comment la manifestation vivante d'un corps de femme en Ève peut-elle s'emboîter dans le réel sans générer la folie ? Je me doute que vous, mes enfants, vous trouverez cette partie inacceptable, farfelue, parce qu'il manque la logique de notre connaissance scientifique. Je ne l'ai pas. Il faudrait la compréhension d'une autre physique que celle qui est connue.

Il en faut beaucoup pour me choquer maintenant, mais là, cette femme était une apparition de type angélique au sens chrétien du terme. Elle était éblouissante de beauté ! On ne nous a pas donné une légende au rabais !

Mémoria ou Isis est apparue à Ève, mais pas dans le ciel ! À travers son plexus solaire ! Je sais, dit comme ça, ça fait vraiment bizarre, voire un peu monstrueux. L'apparition était pourtant sublime.

Évidemment, ce n'était pas un corps de chair et d'os qui s'était manifesté en Ève, ça aurait été un peu flippant. C'était plutôt un hologramme de femme, mais contrairement aux hologrammes que je connais et qui restent figés, ce corps « astral » vivait, bougeait, était autonome, à la manière du génie de la lampe d'Aladin. C'était une vraie femme. Elle était brune, une brune pétillante, pleine de charmes, un être vivant dont je voyais le visage pareil à celui d'un être humain. C'est un phénomène que je ne peux m'expliquer parce qu'il me manque la science et peut-être qu'il vaut mieux ne pas l'avoir. Qui sait comment serait utilisé ce pouvoir s'il venait entre de mauvaises mains ?

Malgré tout, je me demandais comment un corps « hologrammé » pouvait sortir comme ça, à travers le plexus solaire ? On aurait dit une extra-terrestre qui connaissait des passages secrets qui nous échappent. Sa beauté m'a frappé. Ce n'était pas une beauté tapageuse, c'était une beauté vivante, fluide, mouvante, transparente, souriante et simple.

Mémoria ou Isis n'avait pas un corps de chair, elle n'avait pas non plus le corps laiteux d'un fantôme, elle avait un corps humain habillé d'arc-en-ciel. Il rayonnait comme une étoffe précieuse. C'était une vision merveilleuse qui subjugue. Son visage m'a marqué parce qu'il était souriant, bienveillant, comme une bonne fée qui aurait en plus de la gentille malice. On dirait que le féminin sacré a des longueurs d'avance sur notre technologie humaine. Sinon, comment pourrait-il se manifester à travers un réseau de nerfs aussi petits ? Est-ce qu'une race supérieure sait utiliser la micro-électricité qui se trouve là, dans notre plexus solaire ?

J'arrête avec les hypothèses, je renonce. Je n'ai pas de mots. Je ne peux que décrire et c'est tout.

Le visage de cette femme venue d'ailleurs n'était pas figé dans une expression solennelle, divine et distante, comme souvent les images religieuses aiment à représenter le mystère du sacré ou du divin. Elle n'était ni inaccessible comme une déesse ni hautaine comme une reine. Elle était trop chaleureuse, cette belle fée m'a remué le cœur comme jamais. Cette âme personnifiée était si souriante, si radieuse, sympathique, très humaine en réalité. La preuve c'est qu'elle a embrassé Ève sur la joue comme si c'était une copine. Ce n'est pas incroyable ça ? Elle n'a pas demandé à Ève de s'agenouiller devant elle, de la prier, de baisser la tête pour l'adorer, elle a fait d'Ève son égale. C'est comme si elle lui avait dit : « Tu vois, il n'y a pas de divin quand on s'élève, il n'y a que l'amour qui rend les gens égaux, humains et heureux ».

Je n'en dis pas plus parce que je ne comprends pas cette manifestation pourtant je l'ai vue. Ève est « habitée » par la plus belle des femmes qu'il m'ait été donné de voir. Combien de femmes Ève a-t-elle en elle ?

S'il y en a un qui est resté bouche ouverte, c'est mon jumeau. Il est devenu fou amoureux de cette femme si naturelle, si transparente, si vivante et si lumineuse. Une ombre ne peut pas résister à la lumière. Une ombre bien élevée comme la mienne ne cherche plus à posséder la lumière, mais à la respecter. Mon jumeau soupçonneux venait de comprendre que s'il voulait la fréquenter, il devait aussi apprendre à aimer Ève. Quant à moi, je devais protéger Ève de ses calculs mesquins. Ève est devenue ma quête du Graal.

Dans son journal, Ève parle beaucoup de tissage. Elle dit qu'elle « tisse » notre légende sur son ordinateur à défaut de métier à tisser. Ève pense qu'autrefois, quand l'écriture n'était pas si courante et le papier non encore inventé, les femmes pouvaient, à travers le tissage, faire un récit personnel de ce qui se passait entre elles et le féminin sacré, entre elles et le masculin. Elles pouvaient transformer le tissage en un acte sacré parce que tisser permet de créer un imaginaire vivant à travers des symboles forts. Elle se demande si Pénélope n'est pas la femme qui secrètement tissait les aventures d'Ulysse, les défaisant chaque nuit pour trouver la bonne trame qui ferait revenir Ulysse à elle. On peut avancer toutes sortes d'hypothèses. On sait si peu de choses sur les vraies initiations à deux.

Il faut que je reprenne contact avec Ève, qu'on se parle, qu'on se voie. Il faut qu'on s'apprivoise de nouveau. C'est excitant. J'ai tellement attendu ce moment.

Chapitre VI
Mon bâtard intérieur et ses tests

Beaucoup d'écrivains, qui ont écrit des épopées de héros ou les hommes rares qui ont écrit eux-mêmes leur légende, passent sous silence une chose importante pendant la traversée du monde des ombres, à savoir le détail de leurs « péchés » ou vices. Une exception pour l'épopée de Gilgamesh dans laquelle le moine qui a repris sa jeunesse turbulente n'a pas caché son naturel dépravé et tyrannique. C'était un jeune roi qui vivait dans la toute-puissance et qui pourtant a traversé le monde des ténèbres et en est ressorti vivant. Je me demande comment il a fait avec tout ce qu'il avait à dédouaner. Bref, c'est une autre histoire et c'étaient d'autres temps. Je lis beaucoup depuis que je connais Ève et je lis aussi Dante.

Dante a laissé des indices sur sa personnalité déviante : avant d'entrer en Enfer, le poète italien croise trois animaux symboliques qui sont censés nous faire deviner les travers qui troublent sa vision spirituelle. Il croise un léopard, après un lion et en dernier une louve. Dans l'imaginaire du moyen-âge, ces trois bêtes sont associées à la luxure pour le léopard, ou plaisirs de la chair, après à l'orgueil pour le lion et à la fin à l'avarice pour la louve. Il s'agit de trois des sept péchés capitaux. C'est pas mal ! Voilà ce qui empêchait Dante de trouver « le droit chemin », voilà pourquoi il est perdu dans la matière. La matière est une forêt qui bouche la lumière du féminin.

J'aurais aimé en savoir plus à ce sujet. C'est bien vague alors qu'il n'arrête pas de critiquer tous ceux qu'il rencontre en enfer et qu'il se réjouit de leurs tortures.

En ce qui me concerne, même si ça me coûte, j'ai déjà raconté quelques actions que je regrette et dont je ne suis pas fier.

À présent, je vais détailler les pensées secrètes de mon jumeau quand il s'est retrouvé face à Ève, ma Béatrice des temps modernes, la nymphe des héros de l'antiquité, plus simplement face à une femme habitée par des entités féminines.

Avant d'être subjugué par Ève, mon jumeau était très sceptique à son sujet. Mon diable de jumeau avait la manie de vouloir la tester. Il voulait faire comme Mémoria et les Furies qui nous testaient sans arrêt. Il n'arrête pas de plagier le féminin. S'il y en a une qui est restée cool à ce sujet, c'est bien Ève. Je me demande combien de femmes auraient réagi comme elle dans les mêmes circonstances. Pour faire bonne mesure, je dois dire que les Furies lui avaient retiré son ombre, sinon je me demande si elle serait restée aussi zen. Il faut le dire quand même ! Aujourd'hui qu'elle a retrouvé son ombre, je vois bien la différence, bien qu'elle fasse de son mieux pour être meilleure.

Une ombre reste une ombre, je ne pourrai pas empêcher mon jumeau d'être méfiant et de douter des autres. C'est son penchant naturel, c'est son côté ange gardien qui doit sécuriser le périmètre du corps qu'il habite, c'est-à-dire moi. Mon jumeau, qui est devenu mon ami avec le temps, n'a jamais été paranoïaque, il n'a jamais surjoué son rôle d'ange gardien, je crois que mon jumeau est une bonne ombre. Mais avant qu'il rende les armes au sujet d'Ève, avant qu'il accepte l'idée qu'elle n'était pas là pour nous nuire, que c'était une femme sympa, transparente, sans arrière-pensée, qu'elle n'était pas intéressée et vénale, j'ai dû attendre que sa phase maniaque lui passe, qu'il « scanne » le mental d'Ève pour être sûr qu'elle ne nous menait pas en bateau. On ne refait pas un garde du corps.

Selon les étapes, il a essayé toutes sortes de tests sur elle : il a essayé de la décourager, il s'est présenté à elle en narcissique débile, il a voulu voir si elle était courageuse, si elle était peureuse, si elle était subtile, patiente, gentille, intelligente, généreuse. Il n'arrêtait pas de la tester sous toutes les coutures. Je l'ai trouvé vraiment gonflé ! Et lui, il s'est vu au moins ? Au début, ça me faisait marrer, jusqu'à ce que je comprenne que j'étais aussi en cause : on était le miroir de l'un de l'autre. Je me voyais à travers lui et lui se voyait à travers moi. Je lui dois beaucoup.

Je vais raconter quelques-unes de ces tentatives pour déstabiliser Ève. Elles ne sont pas dans l'ordre parce que je ne les ai pas vécues dans l'ordre. Pour Ève, chaque rencontre entre nous était une énigme qu'elle essayait de déchiffrer. Elle en a passé des nuits blanches à chercher partout, dans les livres et sur internet, les traces de ce que lui racontait sa déesse intérieure ! Un vrai travail de détective.

La susceptibilité d'une ombre

Je me souviens d'un cadeau de la part d'Ève, modeste, mais très symbolique. Ève m'avait offert un jour un joli cendrier en terre cuite en forme d'escargot. Mon frère de galère était vexé ! Il s'est vexé du message : c'était pour lui dire quoi ? se plaignait-il. Qu'il comprenait à la vitesse d'un escargot le chemin des Dames ? Lui qui pense tout comprendre du premier coup et qui s'agace quand les autres ne comprennent pas aussi vite que lui, il a été servi. Sacrée Ève, j'aime son humour discret ! Elle aussi avait reçu un cadeau d'une amie : une coupe en forme de tortue ! On était à égalité ! À chacun sa lenteur d'esprit.

Ne jamais oublier qu'un super ego ou « ombre » est un esprit très susceptible. C'est notre garde du corps et il n'oublie jamais les propos qui lèsent sa majesté. En revanche, il oublie volontiers tout le bien qu'il reçoit. L'ombre n'est pas un esprit simple ni facile, elle croit qu'elle est indétectable et s'amuse à brouiller les pistes pour rester invisible. C'est sans compter sur le pouvoir des Furies qui montrent la face obscure de chacune et chacun.

À propos de face sombre, les ombres peuvent s'amuser à faire peur aux vivants. Je parle des ombres comme la mienne qui jouent aux ados terribles. Je dois l'avouer.

La manifestation démoniaque

De temps à autre, mon jumeau cherchait à décontenancer Ève. C'est à cause de sa déesse intérieure. Il estimait que si Ève était si bien habitée, elle devait se démarquer des autres femmes. Il imaginait mille façons de la provoquer, je veillais à ce qu'il reste gentil parce que côté gentillesse, Ève n'était pas en reste. Ève n'a pas écrit dans son journal tous ces tests. Peut-être qu'elle a estimé que ce n'était pas important. Dommage, ces épisodes qu'elle a « omis » donnent à notre rencontre toute sa saveur humaine, avec son cortège de situations comiques dans le tragique de certains moments. Ces petites perles m'ont rendu Ève précieuse peu à peu. Mon super ego s'était spécialisé dans les blagues douteuses. Ça le faisait marrer, moi aussi, mais parfois c'était limite.

Un matin, juste à son réveil, alors qu'Ève était encore au lit, chez elle, il a fait retentir un rire démoniaque dans sa chambre. À la place d'Ève, beaucoup de femmes auraient paniqué et auraient fait exorciser leur chambre. Pas elle ! Ève s'est mise à rire et a dit à haute voix : « Il ne manquait plus que ça maintenant ! ». C'est tout ce qu'elle a dit. Après, elle est allée se doucher, a fait déjeuner son fils, elle l'a accompagné à l'école et elle est partie travailler sans plus y repenser, comme si c'était normal ! Mon jumeau est resté comme un con. Il n'y a pas à dire, l'humour laisse les ombres sans voix !

La chanson à effet diurétique

C'était tout au début de notre relation. Quand Ève a considéré que j'étais une personne fréquentable, elle a accepté de me revoir régulièrement. J'ai adoré l'observer réagir à mes propos. Elle était vraiment comme un livre ouvert et c'était irrésistible. Ce que je lisais dans son journal, je le voyais inscrit sur son visage. Elle n'a jamais eu de propos discordants, même si, dès le début, elle s'est questionnée à mon sujet.

Quand elle venait me rendre visite chez moi, pendant le trajet qui la conduisait à mon adresse, elle écoutait des CD dans sa voiture.

Quand elle frappait à ma porte, les paroles de la dernière chanson écoutée résonnaient encore dans son esprit et par conséquent dans le mien. Je me souviens d'une en particulier. Cette chanson parlait d'un type qui perdait ses moyens dès qu'il voyait la femme de ses rêves et ça lui donnait envie de pisser comme un gosse pris d'émotion. À cause des paroles de cette chanson, je me retrouvais à aller pisser tous les quarts d'heure. C'est un coup de Mémoria qui donnait aux mots toute leur valeur charnelle... Je m'excusais auprès d'Ève pour filer aux toilettes... Ça s'est reproduit plusieurs fois chez moi. Le pire c'est que j'entendais ce que Ève pensait à mon sujet. Ève croyait que j'avais un problème de prostate et elle se demandait comment un jeune homme pouvait déjà avoir des problèmes de prostate ! C'était comique ! j'en souris, mais sur le coup, j'ai eu des doutes. Les paroles de la chanson avaient un impact sur mon physique. Je ne connaissais pas ce genre de magie. Non, je n'avais pas de problème de prostate.

Avec Ève, je découvrais chaque fois quelque chose de nouveau.

Ce qui m'a fait marrer aussi, c'est la soirée de tarot.

Le jeu du tarot

Parmi nos rendez-vous mystiques, je me souviens de cette autre soirée. C'était un samedi soir, je l'avais invitée chez moi pour lui tirer les cartes. Ce n'est pas mon genre. Je ne fais pas ça par hobby, c'était écrit, il fallait que je le fasse, ce n'était une séance que pour elle. Ève avait des moments de grands doutes au sujet de son amoureux annoncé par Mémoria. Mémoria voulait la remobiliser dans ses objectifs, lui redonner confiance. Ève doutait beaucoup, elle manquait d'assurance. Ça se comprend.

Je m'étais appliqué à mémoriser toutes les cartes d'un jeu de tarot et leurs significations. Les créateurs n'ont pas manqué d'imagination. Ça collait pile-poil avec ce que Ève et moi nous vivions. J'ai dû apprendre les arcanes majeurs en vitesse, un par un. J'ai la chance d'avoir une excellente mémoire et grâce aux Dames, ma mémoire s'est dilatée. J'ai de plus en plus une sacrée mémoire. C'est le genre de petite soirée à deux qui m'ont rendu accro à nos rendez-vous mystiques.

Ce qui est marrant chez Ève, c'est quand elle est prise de court dans une situation, elle ne sait pas comment l'affronter et c'est là qu'elle me fait le plus marrer. Quand je l'ai invitée à s'asseoir plus près de moi, juste en face, pour lire les cartes, elle a très vite oublié ce que je devais faire et elle s'est mise à regarder longuement les images. Elles les trouvaient jolies, mais ne comprenaient rien à ce qu'elles représentaient. Elle n'avait jamais vu un jeu du tarot. Elle regardait les figures, fascinée comme une enfant.

Les cartes disaient plein de choses, en particulier qu'à la fin de son initiation, elle trouverait son amoureux. J'étais face à elle, dans toute la splendeur de celui qui dit tout d'un regard sans prononcer un mot. Elle était complètement perdue. Ève était tiraillée entre l'idée de se faire de fausses idées sur moi et l'idée que je lui cachais son amoureux. Elle ne comprenait pas d'où sortirait cet amoureux si j'étais censé être celui que Mémoria lui avait désigné. Or, je faisais l'innocent, pas concerné et pas amoureux. Elle avait raison de douter et j'étais content de voir qu'elle conservait toute sa raison. Elle a gardé pour elle toutes ses questions à mon sujet. Elle se demandait à cette époque quel jeu se jouait entre elle et moi. Elle me regardait, j'avais l'air de lui plaire, mais elle se disait que ça ne le ferait pas entre nous. Elle trouvait notre situation compliquée et ça ne lui plaisait pas.

Mon ombre qui se prend pour un dieu

Quand Ève croyait que j'étais un dieu, Jésus pour être plus précis, elle a commencé à me faire de petits cadeaux. Du coup, mon jumeau ne se sentait plus, pour lui c'étaient des offrandes normales, il s'est pris pour un dieu ! C'est le problème des ombres qui traversent les siècles. Parfois, ils ont du mal à capter qu'on n'est plus à l'époque des dieux.

Un jour, alors qu'elle était affaiblie par un gros rhume qui se transformait en grippe, elle m'a téléphoné pour me dire qu'elle avait un cadeau pour mon anniversaire, si je voulais bien passer chez elle, elle me le donnerait. Elle travaillait tard et avec son état qui la fatiguait, elle ne se sentait pas de faire la route pour venir jusque chez moi. En pleine semaine, ça se comprend.

Mon diable de super ego, qui se voyait bien en dieu, a pensé tout le contraire. En tant que dieu, il était normal qu'Ève se déplace jusque chez nous pour lui faire son offrande et tant mieux si elle était souffrante, son offrande n'aurait que plus de valeur. Les dieux sont des despotes et les hommes qui se prennent pour des dieux aussi. Pour mon ombre à la pensée archaïque, c'est toujours le croyant qui se déplace vers son dieu et non le contraire. Ben tiens ! Il se croit revenu au temps des pharaons !

Ève a accepté de venir ! ça m'a fait de la peine de la voir dans son état. Si on laisse faire les ombres, il n'y en a que pour leur gueule ! En plus, elle ne s'était pas moquée de nous, elle avait offert le dernier smartphone à la mode, le plus coûteux. Pour un dieu, on ne compte pas ! ça m'a fait doublement de la peine parce qu'elle ne roulait pas sur l'or. Pourquoi je laissais faire mon jumeau ? Parce que les muses voulaient me montrer à quel point une femme peut être généreuse et gentille lorsqu'elle est habitée par le principe d'amour. Elles voulaient le démontrer surtout à mon ombre, le super esprit critique et incrédule !

La cave

Une autre fois, mon jumeau a dit à Ève qu'une femme reste une petite fille tant qu'elle ne sait pas affronter le noir. D'après lui, craindre le noir était franchement ridicule chez un adulte. Ça faisait offense à son état d'ombre et à sa couleur. Il faisait référence à son esprit bien sûr. Il aurait aimé que tout le monde aime le noir. D'ailleurs, il est super content que, dans le luxe et les soirées de gala, les hommes aient un smoking noir. Il l'a mise au défi de rester dans le noir total ! C'est bien une idée d'ombre ! Et pourquoi pas aussi sous le tonnerre et les éclairs, comme au temps des cavernes ! Bien que, ça ne risquait pas, les ombres n'aiment pas se faire mouiller et n'aiment pas le vent.

À vrai dire, l'idée de mon jumeau n'était pas si bête. L'expérience allait montrer à Ève qu'en temps normal, aucun humain ne « voit » ni ne « sent » les ombres.

Ève s'est posé vraiment la question : était-elle encore une fillette ou était-elle une vraie femme ? Elle pensait qu'elle était une femme, mais elle a voulu se mettre à l'épreuve. Dans son immeuble, chacun avait sa propre cave. C'étaient des caves à l'ancienne, avec le sol en gravier, et des murs noirs, dans lesquelles elle n'allait jamais. En plus, elle avait peur des araignées. Il fallait descendre des escaliers, la porte d'accès était toujours ouverte. Ensuite, il y avait un couloir qui distribuait les caves numérotées. L'ampoule qui éclairait cette cave était vraiment faiblarde, du vingt-cinq watts. Elle a quand même pris son courage à deux mains et un jour, elle est descendue. Elle a allumé l'ampoule qui pendait le long du premier mur, à sa droite, il n'y avait pas d'araignée en vue, elle a respiré un grand coup avant de continuer. Il fallait qu'elle arrive à éteindre la lumière et qu'elle aille se placer au centre de sa cave, dans le noir.

Elle a longuement observé la cave à la lumière de l'ampoule, dans tous ses recoins, elle l'a trouvée plutôt propre pour une vieille cave, il y avait quelques bouteilles de vin. Elle n'est pas arrivée tout de suite à éteindre la lumière. Elle avait besoin de s'imprégner de cette cave. Elle a réfléchi à ce que représentait le noir pour elle. Elle pensait que le noir de cette cave était juste l'absence de lumière et que ça ne voulait pas dire que le noir était habité par de mauvais esprits.

Je suis d'accord avec elle.

Quand elle a été certaine de son ressenti, elle a éteint la lumière, elle est allée se placer au milieu de la pièce et elle a compté jusqu'à cent. Une vraie femme ne pouvait pas faire moins. Quand elle est remontée, elle s'est sentie comme une héroïne qui venait de réussir un rite de passage. Elle était très contente d'elle-même et surtout très contente qu'il ne se soit rien passé dans le noir, du genre un frôlement de personne non identifiable...

Je surveillais quand même mon jumeau pour qu'il ne prolonge pas trop ce genre de test, ça peut devenir un plaisir malsain à la longue. À la suite de quoi, Ève m'en a parlé, toute fière de son exploit. Je n'ai rien dit et j'ai souri. Elle allait passer de « l'autre côté » bientôt et voir et sentir les ombres. Chaque chose en son temps.

Le film qui fait peur : Dracula et l'exorciste

Une autre fois encore, mon jumeau lui a proposé de regarder le film « Dracula ». Ève n'a pas apprécié le choix du film. Elle a dit que le genre ne l'intéressait pas. Pour elle, les vrais vampires sont des humains qui pompent l'énergie d'autres humains de mille façons, mais pas en buvant du sang. C'est vrai quoi, les esprits monstrueux qui habitent certaines personnes sont invisibles à l'œil nu, à part si vous avez le vice gravé sur votre visage.

Elle lui a expliqué que cette histoire de vampire et de sang empêchait les gens, hommes et femmes, de se méfier des esprits criminels qui sont plus subtils que les vampires avec leurs deux canines apparentes. Néanmoins, à la fin, elle a accepté de regarder le film pour ne pas être traitée de petite fille attardée.

Mais mon ombre n'en est pas restée là. Il voulait lui faire peur et lui a proposé un autre film qu'elle n'avait jamais voulu voir : l'exorciste. Elle devait regarder ce film toute lumière éteinte, chez elle, la nuit en fermant tous les volets pour qu'aucune lumière électrique de la rue ne vienne éclairer son salon. Ève a trouvé ce défi un peu bizarre. Elle n'avait jamais vu ce film et n'avait jamais eu envie de le voir. Dans un premier temps, elle a refusé de se prêter à ce jeu. Elle détestait les films d'épouvante. Et puis, ensuite, elle a accepté. Pourquoi ? Je me le demande. Il faut croire que mon jumeau sait être convaincant. Est-ce qu'elle voulait se mesurer à lui ?

Ève se disait que si elle avait passé le test de la cave, elle pouvait aussi faire ça. Après tout, ce n'était qu'un film, qu'est-ce qui pouvait lui arriver ? Elle a annoncé qu'elle acceptait de le faire. Mon double s'est empressé de lui refiler le DVD en lui précisant qu'elle devait choisir un soir où elle serait seule chez elle, sans amis et sans son fils. Elle devait le regarder absolument toute seule.

Elle l'a fait ! Elle l'a fait avec une Bible sur ses genoux parce qu'elle n'était pas rassurée. On ne refait pas les croyants ! À cette époque, Ève ne savait pas qu'elle avait des Furies qui la protégeaient.

Pourtant, le soir où elle devait visionner le film, en rentrant chez elle après son travail, elle avait ressenti une étrange sensation, comme une présence maléfique dans son appartement. Elle a chassé l'idée de son esprit. Elle s'est résignée à regarder ce film, mais sans conviction. En tirant le DVD de sa pochette, elle a eu une vision de mon ombre en diable rouge cornu. Ève m'imaginait dans cette version diabolique. Elle ne savait pas si c'était une bonne intuition de sa part, une intuition qui lui disait de me faire dégager de sa vie. J'ai eu de la chance, Ève agit rarement sur des coups de tête. C'est une femme de réflexion. Elle a regardé le film en faisant brûler des bâtons d'encens pour enlever ces drôles de sensations. Mon double, lui, n'était pas content du tout d'avoir été identifié comme un petit diable digne du moyen-âge catholique. En même temps, c'est l'imaginaire d'Ève. Elle a été élevée dans cette religion et ça laisse des traces, elle a toute une banque d'images très catho et les Furies faisaient remonter ces images pour qu'elle dépasse cet imaginaire.

Ensuite, c'est moi qu'elle a vu en astronaute, je l'emportais sur une moto supersonique et on filait au loin au point que la moto se transformait en fusée Ariane qui partait vers l'espace au milieu des étoiles… Ce n'est pas marrant ça comme intuition ? Je trouve que c'est à se plier de rire ! Le cosmos, Ariane… Du coup, elle ne savait plus si j'étais un bon ou un méchant ou les deux. Elle ne savait plus dans quelle case me mettre.

Le lendemain, je lui ai téléphoné pour qu'elle me raconte ses impressions de la veille. J'aimais quand ce qu'elle me disait collait avec ce qu'elle écrivait. Je pouvais voir sa sincérité à l'œuvre. Au téléphone, ce qui m'a fait le plus rire, ce sont ses ressentis. Elle ressentait bien mon ombre, mais elle ne savait pas comment interpréter : est-ce que j'étais un bon ou un mauvais présage ? J'en riais pour dédramatiser, elle était quand même un peu bouleversée. M'imaginer en diable rouge et ensuite en astronaute qui l'emmenait loin dans l'espace la laissait perplexe. Ah ! Ah ! Ève et ses rêves de fusée Ariane ! À cette époque, elle ne comprenait pas pourquoi elle me voyait en diable et en sauveur à la fois. Ces deux représentations lui semblaient contradictoires. Ben tiens ! Avec la religion chrétienne, vous êtes noir ou blanc, mais vous ne pouvez pas être les deux à la fois. C'est bien mal comprendre comment fonctionne le psychisme humain. Je ne faisais pas le malin parce qu'avant de connaître Ève, je ne savais strictement rien de tout ça.

Je me souviens qu'au tout début de notre rencontre, elle avait rêvé qu'elle était un lapin noir tiraillé entre moi et un autre homme de noir vêtu que j'ai identifié comme étant mon ombre. Intéressants, ses rêves ! À cette époque, mon jumeau était jaloux d'Ève ! Maintenant tout s'explique. On peut dire qu'elle faisait de beaux rêves !

Le fin du fin, c'est le lendemain de la vision du film, lorsque j'ai téléphoné à Ève pour prendre de ses nouvelles, elle m'a tenu un discours qui m'a sidéré. Il faut dire qu'à cette époque, elle n'entendait pas encore Mémoria lui parler. De son air tranquille, un peu prétentieux, je dois avouer, Ève m'avait conseillé d'aller à l'église, ça me ferait le plus grand bien, disait-elle, parce qu'elle n'était pas certaine que mon idée de film soit une bonne chose pour mon esprit. Elle m'a dit que j'avais peut-être besoin de retrouver des valeurs un peu moins « gothiques ».

J'étais « mort de rire » ! C'est une façon de parler, je ne voudrais pas que mes mots me rattrapent. Dans l'état où je suis, il faut que je fasse attention à ce que je dis. Franchement, au tout début, Ève ne se doutait vraiment de rien ! C'était trop marrant. C'est comme regarder un enfant découvrir les mille et une merveilles du monde. J'étais comme au cinéma, Ève me fascinait et j'attendais la suite. J'ai pensé néanmoins que ça suffisait pour les frayeurs, mon jumeau n'avait pas autre chose dans son répertoire qui soit moins effrayant ? Taquiner ce n'est pas faire peur, mais avoir de l'humour non ?

La pyramide énergétique

Il m'a écouté ! Il a imaginé quelque chose qu'il avait vu chez des thérapeutes fumistes, ceux qui prennent les gens pour des cons.

Chez nous, mon jumeau m'a fait accrocher au plafond, dans un coin, l'armature dorée d'une pyramide creuse. Au-dessous, il a mis notre nécessaire pour se raser. Puis il a invité Ève pour un thé, un dimanche en début d'après-midi. Je ne sais pas comment il s'y prenait, mais elle venait toujours à ses rendez-vous, même si au départ elle n'en avait pas l'intention. C'était au tout début, elle était très curieuse de mieux me connaître. Bref, elle est arrivée chez moi. Mon jumeau avait préparé un thé, histoire d'être cordial. Il attendait surtout la réaction d'Ève au sujet de la pyramide.

Ève a tout de suite remarqué l'armature qui pendait du plafond et qui arrivait presque à hauteur d'une petite table sur laquelle se trouvait le nécessaire pour se raser. C'était si bizarre. Moi j'attendais les questions d'Ève et les explications de mon jumeau. Elle a observé la pyramide, ensuite ce qui se trouvait dessous, les lames de rasoir, la serviette de toilette propre, le baume pour le visage. Elle m'a demandé s'il y avait un lien entre les deux : la pyramide et le rasage.

Mon jumeau n'attendait que ça. Il a pris un air grave et solennel et lui a dit sans rire qu'il se rasait toujours sous la pyramide. Cette pyramide émanait des ondes bénéfiques pour sa peau et son mental. Depuis qu'il se rasait sous la pyramide, disait-il, une serviette humide et un rasoir de supermarché suffisaient. Il n'avait pas besoin de savon et surtout pas de rasoir électrique. L'électricité ! Surtout pas ! L'électricité déplaçait les énergies qui descendaient sur lui à partir de la pyramide. Se raser était pour lui un rituel auquel il tenait beaucoup. Il ne se rasait jamais le matin, mais le soir. Toujours le soir. Il y a des heures propices au rasage… Et surtout jamais à la pleine lune ! Il trouvait sa barbe beaucoup plus douce.

Quel acteur !

Il regardait attentivement Ève qui était trop polie pour lui dire ce qu'elle en pensait. Elle lui a quand même demandé quel genre d'énergie il ressentait. Il a répondu qu'il sentait des vibrations. Ces vibrations ouvraient par moment un couloir lumineux dans son esprit, et il se demandait si un jour, il n'allait pas entrer en contact avec l'énergie de l'Égypte antique. Ève a esquissé un sourire moqueur. Il l'a regardé sévère et lui a dit :

— Est-ce que ça vous donne envie de rire ? Parce que si c'est le cas, sachez que vous n'êtes pas réceptive et que vous faites de la résistance.

Ève a demandé de quelle résistance elle était coupable, parce qu'il y avait tellement de sortes de résistances, comme par exemple la résistance au bon sens. Il a répondu d'un air dédaigneux qu'il était déçu qu'elle ne soit pas assez sensible pour accepter le monde des vibrations.

Ève était étonnée de me voir croire à ce genre de choses. Elle me confondait avec mon jumeau ; à cette époque, elle ne voyait pas encore la différence entre nos deux esprits. Elle était troublée par ma personnalité et sans me l'avouer, elle pensait que je pouvais avoir le profil de ces gourous de pacotille qui s'inventent des sectes en roulant des gens dans la farine. Elle en avait connu un en particulier, dans sa jeunesse, qui utilisait les techniques à la mode, du genre « bodystorming » ou « brainstorming », c'était très tendance. Sauf que le gourou dont elle parlait utilisait ces techniques pour véhiculer autre chose que de l'éveil spirituel. Depuis cet épisode, Ève avait compris que manipuler les gens était facile. Elle se demandait si moi aussi j'étais manipulateur. Elle ne m'a pas posé la question parce que j'aurais dit non, bien sûr.

Elle a continué la conversation en disant que ma pyramide lui faisait penser à des sectes. Est-ce que je croyais vraiment à ce que je disais ou je la prenais pour une imbécile ? D'ailleurs, avec toutes les cigarettes que je fumais, elle se demandait quelle vibration je pouvais ressentir. Les cigarettes anesthésient un peu tout, le goût, le toucher, l'odorat. Elle m'a conseillé d'arrêter de fumer.

Mon jumeau croyait impressionner Ève ou la mettre en colère et il avait encore raté son coup. Depuis, j'attendais que mon jumeau me lâche un peu pour que j'arrête de fumer.

Le jeu du psychopathe

Je m'informe beaucoup sur ce qui m'arrive, j'essaie d'analyser mon rapport à la réalité. L'initiation nous ouvre l'esprit à des perceptions visuelles, auditives, tactiles, qui s'opposent à l'expérience quotidienne que j'ai de la réalité. Mais Ève est venue me tendre ses mots. Elle a écrit dans son journal une phrase qu'elle avait dû trouver dans une revue. Ça disait : « L'intériorité provoque une distorsion, des paradoxes, qui peuvent être très intéressants. C'est un jeu subtil d'illusions cognitives qui déstabilisent si on ne prend pas le recul nécessaire pour réfléchir de façon plus scientifique à ce qui se passe. »

Ce que je vais noter maintenant remonte aussi à l'époque où Ève essayait de comprendre qui j'étais. Elle m'avait déclaré un jour qu'il y avait plusieurs personnes en moi. Ça m'avait stupéfait. On ne se connaissait presque pas. C'était d'une intuition éclatante. Mon jumeau a sauté sur l'occasion pour faire l'imbécile, toujours dans le but de lui faire comprendre que moi, ego, je n'étais personne et qu'elle devait le regarder lui, l'ombre. Il l'avait invitée chez nous, avec l'excuse de boire un thé et de bavarder. Ça se passait souvent le samedi soir quand elle venait voir ses parents. Il avait créé toute une ambiance de lumières tamisées avant qu'elle n'arrive.

Ève entre, ils se saluent, elle s'installe, ils commencent à boire un thé et mon jumeau se met à la fixer de façon un peu bizarre. Ève ne dit rien et regarde sa coiffure. Je n'étais pas peigné comme d'habitude. Mon con de jumeau avait aplati une mèche longue sur mon front, mais comme j'avais beaucoup de cheveux, la mèche était rebelle et il essayait de mettre tout à plat dans un geste répété en la regardant avec insistance. Ève a bien vu qu'il y avait peut-être des idées intrusives qui lui traversaient l'esprit, mais elle se demandait de quelle nature elles étaient : dangereuses pour elle ou simplement anxieuses ou alors, il était en train de se moquer d'elle ? Elle hésitait, mais avait écarté d'emblée la première option. Mon ombre ne lui faisait pas peur. Je le contrôlais quand même ! Ève m'étudiait, elle sentait que sous mon côté lunaire, ce n'était pas le pire qui se cachait, mais peut-être le meilleur. C'est dingue les intuitions !

234

Quand mon jumeau a vu qu'il n'arrivait à rien, j'ai repris le contrôle de la situation et on a arrêté le jeu. Du coup, Ève, qui s'apprêtait quand même à partir, est restée encore un peu.

Je dis ça pour mes enfants, en cas de doute, quand on se trouve face à une personne pareille, il vaut mieux quand même se sauver par les bois. Ève est un cas à part.

Les cigarettes et les dimanches au bord de l'eau

Mon jumeau n'était toujours pas content. Un vrai sale gosse. Je le surveillais comme le lait sur le feu.

Un soir, on devait se voir avec Ève après vingt heures, un samedi. Il lui a téléphoné pour lui demander un gros service. Il n'avait plus de cigarettes et, puisqu'elle venait le voir, il lui a demandé si Ève pouvait lui apporter un paquet de cigarettes ou deux ? Il pleuvait et n'avait pas envie de sortir.

Ève lui a rappelé qu'elle était contre les cigarettes, ça abîmait les poumons et les artères, sans compter les odeurs de tabac froid que les gens portent sur eux. Il a insisté. Il voulait voir ce qu'elle ferait ; est-ce que ses sentiments pour lui l'emporteraient sur ses convictions ? Est-ce que c'était une psychorigide ? Là encore, Ève a dépassé nos espérances. Elle a accepté d'acheter le paquet de cigarettes parce qu'elle savait très bien que la nervosité due au manque de cigarettes gâcherait la soirée. C'était à moi d'arrêter quand le moment serait venu. Je lui avais dit par ailleurs que j'en étais capable. Je voulais la rassurer parce qu'elle déteste vraiment les odeurs de cigarette. Je l'ai dit fermement et elle m'a cru. Elle a cru en moi sans faire un pli ! J'étais content.

Un dimanche, mon jumeau m'a dit qu'il voulait inviter Ève au restaurant en Suisse. Ça faisait chic, il voulait la courtiser. Pourquoi pas ? Même les ombres peuvent tomber amoureuses. Ça ne pouvait pas lui faire de mal. Mon jumeau était amoureux de sa déesse intérieure. Sauf qu'Ève était un « ego » comme moi, pas un être de lumière comme sa déesse intérieure.

J'ai accepté. J'ai pensé que ça me ferait une balade à moi aussi et peut-être des vacances. C'est Ève qui avait pris sa voiture et qui conduisait. Il lui a fait une remarque pas sympa sur sa façon de conduire. Ève a ri de son machisme. Elle l'a emmené au bord du lac de Nyon. C'est joli comme petite ville suisse. Très suisse. On dirait que rien de mauvais ne peut arriver en Suisse, tout est beau et ripoliné comme dans une peinture de montagnes suisses. C'est si paisible et beau que je me demande où se cache le noir des gens ? Dans les banques peut-être ? Blague mise à part, c'était reposant. Mon jumeau s'est acheté un gros cigare de milliardaire, il se croyait stylé et il l'a suivie pour boire un café. Ève avait choisi un joli bar en surplomb avec vue dégagée sur le lac. Mon jumeau a lu le journal sans s'occuper d'Ève comme un vrai macho, sans même regarder la belle vue.

Mon jumeau se fatigue vite des situations, il a la bougeotte, quand il en a eu marre de la balade dominicale, il a voulu rentrer chez lui sans même l'inviter au restaurant. C'est Ève qui lui a proposé de manger avant de partir. Il n'était pas contre, surtout si c'est Ève qui offrait, mais il a voulu choisir l'endroit. Et il a choisi quoi comme restau cet abruti ? Un restaurant de motards au bord de la route ! Je n'y crois pas ! Je sais qu'il adore les motos, mais quand même ! Ève n'a rien dit même si l'endroit ne lui plaisait pas, c'est une fille facile à vivre. On aurait dit le couple désassorti des dimanches d'ennui. Il parlait peu, c'est Ève qui faisait les frais de la conversation. Ils auraient pu rester au bord du lac. Tout le long de la côte, il y avait plein d'endroits sympas. Non ! Le beauf dans toute sa splendeur ! Il a choisi tout seul, sans même demander l'avis d'Ève. Tout au long de cette sortie, il a fait sa vie tout seul, comme si Ève n'était qu'une décoration à côté de lui pour faire jolie.

Toujours est-il qu'une fois au restaurant, il était déjà 14 h, c'était la fin du service, il ne restait pas un grand choix au menu. Ève et moi avons pris ce que le patron a bien voulu nous servir : des endives grillées avec du poulet et des frites. Ève adore les frites. Elle a commencé par manger ses frites chaudes pendant que mon jumeau mangeait ses endives. Ensuite, sans rien demander à Ève, il a commencé à piller dans l'assiette d'Ève ses endives à elle, en coupant à même son assiette le bout sucré des endives, pour lui laisser le trognon amer.

Ève s'est mise à rire en se demandant s'il faisait exprès d'être si rustre. Il la regardait avec ses yeux de con fini. Moi aussi j'ai eu envie de rire tellement c'était trop. Mon jumeau en faisait trop. Je n'ai pas pu m'empêcher de laisser passer un sourire parce que là, j'en rougissais de honte pour lui. Je blague, je ne sais pas rougir. Ève lui a demandé en riant si c'était pour lui donner une leçon parce que d'habitude, c'est souvent les filles qui pillent dans l'assiette de leur copain sans demander.

— Ah ! a-t-il répondu, vous avez remarqué vous aussi que c'est une habitude de fille ? Je déteste cette habitude !

En se moquant de lui, Ève a ajouté qu'il n'était pas aussi galant que les coqs de basse-cour.

Les coqs ? Quoi, les coqs ? Qu'est-ce qui se passe dans les basses-cours ? Moi je n'avais gardé que les cochons !

Il paraît que dans les basses-cours, lorsque le fermier jette quelque chose à manger, le coq appelle ses poules pour qu'elles mangent en premier et le coq mange après. Ève avait pu le constater par elle-même dans un poulailler. Elle l'avait encore mouché ! Je parle de mon jumeau, moi je me marrais en douce. Ève lui a demandé ce qu'il détestait, en plus des filles qui grappillent dans l'assiette de leurs copains.

Il a répondu qu'il détestait le poisson ; il a ajouté qu'il détestait tous les fruits de mer, les crustacés et surtout les anchois, pour leur odeur très forte qu'ils laissent dans les urines ; quand on en mange, la pisse a l'odeur de poisson avarié, c'est un peu dégueu. Ouais, bon, il peut passer sur les détails. Il n'est pas obligé de dégoûter les autres. Je découvrais que mon jumeau n'était pas très raffiné. En même temps, on avait grandi loin de la mer, on est très « viandard » à la montagne. Moi, je ne demandais pas mieux que d'apprendre à aimer le poisson, frais de préférence, je suis de nature très curieux. J'aime la cuisine du monde. Je ne suis pas comme ceux qui voyagent à l'étranger en essayant de retrouver la cuisine de leur terroir.

Mon jumeau a pensé qu'il fallait qu'il sonde encore Ève, il n'en avait jamais assez. C'est bien une idée de vieux ! À mon avis, il ne voulait pas être rassuré sur les qualités d'Ève, il voulait la piéger. Mon jumeau avait en fait un esprit patriarcal. Ève était un ange comparé à lui et je ne comprenais pas comment elle pouvait fréquenter un type comme lui. Alors que mon jumeau ne comprenait pas comment Ève pouvait m'aimer ou même envisager de vivre avec moi. Ce qui lui donnait envie de taquiner la muse... J'étais là pour modérer le taquinage. Ève n'était pas « sa » chose. Il y avait des limites à ne pas dépasser et j'étais là pour les lui donner. C'était mon rôle.

La Saint-Valentin

Je me souviens qu'un jour de la Saint-Valentin, on se connaissait depuis peu, Ève était arrivée chez moi avec des chocolats en forme de cœur. Pourquoi cette pensée d'amoureuse ? lui a demandé mon jumeau d'un air renfrogné, qu'est-ce qu'il avait fait pour mériter des « cœurs » ?

Elle m'a trouvé mal embouché et m'a répondu qu'il n'y avait pas besoin de raison pour faire plaisir. Dans ma peau de super connard, la gentillesse était un sentiment auquel mon jumeau était insensible. Sa gentillesse était suspecte à ses yeux. Pour lui, on ne peut pas être gentil gratuitement. Ça n'existe pas. La gentillesse doit avoir une finalité comme un service rendu ou un service à demander, la gentillesse pour lui devait être intéressée. C'est comme ça que fonctionnaient les relations humaines pour mon ombre.

Même dans les familles, c'est la loi de la jungle entre ombres. La famille, c'est le premier endroit où très souvent, les ombres sont féroces les uns envers les autres. Les rapports de force sont là. Et je ne parle même pas d'héritage ! Je ne parle que de place à prendre. Par exemple, les frères aînés ne sont pas toujours mignons envers leur cadet. Il y a une jalousie difficile à digérer pour le premier-né qui n'est plus le « roi » pour ses parents. Je parle de ça parce que j'ai dû être un frère aîné jaloux vu ce que j'ai fait endurer à mon petit frère.

Aujourd'hui, je l'adore, mais je ris encore de mes conneries d'enfance qui auraient pu mal tourner pour lui. J'en ai raconté une à Ève, ça ne l'a pas fait rire du tout. Ça l'a même choquée. Pourtant, je ne suis pas de ceux qui torturent les animaux ou les insectes. Je n'ai jamais arraché les ailes d'une mouche pour la punir de tourner autour de moi. C'est trop cruel ! Pourtant, je n'avais pas été tendre envers mon petit frère, j'étais juste inconscient. J'avais attaché son pied à la queue d'un petit veau et le petit animal l'a traîné un peu par terre. Bien sûr, mon petit frère était terrorisé… ça n'a pas duré. Les parents devraient surveiller de plus près leur aîné, on ne sait jamais.

Pour en revenir à la Saint-Valentin, mon double voyait Ève sourire pacifiquement et il pensait : mais c'est qu'elle se prend pour une sainte ! Il aurait presque eu envie de la faire pleurer pour qu'elle arrête de sourire. Pourquoi elle souriait ?

J'observais en silence mon jumeau. C'est flippant de découvrir en soi un esprit si mal tourné.

Ève a dû sentir quelque chose parce qu'elle n'est pas restée longtemps. Ça se voyait comme un nez au milieu de la figure que j'étais de mauvais poil, prêt à dire des trucs pas sympas. Elle a bien fait de partir. Pourtant, moi qui la suivais dans ses pensées, à aucun moment elle ne m'a jugé. Elle mémorisait les différentes facettes de mon caractère et attendait avant de décider si elle allait continuer à me fréquenter ou pas. Je savais qu'Ève pouvait être radicale et rompre tout contact avec moi du jour au lendemain. Ciao !

Dans cet état d'esprit scabreux, même après le départ d'Ève, mon jumeau cherchait la faille qui ferait d'Ève une femme coupable. Il continuait à ruminer. Pour lui, la gentillesse d'Ève était suspecte. Elle ne pouvait pas m'aimer, elle était venue juste pour apercevoir son amoureux solaire, celui qui lui avait tourné la tête. Il était jaloux. Mon ombre est persuadée qu'une femme qui arrive à accepter une ombre, inconsciemment bien sûr, n'est pas une femme normale. Elle cache forcément quelque chose d'inavouable, elle cherche à se faire pardonner d'une faute ou que sais-je encore, une trahison ? Dans un couple, ce genre d'homme, au dédoublement facile, se comporte en jaloux, il pourrit la vie de l'autre jusqu'au moment où les coups arrivent. Il y a trop de femmes qui meurent encore sous les coups de ces hommes ou plutôt de leur mauvaise ombre.

En réalité, ce que j'ai appris grâce aux muses, c'est que la plupart des femmes ont en esprit l'idée de sauver les hommes aux ombres tourmentées. C'est dans leur gêne de femme. Ce qui m'a obligé à reconsidérer l'histoire d'un Jésus sauveur.

Jésus a-t-il vraiment sauvé les hommes de leurs vices ? Est-ce qu'ils ont compris qu'ils ne devaient pas considérer la femme comme leur propriété ? Je ne crois pas. Quand je vois ce qui traîne encore dans la tête des hommes au sujet des femmes, je dirais que, nous autres hommes, on est loin d'être sauvés. S'il n'y avait pas eu 1968, les femmes en seraient encore à attendre de jouir au lit et prier leur mari de leur permettre de travailler. Je crois plutôt que le vrai sauveur en ce bas monde, c'est la femme. C'est elle l'âme du foyer, c'est elle qui donne un sens à la vie de famille, à la vie des enfants, à la vie d'un mari. Comment l'Église a fait pour transformer l'homme en sauveur du monde ? C'est le monde à l'envers !

De l'art de faire douter

Mon jumeau que je peux appeler « super ego » depuis que je connais mieux mon psychisme, est un vrai bâtard ! Je dois l'éduquer aux bonnes manières et aux bonnes pensées.

Mon jumeau était catégorique, il trouvait qu'Ève n'était pas à la hauteur de sa déesse intérieure. C'était une mortelle, donc pas à sa hauteur, ni de ses Furies éternelles, parce qu'il se savait être un esprit immortel. Il aurait adoré la « posséder » pour voir du dedans Ève la fée ! C'est la lumière qu'il visait, la lumière de sa belle âme immortelle, immortelle comme lui. Sauf qu'il oubliait que l'ombre et la lumière ne peuvent pas cohabiter, l'une exclut l'autre !

Est-ce que ça ne serait pas l'ombre qui nous infuse des idées de classe supérieure, d'élite, d'aristocratie… ? Être immortels ne fait pas de nos ombres des esprits aristocrates. Le meilleur de l'homme doit venir de l'intérieur, pas d'un titre souvent acheté, ou bien gagné au gré de guerres sanglantes ou de services rendus à un roi. Le véritable aristocrate, ce n'est pas la richesse qui le définit ni son titre.

D'après mon jumeau qui se comportait en individu louche, je ne devais pas écouter le charabia d'Ève sur le féminin, elle ne faisait que dire des conneries invérifiables. Comme quoi ? je lui ai demandé. Ben... a-t-il hésité, quand elle parle des mythes. Il ne fallait pas que je l'écoute, les mythes c'étaient des fables ! Cette Ève, c'était un canular, une fois que Mémoria retournerait là d'où elle vient, Ève allait se dégonfler comme une baudruche et il m'assurait que moi j'allais la voir sous un autre jour, bien moins avantageux.

Il était tenace !

Je lui ai répondu qu'Ève avait le droit de présenter son point de vue de femme, j'étais content d'avoir un autre point de vue sur l'histoire que le point de vue du masculin. Mon super ego s'est carrément foutu de ma gueule :

— Quel point de vue ? Celui d'une féministe sexiste ? Mec, tu ne vois rien et tu ne comprends rien ! Elle va juste te rendre minable et te mener par le bout du nez. Laisse cette nana, crois-moi, elle n'est pas faite pour toi, elle n'est pas faite pour nous. C'est pas parce que tu l'entends parler dans ta tête qu'elle est spéciale ! On était bien tous les deux avant de la connaître, non ? Tu as vu comme elle nous a séparés ? Juge par toi-même. On était tellement liés tous les deux qu'on ne savait pas qui parlait et qui décidait, on était pareils, toi et moi. Ça roulait entre nous. Regarde ce que cette Ève a fait en peu de temps ! Elle a fait de moi un étranger pour toi et tu me regardes comme si j'étais dangereux, comme si je te voulais du mal, comme si on n'avait pas grandi ensemble ! Comme si j'étais un monstre ! Je suis toujours là pour toi, frère, je donnerais ma vie pour toi !

Là, je l'ai arrêté net et je lui ai fait remarquer que plusieurs fois il m'avait mis en danger sans s'occuper de mon corps. Il était censé me protéger et il m'avait fait faire des excès d'alcool, j'avais participé à plein de bagarres et fait plein de conneries diverses et variées. Mon super ego a rigolé !

— Des « excès d'alcool » ? Des conneries « diverses et variées » ? Tu parles comme une tarlouze maintenant ? Tu vois, elle a déjà commencé son travail de sape ! Depuis quand on ne peut plus prendre une cuite ? Qui n'a pas pris de cuite dans sa vie ? Et les bagarres ! Pardon, frère, mais c'étaient des bagarres que toi tu décidais parce que tu voulais faire le Don Quichotte de ces dames ! Arrête ton char ! C'est toi le faux frère ! Et tout ça, à cause de qui ? À cause d'Ève, cette sainte-nitouche ! Ah, je la retiens, ta muse ! Tu parles d'une vie, tu es devenu un vrai moine, non, mais regarde-toi ! Je m'emmerde depuis qu'elle est entrée dans ta vie. T'es devenu chiant. Tu peux plus boire, parler et baiser comme tu veux. Tu n'es plus rien ! Voilà ce que tu es ! Personne !

— Un ange, j'ai rectifié, je suis un ange c'est-à-dire un homme asexué momentanément avec des pensées de paix et d'amour.

— Un ange ? Tu déconnes ? J'aurai tout entendu de ta part !

Mon jumeau cherchait la merde.

Je lui ai demandé quelle vie il voulait pour moi, lui qui utilisait mon corps comme si c'était le sien, lui qui n'en prenait pas toujours soin ? Il prenait mon énergie plutôt ! Il n'avait même pas la mesure de ce que mon corps pouvait supporter ! Bonjour le frère !

Mon super ego a repris que cette femme était un démon, elle nous séparait ; mais si je restais de son côté à lui, si on restait nous deux, on pourrait se défendre de sa fausse gentillesse et de ses manières hypocrites.

— Moi, je sais comment lui faire son affaire, me dit-il. On redeviendra les rois du monde, toi et moi comme avant !

Sacré frangin ! Il n'en ratait pas une pour me mettre contre Ève ! Le féminin, ça le travaillait vraiment. Avant de l'entendre penser comme un double de moi, je n'aurais jamais cru qu'il était si remonté contre le féminin. Depuis que mon jumeau fréquentait les Dames grâce à moi, il avait pris un peu le melon.

Il voulait « tester » quoi encore chez Ève, son Q.I. ? Avec les Dames, on testait le cœur, pas le Q.I. ! Il était encore à côté de la plaque ! Il n'était pas bien dans sa tête, il ne serait pas un peu pervers narcissique ? Plus j'y pensais et plus il me semblait comprendre le fonctionnement des pervers narcissiques. Ce sont des types qui adorent le masculin, ils sont en mode froid et calculateur, une machine à broyer les femmes : faire semblant de les aimer pour mieux détruire leur mécanisme délicat du dedans.

Quand on aime avec son super ego, ce n'est pas de l'amour vrai. Mon jumeau me fout les jetons depuis que je vois ses pensées profondes. Il mettait du temps pour admirer Ève, pour arriver à l'aimer. Il était fou amoureux de sa déesse, c'était ça la vérité et il ne pouvait pas l'avoir. Du coup, il se mettait à dénigrer ce qu'il ne pouvait pas obtenir. Classique. Mon super ego est plein de malices. Il faut qu'il se calme, je vais le mettre au pas. C'est ce que j'ai fait pendant des mois. C'est pour ça aussi que je ne pouvais pas voir Ève aussi souvent que je l'aurais souhaité. Je devais vraiment régler cette affaire intérieure entre mon ombre et moi.

Un jour, quand j'ai vu que je maîtrisais mieux son esprit, je l'ai autorisée à revenir sur le devant de la scène pour voir comment il se comporterait avec Ève. Je ne voulais plus d'arrière-pensée de sa part, en particulier sur l'âge d'Ève. Je la trouvais plutôt à mon goût pour son âge. Elle ne faisait pas son âge, je ne vois pas de quoi il se plaignait. Il avait honte de se balader avec elle ? Moi, pas du tout. Ève est une femme raffinée, du dedans comme du dehors, même si elle ne porte pas de vêtements de marque. Elle a une touche intérieure qui fait d'elle quelqu'un de spécial pour moi.

Taquiner la muse : la vie monacale

Mon jumeau avait enfin compris qu'il devait intégrer Ève dans son esprit et qu'il pouvait « taquiner » la muse, mais pas la bousculer. Il voulait me montrer son savoir-être et il s'est invité chez elle un samedi après-midi, juste pour le café. Il voulait lui faire comprendre qu'entre nous et elle, il n'y avait rien à attendre, on était sur une autre planète, celle des mystiques.

Il est arrivé chez Ève avec un humour tout à lui. Il venait à peine de dire bonjour qu'il a commencé à lui faire un reproche, sans lui demander comment elle allait. Il lui a montré un minuscule bouton qu'il avait près du nez, pour lui faire croire que ça lui défigurait le visage et que c'est elle qui lui faisait venir des boutons !

Ève n'a rien répondu, elle a observé le bouton ridicule, mais elle a pensé très fort qu'il devait être très narcissique pour croire qu'un tel bouton le défigurait. Malgré ce bouton, elle le trouvait beau. Elle s'inquiétait de mon caractère : est-ce que j'étais du genre à accuser la femme avec laquelle je vivrais du moindre bobo ? Elle qui détestait les hommes à bagouses, elle ne supportait pas non plus les accusateurs misogynes. Mon jumeau n'a pas insisté parce que je lui ai fait la leçon. Non, mais, me faire passer pour un précieux auprès d'Ève ?

Ça prend du temps d'éduquer son ombre. Elles avaient raison les Dames, ça allait me prendre bien dix ans pour aligner tous mes esprits correctement.

Mon jumeau a voulu la démoraliser en lui faisant comprendre qu'il n'envisageait pas de vie de couple en tant que mystique. Il lui avait apporté en cadeau un petit livre de poèmes. Le fameux livre de Khalil Gibran, « le prophète ». Elle le connaissait et l'avait déjà lu il y a très longtemps. Elle voulait bien le relire parce qu'elle avait oublié un peu la beauté de ses textes. Elle se souvenait que ce poète mystique parlait du mariage en donnant plein de conseils spirituels sous des métaphores difficiles parfois à comprendre. Il écrivait qu'il était bien pour un couple de rester chacun isolé après avoir partagé le même plat. Ève ne comprenait pas ce qu'il voulait dire par là. Est-ce qu'il pensait que l'homme et la femme spirituels ont meilleur compte à vivre chacun de leur côté et à se retrouver de temps à autre pour une partie de jambes en l'air ?

Mon jumeau jubilait. Il venait de trouver le moyen de tenir à distance Ève tout en la tenant sous sa coupe. Lui trouvait la distance que l'auteur mettait entre l'homme et la femme était très bien.

Ève lui a donné son point de vue. Elle trouvait que c'était très difficile de vivre à deux, mais que c'était justement le défi de la vie entre le masculin et le féminin : apprendre à partager, tout en restant respectueux de l'autre, de ses goûts ou dégoûts. C'est en se frottant l'un à l'autre que les principes masculin et féminin pouvaient se mettre à l'épreuve et devenir meilleurs.

Mon jumeau est revenu vers moi un peu dubitatif sur les idéaux d'Ève. La vie en couple ne passait pas chez lui et il a commencé à déglinguer les couples.

— Depuis quand ça rendait les gens meilleurs d'être en couple ? Ça se saurait, me dit-il sans rire. Ça les rend moins seuls, c'est tout ! Tu les as déjà vus, ceux qui invitent une célibataire ou un célibataire chez eux parce que c'est « l'amie » ou « l'ami » d'un des deux partenaires du couple ? On dirait qu'ils font une bonne action. Ils forment un mur compact face à la solitude comme s'ils avaient peur d'être contaminés et nous montrent comme c'est bien d'être en couple. Ils sont super occupés, ils ont « plein de choses à faire », plein d'invitations à rendre, au travail, n'en parlons pas, ils sont fatigués avant le lundi et le vendredi, ils sont H.S. Les week-ends ? Trouver où aller et avec qui, c'était tellement fatigant !

Mon jumeau n'en pouvait plus de les voir étaler leur assurance d'être deux. Il disait que ce n'était pas le bonheur qu'il voyait, mais une espèce d'association pour « problem solving ». Ils passaient d'un souci à un autre sans prendre le temps de savourer la vie.

Hum... ça sentait la jalousie de sa part. C'est quoi ? C'est la solitude qui frustrait mon jumeau ? C'est vrai que depuis que j'étais devenu un moine laïc, il y avait moins de turbulences dans notre vie. Quoique les ombres fugueuses nous occupaient bien. Ça ne lui suffisait pas ? Il trouvait que ce n'était pas assez sportif ?

Pourquoi les Dames voulaient-elles à tout prix qu'Ève me voie sous mon plus mauvais jour ? Avant de connaître ces Dames, mon super ego était rangé, je ne le laissais pas divaguer et dire n'importe quoi et il avait toujours été bien disposé envers les femmes. C'était quoi cette nouveauté chez lui ? Pourquoi, tout à coup, il avait des pensées atroces ?

Elles ont répondu qu'elles connaissaient bien mon fond, c'est moi qui ne me connaissais pas. Il faut se fouiller bien profond pour dénicher ce qui stagne et qui pue. Elles étaient là pour ça, pour que je puisse me voir tel qu'en moi-même, sans masque et sans le filtre de la civilisation.

Dans quel but ?

Elles ont dit que c'est dans les moments de stress ou d'angoisse ou de survie que l'ego lâche la bride et que la bête à cornes surgit. Elles voulaient que je voie de quoi était fait « ma bête » à moi, quel genre de taureau j'étais.

Super ! Je m'étais vu, c'est bon, on pouvait passer à autre chose ?

Les muses ont ajouté que c'était nécessaire qu'Ève me voie dans tous mes états changeants pour qu'elle comprenne bien que je n'étais pas un dieu. Je n'étais qu'un homme faillible et ma force actuelle n'était due qu'à mes relations avec les Dames. Je me suis donc plié au désir des Dames, lesquelles voulaient que je laisse mon jumeau taquiner Ève.

J'ai demandé à mon super ego dans quel autre domaine il voulait tester Ève pour arrêter son petit jeu ? Il voulait tester sa sexualité. Sa sexualité ? Mon jumeau était persuadé qu'Ève était une « chaudasse » puisqu'au fond, elle n'était qu'une païenne, habitée par une déesse de l'amour en plus ! Ève allait devenir sa grande prêtresse si ça se trouve. Il voulait avoir la primeur de ses capacités. Il en était tout émoustillé. Il se prend pour un satyre ?

Bien sûr, c'était bien avant que j'aie avec Ève notre nuit d'extase surdimensionnée. Tout était encore à découvrir.

Ève la chaudasse

Mon jumeau pense que les femmes sont trompeuses. D'après lui, Ève a une religieuse en elle et le lendemain, il dit que c'est une païenne lubrique. Il se contredit. Il m'a répondu que c'est moi qui étais naïf. Toutes les femmes avaient une religieuse qui dormait au fond à cause des religions, mais en grattant bien au-dessous de la religion, c'était une païenne lubrique qui se cachait sous la morale, une chaudasse et si c'était une chaudasse, elle serait forcément tentée par la sexualité libre comme au temps des prêtresses. Il voulait explorer ce genre de sexualité. Il en avait tellement entendu parler. Ça devait être génial de faire l'amour avec une ex-fille d'Aphrodite !

Sacrée ombre que ce jumeau ! Elles venaient d'où, ses idées à la con ? En plus, il était persuadé qu'une femme de l'âge d'Ève, qui croit encore à l'amour-toujours, avait des problèmes de neurones. On ne peut pas dire qu'il avait une idée lumineuse d'Ève. Je résume sa pensée profonde : si elle est religieuse, elle est trop stupide pour lui, genre sœur-sourire ; si elle est libérée, c'est une put. Je lui ai dit de mettre à jour ses données et que les femmes d'aujourd'hui n'étaient « ni des put ni des soumises », comme disait une femme il y a quelques années. Il fallait qu'il se fasse une raison. Non, mais qui m'a foutu un super ego pareil ? D'où il sort ?

Mon jumeau a fait comme si je n'avais rien dit. Il a continué son petit manège minable. Il m'a assuré que malgré toutes mes minauderies sur ma nuit « cinq étoiles » avec Mémoria, il était capable de mettre Ève dans son lit en un claquement de doigts.

Et comment il ferait ça, lui qui se croyait si malin ?

Il m'a dit d'observer le mâle en action... Il allait ambiancer la situation et elle allait atterrir dans son lit sans faire un pli.

J'ai observé ou plutôt, j'ai écouté... On était en hiver, il lui a téléphoné un dimanche matin avant la messe de dix heures. Il a pris sa plus belle voix de charmeur (du dimanche) pour lui demander d'un air sensuel si elle avait vu la neige qui tombait. Elle a dit que non parce qu'elle était à Lyon et qu'il ne neigeait pas sur Lyon. Il a continué la conversation avec un ton si suave que c'en était pathétique.

Il a dit que cette neige qui tombait comme ça, si blanche et feutrée, était propice à l'amour et qu'elle devrait venir le rejoindre. Il a fait « hum ! » pour accompagner ses propos. J'ai eu honte pour lui... Il lui a proposé de faire l'amour, comme ça, direct, à dix heures du matin !

— Quand ça ? a demandé Ève étonnée. Tout de suite ?

— Oui, a répondu mon jumeau de sa voix de bellâtre en manque de sexe.

Il mettrait du feu dans la cheminée, ils s'installeraient tous les deux sous la couette, et à eux la belle journée d'amour... Il voulait jouer au poète, on n'avait pas de cheminée dans le petit logement imposé par notre austérité de moine.

Ève s'est mise à rire, mais à rire. Elle trouvait sa proposition comique. Ça a bloqué net mon super ego. Il ne savait plus quoi dire. Il en est resté muet. Il ne s'attendait pas à cette réaction de la part d'Ève. Il lui a demandé la raison de son fou rire. Elle a dit qu'elle ne s'imaginait pas sous la couette avec lui d'une part, et certainement pas le matin alors qu'elle avait plein de choses à faire. Le dimanche, ce n'est pas un jour de repos pour elle, ce n'est pas non plus le jour du « Seigneur au lit » suivi de « dites-moi ce qui vous ferait plaisir ». Mon super ego est revenu à l'attaque :

— C'est parce que vous n'avez pas essayé de faire l'amour avec la neige qui tombe au-dehors, il n'y a rien de plus romantique.

— En fait, a répondu Ève, je ne fais jamais l'amour avec un inconnu et il me semble que nous ne nous connaissons pas au point de partager autant d'intimité.

— Mais justement, ça éviterait tout embarras. En Inde, le tantrisme est pratiqué entre inconnus.

— Le tantrisme ? Je ne sais pas ce que c'est et ça ne m'inspire pas. L'Inde n'est pas ma tasse de thé.

— Vous avez une façon de critiquer de grandes civilisations un peu à l'emporte-pièce.

Ève a répondu qu'elle ne pouvait pas continuer à « badiner » au téléphone, elle devait raccrocher.

Il voulait savoir ce qu'elle avait de mieux à faire que l'amour avec lui. Elle a dit en riant que le dimanche matin, c'était jour de ménage. Elle n'avait pas le temps dans la semaine, trop de choses à faire entre le magasin et son fils. Il n'arrivait pas à la croire. Il lui a demandé ce qu'elle faisait en ce moment précis. Elle a répondu qu'elle était en train de passer son balai vapeur sur les sols. Elle trouvait ça magique, mieux que la serpillière de Cendrillon !

Quoi ? Le ménage plus magique que l'amour ? Toujours avec sa voix de crooner, il a insisté et insisté en disant qu'elle ne savait pas ce qu'elle perdait. Elle a répondu si, elle savait qu'elle était en train de perdre du temps et s'il n'avait rien de plus sérieux à lui dire, elle allait raccrocher. Il était surpris, il a cherché un mot spirituel, n'a pas trouvé, il lui a dit :

— Tant pis pour vous ! et il a raccroché sans manière.

Mon jumeau est revenu vers moi en me disant qu'il était hors de question qu'on fréquente une femme qui faisait le ménage le dimanche matin au lieu de roucouler sous la couette !

— On mérite mieux qu'une femme de ménage ! À Paris, on fréquentait des filles qui avaient du style. Nous aussi, on était stylés.

Je lui ai demandé ce qu'il entendait par « filles stylées » ? La « parisienne » ? Il m'a répondu « oui et alors ? ». Mon jumeau a essayé de me provoquer :

— Bah, vas-y toi avec Ève, essaie de la brancher pour voir si tu es plus futé bison, toi aussi t'es une bête à cornes ! Tu me fais la leçon, montre-moi la pratique. T'as changé, mec, je te reconnais plus. Je ne fréquente pas ce genre de femme. Je te la laisse volontiers.

Mais quel prétentieux, ce jumeau ! Il voulait m'impliquer dans ses manigances à trois boules ! Je suis ferme à présent avec mon jumeau. Dès que je sens une idée tordue arriver dans mon esprit, je la repousse sans lui accorder de crédit. C'est comme ça qu'on met au pas une ombre. Elle ne peut plus me faire arriver des arrière-pensées. Ça fait du bien, ça repose. C'est ça la paix de l'esprit et je remercie mes Dames de me faire connaître ça.

Ève a effacé ces épisodes dans son journal, mais moi ça m'a trop amusé.

Ève est-elle vénale ?

Un jour, ce bavard de jumeau a voulu voir à quel point Ève était vénale. Pour lui, toutes les femmes sont vénales, même les femmes écolos qui sont souvent les plus bobos. Elles ont besoin d'un fric dingue pour acheter trois pommes bio et un quignon de pain complet, sans parler des vêtements en matière extra-vierge, des huiles essentielles hors de prix, et de leurs stages auprès de « thérapeutes » dont les adresses se passent de bouche à oreille et qui coûtent une blinde. En prime, ils ne sont pas toujours à la hauteur de leur réputation.

Mon double trouvait que les Dames trichaient. Elles « soufflaient » probablement à Ève ce qu'elle devait faire pour paraître sous son meilleur jour : bonne, douce et non vindicative. En plus, elles lui avaient confisqué son ombre pour qu'elle soit inoffensive. Au fond, il en était sûr, elle était bourrée de défauts et de mauvaises pensées. Quand elle reviendrait à elle, je verrais la différence de traitement qu'elle me réserverait.

— Il était où son super ego à elle, hein ? Pourquoi on ne le voyait pas ? C'était trop louche, disait le mien.

Ses doutes étaient légitimes. Ève voyait mon côté sombre, mais moi je ne voyais pas le sien. Je savais qu'il avait été neutralisé et j'attendais le retour de son ombre pour me faire une idée. Je n'étais pas pressé. Elle avait vu mon côté sombre tout de suite, moi pas. Je me demandais à quoi ressemblait le sien.

Quant à son test de vénalité, je m'en souviens comme si c'était hier. Ça s'était passé par téléphone. Mon jumeau lui avait demandé un jour si Ève avait besoin d'argent. Ève avait répondu que sa question était bizarre. Qui n'a pas besoin d'argent ? Tout le monde a besoin d'argent. Pourquoi ? demanda-t-elle. Il lui a répondu qu'il possédait les numéros du prochain loto gagnant. Il suffisait qu'elle lui demande ces numéros et tous ses problèmes d'argent seraient résolus ! Ève n'a même pas réfléchi une seconde. Ça ne l'intéressait pas, elle était déjà en pleine discussion avec Mémoria et pour elle, argent et mystique, ça n'allait pas ensemble. Elle était en pleine retraite, tout comme moi. Elle ne voulait pas penser à des histoires d'argent alors qu'elle cherchait une autre forme de richesse, la richesse intérieure.

J'ai fait comprendre à mon jumeau qu'il ne pouvait pas accuser Ève d'être vénale. Son verdict a été mitigé. Peut-être pas vénale, m'a-t-il dit, mais égoïste. Égoïste ? Je ne voyais pas le rapport avec la vénalité. Il m'a alors donné sa version des faits. D'après lui, Ève était tellement absorbée par ce qui se passait en elle, qu'elle était entrée dans le « dépouillement » comme on entre dans les ordres. Elle n'était pas toute là. Elle ne voyait pas ce que cet argent pouvait être utile à d'autres. Ève n'a même pas pensé qu'elle pourrait aider plein de personnes qui en avaient besoin. Si ça, ce n'est pas égoïste, me soufflait mon jumeau : même dans le renoncement, Ève n'avait pensé qu'à elle et pas aux autres !

C'est tout lui ! Qui peut penser comme ça ?

Mon jumeau a profité de mon trouble pour dénoncer « l'égoïsme » d'Ève. Ah, elle pouvait faire la désintéressée, a-t-il repris triomphant, mais dans les faits, elle s'était montrée aussi égoïste que n'importe qui ! Elle qui est habitée par une déesse, elle n'a pas pensé une seconde à tout le bien qu'elle pourrait faire autour d'elle en acceptant ce don de la Providence ? Ou bien elle est bête de nature ou bien les Dames bloquent son ombre pour la rendre meilleure qu'elle ne l'est.

Je ne sais pas comment fait mon frère jumeau pour soupçonner du pire même quand il n'y a pas de raison. Je me demande s'il n'aurait pas été un parfait agent de police. Je ne critique pas la police, il faut savoir soupçonner du pire, les faits criminels le démontrent.

Mon jumeau n'en avait pas fini de ses tests. Au lieu de la maison spacieuse que j'avais autrefois, Les Dames m'avaient demandé de louer un logement petit, non retapé par le propriétaire. Les propriétaires aiment bien engranger le prix des locations, mais ils ont des oursins dans les poches quand il s'agit d'entretenir les locaux. Fini la belle maison, fini la belle moto et la belle voiture.

Toujours sur le thème de la vénalité, mon ombre ne voyait pas l'heure d'inviter Ève dans mon nouvel appartement pour voir sa réaction. J'avais suivi le plan des Dames et j'avais loué un logement très petit, avec coin cuisine et salon. La chambre était séparée. J'avais une douche sans fenêtre qui laissait voir des moisissures, faute d'aération. J'avais une voiture de dixième main. C'était la dèche, quoi ! Je ne m'étais jamais trouvé dans une situation pareille.

Ève n'a pas fait la moue quand elle est venue voir mon nouveau « chez moi ». Elle a dit que ça lui faisait penser à un logement d'étudiant. J'ai trouvé que c'était gentil de sa part. Elle avait compris que j'avais des pensions alimentaires à payer, que les fins de mois étaient raides. Elle a compati et a cherché à m'aider. Elle pensait sincèrement que j'étais quelqu'un de bien qui méritait mieux que la mouise dans laquelle je me trouvais. Les divorces, c'est compliqué, il n'y a pas que les femmes qui trinquent. J'avais montré mes quelques tableaux à Ève et elle voulait m'aider à vendre mes tableaux les mieux réussis. Elle était prête à les exposer dans son magasin. Elle m'a même donné de l'argent pour me dépanner sans demander de papier, sans attendre de remboursement. Ève n'aime pas prêter, elle préfère donner. Ça évite les situations gênantes qui ruinent les amitiés. Elle m'a fait un don, c'était gratuit, sans contrepartie. Pour le coup, je l'ai trouvée généreuse surtout qu'elle l'a fait à un moment de sa vie où elle n'attendait rien de moi. Elle n'est pas allée le chanter sur les toits. Tout s'est fait entre nous, sans témoins. Quand je pense que certaines femmes ne la trouvent pas chaleureuse. Elles la connaissent mal. Je connais des femmes qui font beaucoup de bruit autour d'elles, mais qui ne donnerait pas un centime à quelqu'un dans le besoin. Elles évitent de fréquenter les gens dans le besoin. Elles ont peur d'être contaminées par la modestie, voire la pauvreté.

Dans le sillage de mon ombre, j'ai pensé à ces filles qui me draguent sans me connaître et ça m'a donné une idée. Je n'invitais personne chez moi à part mon ami Pavel et Ève. Mais j'ai invité à tour de rôle ces demoiselles qui me faisaient les yeux doux en boîte de nuit. À leur arrivée, pas de petits fours, pas de discours mielleux ou d'atmosphère romantique, que du thé et du café. Je leur ai même demandé d'apporter du sucre et du lait pour bien leur faire sentir mon changement de condition. J'en avais aussi demandé à Ève.

La première qui a passé ma porte était habituée à des endroits plus chics. Elle a regardé mon chez-moi d'un air déçu et m'a dit que c'était sombre, ça l'étouffait, elle avait l'impression d'être dans une grotte. Elle n'est pas revenue deux fois. Elle ne m'a plus regardé de la même façon. Toutes les filles qui passaient étaient déçues. Elles me prenaient pour un « looser ». J'entendais leurs pensées peu flatteuses à mon égard. J'en rajoutais en parlant de mes deux enfants et mes deux pensions alimentaires. Ça faisait fuir toutes les filles. Je n'étais plus un célibataire à convoiter. Ça me faisait marrer. J'ai même poussé l'expérience plus loin avec mon jumeau qui jubilait. Il adore mettre à nu les autres. Je disais que je n'avais pas beaucoup d'argent pour manger, ce qui n'était pas tout à fait faux. Quand on a un salaire au SMIC et deux pensions alimentaires à payer, il ne s'agit plus de jongler, c'est impossible ou alors il faut jongler avec les « avances » sur salaire. Je comptais, mais je pouvais manger à ma faim. Les Dames me mettaient en condition pour que je vive uniquement de mon salaire à la baisse comme tout le monde, sans toucher à mes économies. De toute façon, je jeûnais souvent, ce qui m'arrangeait. Quand je rompais mon jeûne, Ève était une des rares personnes à m'apporter de la bonne nourriture, celle des marchés locaux, avec du bon pain au levain, du bon vin, du bon fromage et du bon saucisson. Une fois, en hiver, elle m'a même proposé de la soupe... De la soupe ? C'est pour les vieux sans dents, la soupe ! ça l'a fait rire. Elle m'a apporté des biscuits pour mon café, fait par elle, fait maison. Ça me va.

En venant chez moi, Ève est restée la même. Pourtant, elle aussi fréquentait des endroits chics et elle aurait pu m'écarter de ses relations. Elle a continué à venir dans ce chez-moi étriqué et y prenait plaisir. Elle venait rarement les mains vides. Un jour, comme je lui disais que j'étais bricolo et que je savais tout faire dans une maison, j'avais grandi dans une maison, ce n'est pas tombé dans l'oreille d'une sourde. Elle voulait m'aider à trouver un autre logement, sans que ça me coûte de l'argent. J'ai accepté. Elle avait trouvé un filon : à cette époque, dans l'Ain et le Jura, il y avait beaucoup de vieilles granges à vendre pour trois fois rien, je ne dirais pas un franc symbolique, mais presque et avec du terrain autour. Elle m'en a parlé pour savoir si j'étais intéressé. Je voulais voir jusqu'où elle irait. Elle était allée visiter de vieilles granges à retaper, pas trop loin de mon boulot. Elle était prête à m'en acheter une, en mettant tout à mon nom. Même si elle ne se ruinait pas, j'ai halluciné ! Un euro, c'est un euro et il y en a qui ne lâchent pas la monnaie, même s'ils sont blindés de tune.

Je lui ai demandé pourquoi elle ferait ça pour moi. Elle a répondu qu'elle le ferait parce qu'elle trouvait que je méritais mieux. Je lui ai demandé si elle voulait une reconnaissance de dettes en échange. Même pas ! Ce serait un don, sans contrepartie. Elle voulait m'aider à repartir d'un bon pied dans la vie. Elle pensait vraiment que j'avais du potentiel et que j'avais manqué de chance. Puisque son chemin avait croisé le mien, elle préférait m'aider plutôt que de donner de l'argent à une association caritative. Au moins, elle savait où allait son argent. Elle m'a assuré qu'elle ne mettait pas ses économies en danger.

Les autres filles venaient me voir dans l'idée que j'étais peut-être un bon parti ou à défaut un bon coup d'un soir. Ève ne venait ni pour le sexe ni pour envisager un avenir avec moi, elle ne voulait que m'aider sans rien attendre.

Mon jumeau est resté sans voix. Elle a commencé à éplucher les annonces immobilières. Il y avait quelques offres à cocher. Elle avait coché une belle grange en état, avec un bon toit, de beaux murs, du terrain. Elle avait vu les photos sur internet puis s'était rendue sur place. Je la laissais faire. Elle avait pris rendez-vous avec un agent immobilier. Le prix annoncé lui convenait. J'ai cru qu'elle n'irait pas jusqu'au bout, mais elle l'a fait. On en a discuté. Au moment où elle voulait signer, je l'ai arrêtée en trouvant une excuse.

Elle m'a bluffé et mon jumeau n'a plus rien eu à redire à ce sujet. C'est lui qui a coché la case « non vénale ».

C'est un des nombreux épisodes qui nous ont fait tomber amoureux, mon jumeau et moi, de cette femme plus âgée que moi, puisque mon ombre est immortelle. Ève est soignée, elle va chez le podologue, elle se rend régulièrement chez le dentiste, elle ne néglige rien pour vieillir joliment. Elle est parfaite pour nous. Je n'en revenais pas de la chance que j'avais de l'avoir rencontrée. Maintenant, il ne me restait plus qu'à attendre qu'elle finisse de tisser notre légende. J'adhérais à sa légende, j'y croyais ferme.

Et puis il y a eu la balade dans les bois avec mon ombre. Mon sombre jumeau avait enfin craqué pour Ève ! C'était pas trop tôt !

Depuis que mon jumeau ne jouait plus au trouble-fête, il aimait Ève, il était tout à ses nouvelles émotions d'amour. Il a voulu se racheter une bonne conduite et il m'a demandé s'il pouvait inviter Ève pour une balade dans les bois. Il apprenait à aimer un autre que lui-même ; je n'allais pas lui refuser cette opportunité de bien faire !

Ce jumeau, désormais mon ami, m'a dit qu'il avait appris à bien se comporter avec une femme et il voulait me montrer comment il peut être un gentleman accompli qui accompagne une amie, pas pour l'étudier ou la critiquer, mais pour lui faire plaisir. Je me suis dit « pourquoi pas ? » Je lui ai conseillé de prévoir une toute petite balade pour commencer, une heure ou deux, afin qu'il s'habitue à ce genre de proximité avec Ève, sans arrière-pensée.

Aussitôt dit, aussitôt fait, je me suis retrouvé en voiture avec mon jumeau et elle. Il n'a rien trouvé de mieux que d'arriver en retard. On est partis dans le Jura, dans les bois, c'est Ève qui a proposé un petit circuit qu'elle connaissait. Elle l'a emmené vers une destination qui ne présageait rien de bien : ça s'appelait « le trou de l'abîme ». Moi, ça m'a évoqué le vide, mais après tout, c'est une question de ressenti. Et elle, elle avait l'intuition de quoi en choisissant ce lieu précis ?

Mon jumeau conduisait ma voiture. Pendant le trajet, il quittait des yeux la route pour la regarder avec insistance. D'après lui, c'était pour qu'elle comprenne qu'elle était importante à ses yeux. Ève n'avait pas l'air de percuter. Elle avait l'air même d'être gênée par ses œillades. Passons, à chacun son style. Ils se sont arrêtés à un bureau de tabac parce qu'il devait s'acheter des cigarettes. Je ne lui avais pas dit de les fumer ! Il est sorti du magasin avec une cigarette déjà allumée aux lèvres. Il s'est mis à fumer dans la voiture en disant avec emphase à Ève, pour lui montrer qu'il était galant, qu'il ouvrirait la fenêtre pour faire sortir la fumée.

Ève a répondu en riant que le mieux aurait été qu'il ne fume pas du tout. Il n'en a pas tenu compte et a montré avec ostentation qu'il rejetait sa fumée par la fenêtre de son côté. Les fumeurs sont tellement imbibés de l'odeur de la fumée qu'ils ne sentent plus l'odeur de fumée qui peut incommoder autrui. Quand ils sont arrivés à destination, il faisait beau temps, mais on était à la sortie de l'hiver, il faisait encore froid et il y avait des glaçons qui pendaient le long des parois. Ils ont emprunté un chemin qui longeait un torrent.

Pendant la balade, mon jumeau n'a pas dit un mot, il marchait en silence aux côtés d'Ève qui faisait les frais de la conversation. Elle lui expliquait des choses de son enfance, mais il n'écoutait pas. C'est le propre de mon jumeau, il est perdu dans ses pensées, celles des autres n'ont pas trop d'importance. Il écoute d'une oreille. À un moment donné, une formation de glaçons collés les uns aux autres, évoquait étrangement le corps d'une femme... de glace. Il le lui a fait remarquer et a caressé de sa main ce corps de glace d'un geste provocateur. Ève n'a pas aimé. Je ne sais pas pourquoi ce con de jumeau finit toujours par gâcher les plus beaux moments. On aurait dit un obsédé sexuel alors qu'il croyait être romantique. C'était pitoyable.

Alors qu'ils empruntaient un sentier humide, il avait neigé la nuit, il lui a dit qu'il venait de s'acheter des chaussures toutes neuves et il ne voulait pas les abîmer, c'était une paire de chaussures à laquelle je tenais beaucoup. Il n'était pas obligé de le dire. Ça faisait précieux, le dandy qui ne veut pas se salir à la campagne ! Ève a regardé mes chaussures, elle les a trouvées jolies, en daim clair, faites pour la ville, mais pas du tout adaptées dans les bois. Elle a compris qu'elle devait écourter la balade. Elle pensait pouvoir remonter le sentier afin d'admirer le trou de l'abîme depuis le haut, mais le sentier était boueux et glissant. Elle a préféré le conduire directement vers la cascade qui se trouvait en contrebas.

C'était le bide complet ou le vide complet. Ève a trouvé que cette promenade était triste, que les lieux étaient tristes et elle ne savait pas si c'était elle qui voyait les choses ainsi ou si les lieux étaient imprégnés de tristesse. Moi je dirais qu'elle était mal accompagnée.

Ils sont retournés à la voiture. J'avais une vieille bagnole d'occasion, sans ouverture automatique des portières. Il lui avait ouvert la portière côté passager et quand il est arrivé à la portière côté conducteur, il a fait signe à Ève d'ouvrir sa portière de l'intérieur. Elle n'était plus habituée à ce genre d'antiquité. Il s'est assis et lui a déclaré, formel, un peu piquant : « Vous savez ce que disent les anciens de mon village ? On reconnaît une femme à marier lorsqu'elle ouvre la portière à son fiancé sans qu'il ait besoin de le lui demander. » Quel blédard !

Ève n'en revenait pas de la couche qu'il tenait ! Qu'est-ce que c'était que cet attardé mental ? pensait-elle. Ils ne se sont plus rien dit pendant le retour. Il continuait à lui faire son regard de velours complètement idiot.

Autre chose pour finir en beauté : Il y avait du soleil et comme elle mettait ses lunettes de soleil plus pour éviter d'avoir à le regarder que pour se protéger du soleil, il lui a fait remarquer que lui n'en mettait pas parce qu'il détestait le fait de ne pas voir les gens dans les yeux. Il lui a demandé pourquoi elle mettait des lunettes de soleil, alors que ce soleil d'avril était loin d'être brûlant. C'était justement à cause de lui, mais elle ne voulait pas le blesser.

Elle a répondu que ça lui permettait de ne pas regarder les gens dans les yeux. Quand ils se sont quittés, Ève était soulagée. Cette balade lui avait laissé un profond sentiment de solitude. C'est ça quand on se balade avec la personne qui n'a pas le bon état d'esprit !

Mon jumeau était quant à lui ravi. Il trouvait que cette sortie avait été super, il pensait qu'Ève avait adoré sa compagnie et qu'elle en redemanderait. Il est revenu vers moi triomphant. J'ai dû le faire revenir sur terre. Je lui ai expliqué qu'il n'était pas très fort en psychologie féminine sinon il aurait compris qu'elle s'était ennuyée comme jamais avec lui. Il était très surpris et il a trouvé que c'était très difficile de faire plaisir à une femme. Plus il essayait d'être à la hauteur et plus il se sentait en dessous de tout. Je l'ai encouragé à persévérer. Je ne pouvais pas lui dire « dégage, mec » puisqu'on était liés pour le meilleur et pour le pire.

Mon jumeau m'a alors fait une déclaration inattendue, il m'a dit :
Tu sais que je t'aime toi ! T'es vraiment un type bien, tu gagnes à être
connu ! Je pensais pas qu'on serait pote un jour. Je suis bluffé. Tu
assures. Pas autant que moi, mais tu vois, je suis content de t'avoir
choisi comme ami. On forme une bonne équipe tous les deux ! Je vois
bien que parfois tu me juges mal, c'est parce que je suis immortel. À
chaque vie, je dois récupérer les codes pour savoir comment agir. Si
on me dit rien, je continue sur ma lancée. C'est pour ça que j'ai besoin
de toi. Tu es mes yeux sur terre.

Depuis quand c'est lui qui m'a choisi ? Il ne manque pas d'air !
Il m'a répondu serein qu'il m'avait choisi avant ma naissance,
avant mon arrivée sur terre, quand je n'étais qu'un esprit inconscient
dans le ventre de ma mère.

Chapitre VII
La colère millénaire des femmes

L'attente en solitaire : la femme et l'homme sages

C'est une période un peu frustrante parce qu'attendre quelqu'un qu'on aime, c'est long. Je ne me suis pas découragé et Ève non plus. Bien que, par moment, elle était perplexe. Souvent, très souvent, elle mettait un point final à ses écritures, en pensant avoir terminé, mais rien ne se passait comme elle l'avait imaginé. Je n'apparaissais pas.

Elle se désespérait de ne pas comprendre la trame de Mémoria et se mettait à penser que son imagination lui jouait des tours, elle s'était inventé un amoureux qui n'existait pas ; jusqu'au moment où Mémoria lui soufflait quelques autres idées auxquelles elle n'avait pas pensé.

C'est pendant cette période qu'il ne faut pas se décourager et qu'il faut garder la lampe de l'espoir allumée. Il y a des fragments de cette initiation au féminin dans la Bible ; évidemment, les fragments ont été détournés et placés de sorte qu'ils concernent le dieu judéo-chrétien. C'est la parabole de la femme folle et de la femme sage. Dans une initiation à rallonge, la femme « folle » ou impatiente je dirais, ne garde pas son esprit branché, elle perd espoir et reprend sa vie d'avant. La femme sage, et surtout patiente, attend et laisse son esprit en alerte en guettant les indices.

Il en est ainsi pour moi. Je suis l'homme d'Ève et elle est ma femme. Moi aussi j'attends avec mon esprit connecté au sien. J'ai confiance et je crois en l'imaginaire des Dames que j'ai découvert dans le journal d'Ève.

Les années sont passées et j'attendais le feu vert des Dames pour enfin retrouver Ève. On a beau être bien habités, la solitude finit par peser quand on attend sa moitié promise depuis des années. Les impatients s'abstenir, tout comme les colériques, les paresseux, les avides, les misogynes et les malhonnêtes. Les fous de Dieu ne font pas partie non plus de la sélection à cause de la misogynie propre aux religions. Les critères des Dames sont très stricts et la sélection est rude.

Pendant l'attente, je n'étais pas autorisé à batifoler ailleurs, ce qui est normal si on aime sa muse comme sa propre vie. Ève non plus. On peut essayer, rien n'est interdit, c'est le résultat qui est déconcertant, car, pour le coup, les Dames se font entendre et ça fait drôle. Je n'étais plus obligé de jeûner et je pouvais boire de nouveau du vin et sortir pour faire la fête. La pression des Dames sur mon inconscient se relâchait, j'avais fini mon boulot.

De son côté, Ève retrouvait son visage. Entre les jeûnes et les épreuves, parfois, elle ne se reconnaissait pas dans le miroir. Mais tout va bien, on touche à la fin. On va mieux, on se sent proche du but. Je vais bientôt avoir quarante ans et Ève cinquante. On est en pleine forme.

En attendant qu'Ève finisse de dévider sa pelote de fil rouge, mon ombre m'a proposé d'aller voir du côté des autres religions, ce qui restait de la culture du féminin. Peut-être qu'il y avait une femme comme Ève. Comment savoir ? Il était très attiré par le symbole de la main bénissante de Fatma qu'il trouvait très belle. Après quelques discussions avec un imam, il s'avère que « la main » représentée en amulette protectrice, c'est tout ce qui restait du principe féminin dans l'Islam. Plus aucun musulman n'était conscient de ce que cette main représentait autrefois, au temps où l'Islam n'existait pas encore. La main de Fatma est devenue un porte-bonheur en terre cuite qu'ils accrochent chez eux, en guise de protection contre le mauvais œil. Ce n'est plus l'incarnation du principe d'amour au féminin. J'étais déçu pour eux. J'ai voulu enquêter d'un peu plus près et je dois dire que mettre les pieds dans un univers religieux est dangereux. Les gens

m'ont accroché dès qu'ils ont senti que je pouvais leur être un atout :
un jeune occidental qui se convertirait à l'Islam, c'est ce que les frères
musulmans recherchent. Un jeune homme a tenu à me présenter sa
sœur et pour un peu, je me retrouvais marié et ficelé et pas à la mode
de chez moi. Je m'étais laissé un peu pousser la barbe, ils m'ont pris
pour un barbu fidèle à leur dieu. J'ai gentiment fait comprendre que je
naviguais sous d'autres cieux et je suis revenu vers ma muse.

En revenant chez moi, mon jumeau m'a enfin fichu la paix. Il ne
voulait plus aller voir ailleurs si une autre Ève pouvait exister. Il était
convaincu cette fois que c'était Ève notre pilier et pas une autre et il a
commencé à l'apprécier dans sa totalité. Lui aussi voulait me faire
plaisir et faire plaisir à Ève. Enfin la paix intérieure !

Ève et moi, nous sommes peut-être les derniers « dinosaures » de
la longue liste des couples d'initiés à l'ancienne. Quand je repense aux
mythes, c'est hallucinant la façon dont les civilisations antiques
polythéistes ont transmis une vision déformée, raccourcie, distordue,
partielle et partisane, du principe féminin. Ça doit être à cause des
malentendus entre hommes et femmes.

Se connaître soi-même ce n'est pas aussi simple que l'injonction
de Socrate « connais-toi toi-même » ou que les mille et un conseils des
thérapeutes à la mode. J'ai dû traverser le monde des ombres pour
m'en convaincre.

En parlant de spectacle, je ne sais pas si c'est vrai, mais il paraît
que certains groupes « pseudo-mystiques » s'amusent à mimer
« l'union cosmique » devant un groupe de voyeurs qui regardent un
homme et une femme à poil en train de copuler. Je me demande ce
qu'ils peuvent bien voir à part deux personnes qui baisent en silence
en imitant peut-être l'extase ! Une « union cosmique » ça se vit, ça ne
se regarde pas ! Ce n'est pas un spectacle !

D'où vient la colère de certaines femmes ?

Il existe des femmes en colère. Ça ne se voit pas toujours sur leur
visage et ça ne s'entend pas forcément du premier coup. Parfois, il faut
les fréquenter pour entendre les réflexions qui montrent qu'elles ont

une colère intérieure qui n'a pas été réglée. Parfois, en les regardant mieux, on peut observer des traits spécifiques à la colère dissimulée. Quand elle est déclarée, il ne faut pas croire que la situation qui a provoqué la colère ou un ressentiment permettra de régler une fois pour toutes l'émotion non traitée. Elle ressurgira de façon inopinée, avec des projections de plus en plus ciblées. J'évite désormais de fréquenter les gens colériques si je ne peux pas les aider.

Il a fallu cette initiation pour que je comprenne que certaines femmes sont sensibles à tous les mauvais traitements que les femmes ont accumulés au fil des millénaires à l'encontre des sociétés d'hommes. Une partie des mémoires du féminin remonte dans leur inconscient et provoque des vagues d'animosité contre le masculin. La liste des sociétés coupables envers les femmes est longue et il y a de quoi pleurer. J'ai pleuré avec Ève, au souvenir de tout ce que Mémoria déversait en atrocités dans son esprit. Il faut avoir les épaules solides pour ne pas dérailler et continuer à avoir un regard objectif sur le monde, sur le masculin et le féminin. Ce sont des moments difficiles à vivre pour le mental, mais on était bien accompagnés.

Cette colère millénaire de femmes, non identifiée par celles qui la véhiculent, peut remonter et déstabiliser la femme « colérique ». Ça peut rendre ces femmes antipathiques ou si elles sont en couples, les réflexions négatives, répétées envers le conjoint peuvent, à la longue, fatiguer le conjoint. Il ne faut pas minimiser ces réflexions, il faut les traiter comme des pensées intrusives qui parasitent le quotidien. Il faut consulter un thérapeute pour s'en libérer.

La colère des hommes

La colère d'un homme n'est pas marrante non plus et peut faire plus de ravages parce qu'il a tendance à l'extérioriser et à utiliser sa force. Je ne vais pas évoquer le cas de colère identifiable, mais de celles identiques à la mienne, puisque j'ai été impacté par la colère millénaire des femmes à mon insu. Je préfère parler de ce que je traverse.

Je reviens rapidement sur ma colère d'adolescent qui m'a poussé à faire du kickboxing. En réalité, ma colère venait de loin. Elle ne venait pas de ma vie présente. Elle était liée à celle d'Ève. Nos inconscients communiquaient depuis longtemps. J'avais été contaminé inconsciemment depuis tout petit par les mémoires millénaires du féminin.

Le choix du kickboxing m'a permis de décharger un peu cette colère, mais pas de l'éradiquer. N'importe quel homme peut être sensible à la mémoire des femmes sans le savoir. Sa colère est une colère contre les sociétés et leur manière de traiter les femmes, mais le discours intérieur n'est pas aussi évident. Il est rare qu'un homme puisse mettre des mots sur sa colère si elle vient de loin. Par ailleurs, si cette colère lui permet de gagner sa vie, comme les boxeurs ou d'autres types de sport, il est possible qu'il entretienne sa colère sans chercher à la comprendre. Il la canalise dans un sport et ça marche.

De son côté, Ève aussi portait en elle depuis son adolescence la colère millénaire des femmes. Elle ne s'exprimait pas comme la mienne. Sa colère était plus intériorisée et se manifestait par des vagues d'angoisse.

Il y a des pays dangereux pour les femmes encore aujourd'hui. D'après des revues féminines qui ont essayé de classer ces pays compliqués, l'Inde est à la première place. Puis vient l'Afghanistan qui refuse aux femmes l'accès à la santé, à l'éducation, avec beaucoup de violences sexuelles. C'est un pays en guerre depuis plus de vingt ans et les talibans sont des barbus aux croyances archaïques. Ils ne sont pas près d'évoluer, ils veulent revenir en arrière. La Syrie aussi est en mauvaise posture, mais là encore, c'est un pays en guerre depuis des années. Dans les faits, les pays en guerre sont des pièges pour les femmes. Elles sont victimes de tous les abus. Partout, dans les pays dangereux pour les femmes, le viol et l'esclavage sexuel sont utilisés comme des armes de dissuasion. Le viol est un fléau au même titre qu'une maladie. Il devrait être éradiqué par l'éducation et par des lois mieux ciblées.

Quant à la Somalie, le Soudan, le Mali, le Sénégal, le Congo, la Guinée, Djibouti, et l'Égypte, et d'autres pays d'Afrique, ils pratiquent sur les femmes l'excision. Ils mutilent les parties génitales extérieures de la femme. La circoncision des garçons chez les musulmans et les juifs n'est rien en comparaison de l'ablation des parties génitales extérieures, dont le clitoris. C'est plus dramatique et il n'y a aucune raison de santé pour le faire. Certains hommes ont décidé de mutiler la femme parce qu'elle ne doit surtout pas éprouver du plaisir. Les femmes excisées souffrent toute leur vie parce que cette mutilation est d'une cruauté inouïe, elle détruit leur identité de femme pour la vie. C'est joli comme tradition ! Il y a environ deux cents millions de femmes excisées dans le monde, environ 91 millions rien qu'en Afrique. J'imagine un pays plus grand que la France, peuplée de millions de femmes excisées qui sont mortes à leur vie de femme. Deux cents millions, c'est presque un continent !

Pour tout dire, après l'excision, les mères cousent partiellement le sexe pour ne laisser qu'un petit orifice pour l'écoulement des urines et des règles. Si elles survivent aux infections, la douleur reste atroce aux mictions et pendant les règles, le sang a du mal à s'écouler. Mais tout ne finit pas là. Les statistiques disent que ces pratiques conduisent souvent à des mariages précoces, et par précoce on veut dire dès douze ans pour certaines régions africaines. Au moment de leur premier rapport sexuel, ce n'est pas une lune de miel qui attend ces fillettes, mais une nuit de sang et d'horreur. Pour pénétrer sa femme, souvent la « violence » du mari ne suffit pas à pénétrer les chairs meurtries et cicatrisées. Le mari utilise alors un couteau pour « ouvrir » les chairs et pénétrer leur femme de leur pénis. On imagine ce que doit ressentir à ce moment la jeune mariée qui doit hurler de peur et de douleur. Si elle survit, les jours qui suivent font de son sexe en lambeau un passage vers l'enfer du viol conjugal. Au moment de l'accouchement, c'est une autre souffrance qui s'annonce puisque le bébé ne peut pas passer, les chairs ne se dilatent pas. Il y a des complications et de la détresse psychologique. Les associations n'arrêtent pas de dénoncer les suites de cet acte abominable. Les femmes connaissent ensuite des problèmes vaginaux, des souffrances, des saignements, des infections, des risques d'incontinence. Les associations dénoncent aussi la déscolarisation en raison des mariages précoces. Parfois, les fillettes meurent sous le choc.

Les mémoires millénaires des femmes travaillaient trop Ève. En remontant à sa conscience, les Furies étaient arrivées avec tout le lot de malheurs que les Furies recueillaient quand elles accueillaient dans l'au-delà les ombres des femmes torturées, maltraitées, abîmées pendant leur vie. Tout le sang des femmes tombées sous les coups des hommes, tous les cris des femmes depuis des millénaires arrivaient jusqu'à Ève au point qu'elle aurait voulu mourir. C'était trop de douleur, trop de peine, trop de mal. C'était un moment critique où Ève pouvait virer déesse Kali, la déesse de la destruction qui punit de mort les mauvais esprits. Toutes ces émotions arrivaient jusqu'à moi et j'essayais de les contenir du mieux possible pour ne pas céder moi aussi à ce trop-plein de souffrances humaines. La connexion entre nous n'avait pas que du bon, je devais partager aussi son angoisse, je devais la soutenir. Ève sentait qu'elle pouvait devenir méchante, très méchante et le mot « tuer » venait à son esprit.

L'indignation me submergeait, mais quoi faire après l'indignation ? Comment aider les femmes ? Comment des hommes, des sociétés entières peuvent-ils être aussi inhumains au XXIe siècle, aussi pervers envers les femmes ? Quel est l'indigne ancêtre qui a initié cette mutilation ? Comment l'a-t-il justifiée pour en faire une tradition respectée et respectable dans tant de pays ?

Tout ce qu'écrit Ève a sur moi un impact inimaginable. C'est le prix à payer pour être aussi près du principe féminin. Les mémoires du féminin se déversent en moi comme sur Ève et je ressens toutes les émotions des femmes passées, présentes et à venir. Les Dames ne pouvaient pas choisir une meilleure tactique que celle de me faire partager ces mémoires millénaires, pour me faire sentir sur ma peau d'homme coriace ce que signifie être une femme dans un monde gouverné par les hommes. Moi qui suis prêt à critiquer les femmes au langage libéré, les femmes au langage vulgaire, je préfère les voir dans leur arrogance plutôt que dans la souffrance infinie, infligée injustement. S'il y a une torture à éliminer sur terre, c'est bien celle-là. Je sais que ça prendra du temps pour amener les hommes à penser différemment, mais j'ai confiance aux jeunes qui sont en contact avec des sociétés démocratiques, des sociétés de femmes libérées.

En attendant, pour me calmer, j'avais pris dans mes mains la boule de cristal qu'elle m'avait offert. Ma colère était si forte que le cristal s'est fendu de l'intérieur. Je ne pouvais pas rester dans cet état de souffrance mentale. Je ne comprenais pas pourquoi Ève et moi, on se retrouvait submergés par autant de peine. C'était insupportable. Tout le mal du monde nous accablait et je faisais de mon mieux pour garder mon sang-froid. Cette traversée intérieure de la vallée de la mort était la pire des choses qui m'arrivait. Je n'aurais jamais pensé que les hommes avaient autant fait de mal aux femmes. En cumulant les années aux siècles et les siècles aux millénaires, c'était une hécatombe de femmes, plus que les hommes morts en guerre. Ce n'est pas un tribunal humain qui pourrait faire le compte des victimes.

Ève et moi, on ne pouvait pas continuer comme ça. Si on partageait nos ressentis, on allait se faire du mal mutuellement. Ève pouvait se retourner contre moi et moi, pour me défendre, qui sait de quoi j'étais capable. Les muses étaient avec elle, est-ce qu'elles me laisseraient tomber ?

Les muses sont alors arrivées pour nous consoler et nous dire que nous étions enfin remontés à l'origine de notre colère et nous l'avions traversée. Ces mémoires étaient un tel poids et enfermaient en elles une telle colère, qu'elle pouvait faire des ravages sur des esprits non préparés. Nous avions surmonté encore cette épreuve. À partir de maintenant, les Dames allaient prendre leur distance de nous. Plus elles étaient proches et plus leurs mémoires faisaient pression sur nous. Nous avions traversé la colère millénaire des femmes et nous avions survécu à la folie qu'elle peut provoquer. Une folie dévastatrice, une folie furieuse, une folie meurtrière qui aurait pu nous emporter loin de nous.

Le retour au calme ne s'est pas fait en un jour. J'avais été secoué. Je suis un homme, je suis habitué à l'action et cette forme d'impuissance provoquait en moi une espèce de colère que je devais canaliser. Je marchais à grandes foulées dans la nature pour y trouver la paix.

Je cherchais quoi faire tout en sachant qu'on ne peut pas modifier les mentalités d'hommes en un claquement de doigts. L'impuissance est un sentiment terrible où la colère se mêle à l'impossibilité d'agir pour le bien. Je n'étais pas fier d'appartenir à la race des hommes. Il fallait laisser le mal continuer jusqu'à ce que ce mal s'épuise sous la force du bien, grâce aux jeunes qui aiment les rapports plus égaux entre les sexes. Ce n'était pas mon combat. Les Dames avaient voulu que je traverse leur colère qui était devenue la mienne et maintenant j'en étais imprégné et conscient.

En Occident aussi les femmes connaissent une discrimination. Elle a même été étudiée de près, statistiques à l'appui et on lui a donné un nom : « l'effet Mathilda ». Ève détaille tout dans son journal. C'est une discrimination dans le monde du travail, c'est une dévalorisation de la femme non seulement au niveau du salaire, mais au niveau des promotions et au niveau des retombées de leurs travaux. Surtout dans le monde scientifique. Les femmes ont souvent été évincées des remises de prix. Il y a eu un déni des physiciennes, biologistes, astronomes. L'historienne des sciences Margaret Rossiter a théorisé cet effet « Mathilda » dans les années 1980, en s'appuyant à son tour sur une recherche faite par Robert King Merton, sociologue dans les années 1960. Il avait constaté que certains grands personnages étaient reconnus pour leurs recherches, au détriment de leur épouse qui avait souvent participé aux travaux à l'origine de la renommée. On est en 2020, quatre-vingts plus tard, je constate qu'on avance à petits pas. La part des épouses n'a pas fait l'objet d'une réhabilitation et n'est même pas connue du grand public.

Les hommes cèdent de la place aux femmes, mais il ne faut pas trop les pousser, ça les rend jaloux. Livré à ses instincts primaires, l'homme est jaloux de la femme, de ses capacités à faire aussi bien que lui et parfois mieux, dans tous les domaines intellectuels. J'exclus les travaux de force physique parce que globalement, la femme est plus petite et moins forte physiquement. Sur le plan intellectuel, en revanche, elle n'est plus la sombre idiote reléguée au foyer pour faire des enfants et s'occuper de son mari. Dans tous les milieux, les filles sont aussi bien préparées que les garçons pour faire face à des études scientifiques, mathématiques, informatiques.

La sérénité retrouvée, le sourire de Bouddha

Ève avait retrouvé la sérénité en voyant dans les facultés de physique, chimie, biochimie, autant de filles que de garçons, voire plus de filles dans certaines matières comme la chimie. Ève qui, entre autres petits jobs, surveillait de temps à autre les examens dans les universités, se réjouissait en faisant le compte des filles qui excellaient dans des matières qui leur étaient interdites il y a encore un siècle. Leur intelligence, leurs capacités, leurs intuitions n'étaient plus remises en question.

Après avoir été projetée dans le passé sombre des femmes à qui on niait toute participation à la vie sociale, toute réflexion intellectuelle, toute liberté, Ève revenait avec joie dans le monde moderne pour constater que les choses évoluaient. Les lignes bougeaient.

Désormais, moi aussi j'allais connaître la paix du cœur. Je n'étais pas venu changer la face du monde, le monde est trop vaste. Mais j'avais fait quelque chose d'extraordinaire pour Ève, j'avais pu accompagner sa colère héritée de Mémoria et des Furies et mon comportement bienveillant avait fait en sorte qu'elle ne la retourne pas contre moi. Je découvrais qu'une initiation a plusieurs étapes dangereuses. Ce n'est pas étonnant si le culte du féminin présente tout et son contraire. Ça dépend de quel point de vue on se place. J'aurais très bien pu rater les épreuves et en ressortir revanchard, prêt à suspecter chaque femme, à vouloir les « dresser » pour qu'aucune à l'avenir ne puisse me retourner le cerveau.

En attendant, mon ombre aussi avait été secouée par mes émotions violentes d'ego. Elle aussi a voulu m'apporter son aide. Mon jumeau ténébreux m'a rappelé qu'il avait été autrefois quelqu'un d'important dans le monde des ombres et la spécialité des ombres, c'est de faire rêver. Il y a de beaux rêves et il y a les cauchemars. Il était en son pouvoir de travailler ces hommes iniques de l'intérieur par des cauchemars, par une intuition de ce qui les attendait quand ils passeraient le seuil de l'au-delà et que les Furies allaient les accueillir d'une autre façon que leurs ancêtres. Ces hommes qui ne rêvent pas, tellement leur cœur est loin de la lumière, mon ombre pouvait faire en sorte de les remuer du dedans, de les tourmenter pour commencer à les faire douter de leurs pensées horribles.

Je ne sais pas comment il peut s'y prendre, mais cette idée m'a fait du bien. Ça a fini de me calmer. Un peu de justice immanente ça ferait du bien, c'est cathartique, ça repose. Si ça permet aux hommes d'avoir un aperçu de ce qui les attend quand ils arriveront de l'autre côté, c'est toujours mieux que l'ignorance totale dans laquelle on se trouve.

Le thème pédagogique central

Maintenant que je lis les mythes, je me rends compte qu'il y a une chose que même les spécialistes ne voient pas, ne calculent pas, c'est la portée pédagogique de la relation homme-femme, avec au centre, le problème de la sexualité.

Et après on devrait s'étonner si le principe féminin a fait de ce problème le leitmotiv de sa campagne archi-millénaire ? Depuis quand on voit des taureaux peints dans les grottes ? Certaines grottes peintes remontent à plus de quarante mille ans. Le taureau a été l'animal emblématique qui symbolisait la puissance que l'homme adore, mais aussi la brutalité de l'homme dans l'accouplement. Le féminin n'a jamais fait de morale à ce sujet, mais elle a montré ce qui ne va pas à travers des peintures rupestres, à travers des histoires, des mythes, que tout le monde prend pour des fables. On regarde à la loupe les exploits guerriers et on se détourne du reste, ce qui est au centre des mythes : la femme. On parle de « yin » et de « yang », d'harmonie, de plein de concepts, d'anima et d'animus, sans évoquer la femme et son principe d'amour.

Grâce à Ève, j'ai compris l'immense patience du principe d'amour qui habite les femmes vis-à-vis de notre race humaine. J'ai compris l'allégorie de l'eau. Le principe d'amour est comme l'eau qui court sur les rochers les plus pointus, aux arêtes les plus coupantes : année après année, sans aucune impatience, l'eau façonne le gros rocher ou le petit caillou. L'eau arrondit ses angles, jusqu'à en faire un rocher sur lequel s'asseoir sans risque ou à la fin jusqu'à devenir un beau galet tout lisse. Il y a même des galets qui ont une forme de cœur. Le principe d'amour est pareil : Millénaire après millénaire, siècle après siècle, il essaie de trouver le bon moment et le bon angle pour remettre les esprits à l'heure de l'amour entre hommes et femmes.

Il y a autre chose qui a fait son chemin en moi, c'est à propos de l'histoire de l'humanité. Dans le sillage d'Ève, je me suis intéressé à la préhistoire ou protohistoire et il me semble avoir compris une chose importante à ce sujet : certains archéologues se demandent quelle est la part de la femme dans la créativité préhistorique. Qui a inventé le feu ? Un homme ou une femme ? Qui a inventé la poterie ? Un homme ou une femme ? Se questionner, envisager que la femme peut être une initiatrice méconnue, c'est déjà super bien de la part d'archéologues qui ont longtemps regardé la préhistoire à travers leur condition d'homme. Dans un arc de temps de huit cent mille ans, il est difficile de prouver quoi que ce soit, surtout avec des petits groupes humains éparpillés à travers les continents. Mais certains pensent que l'exogamie des femmes préhistoriques, cette façon d'aller chercher hors de sa tribu un homme pour s'accoupler, volontairement ou non, a sans doute favorisé la diffusion des savoirs et des savoir-faire. Ce qui ferait de la femme une femme-ressources qui apportait dans sa nouvelle tribu, ce qu'elle savait faire.

À la lumière de ce que je vis avec Ève, peut-être que déjà dans la protohistoire, deux inconnus pouvaient se rencontrer comme nous, guidés par un obscur instinct et des voix intérieures. Deux êtres qui apprenaient l'un de l'autre plein de choses et qui, peut-être par leur exemple, ont pu proposer d'autres relations homme-femme, sans coercition masculine, comme celles des singes Bonobos. Parmi tant d'hypothèses et de divers possibles, ils ont pu créer une famille-tribu qui, dans son cercle intime, a été comme un paradis au milieu d'autres organisations de tribus plus rudes. J'aime croire à cette hypothèse. Après tout, la Grande déesse mère n'est pas née de nulle part et ce n'était pas un homme. Si j'ai cette faculté télépathique ou médiumnique, pourquoi cette faculté n'aurait pas existé autrefois, chez d'autres hommes, quand la parole était rare et que la pensée s'exprimait par le regard de façon intense, par le ressenti ?

Humaniser mon ombre

Mon jumeau, mon bâtard intérieur, avait été mon esprit contraire à l'amour. Mais grâce à la jonction de ma conscience et de mon inconscient profond, je suis en mesure d'aligner mes esprits sur celui de l'âme de la terre, l'âme du féminin, sur ce qui inspire mes pensées et mes actions, sur la seule et unique loi qui compte pour survivre dans un monde d'hommes : un cœur éclairé et intelligent.

Chapitre VIII
Les retrouvailles

Un temps, des temps et la moitié d'un temps

C'est la formule que la Bible emploie pour parler des temps prophétiques. Pas la peine d'utiliser des années, le temps prophétique n'est pas quantifiable. Je reprends cette formule pour rappeler que le temps des Dames n'est pas le même que le temps qui s'écoule sur terre.

C'est pourquoi les retrouvailles ne se sont pas faites du jour au lendemain. Il faut du temps pour retrouver tous ses esprits et la paix qui va avec. Après avoir suivi point par point le scénario des Dames, le moment est venu de nous retrouver. Dans les mythes, on appelle ce dénouement la réapparition. C'est le moment où Dionysos, le héros « né deux fois » revient vers sa belle pour en faire sa femme.

Les prestidigitateurs se sont emparés de ce vocabulaire, à l'origine initiatique, pour structurer leur spectacle : apparition d'un objet ou d'une personne, disparition de l'objet ou de la personne, réapparition de l'objet ou de la personne. Il n'y a rien de sacré dans leur spectacle, ce n'est que du divertissement. Les Dames ont inspiré tellement de personnes que j'en perds le compte.

Ève aurait aimé imaginer un monde sans violence sur terre, un monde qui pourrait fonctionner sans effusion de sang, sans prédation et elle avait échoué. La terre, si belle dans ses couleurs et sa diversité, était le seul véritable enfer. L'au-delà, tous les au-delàs dans lesquels vivaient nos esprits résiduels, étaient beaucoup plus apaisés que le monde dans lequel on vivait. Ève n'arrivait pas à s'en remettre, c'est comme si sa voie de l'amour s'effondrait en m'emportant loin d'elle.

272

Ben, voilà autre chose !

Je n'y suis pour rien, moi, dans sa déception ! Il faut qu'elle stabilise ses émotions, c'est comme ça qu'elle maîtrisera sa part d'ombre. Elle va bien y arriver. Elle a fait tellement de chemin, elle ne va pas craquer maintenant ! Elle est abattue.

Pourquoi Ève devrait-elle me rejeter ? Parce qu'elle n'arrive pas à faire la quadrature du cercle ? Elle ne va quand même pas renoncer à moi à cause du monde ? Si elle écrit dans son journal qu'elle renonce à moi, ça sera fini de nous deux. J'espère que les Dames vont l'aider à se repositionner sinon c'est la fin de notre rêve de vie ensemble. Je guette ses pensées comme on guette le lait sur le feu.

Finalement, Ève a trouvé la seule bonne nouvelle qui pourrait changer la face du monde en mieux : faire la connaissance personnelle de son ombre et de sa source lumineuse. Chacune et chacun pourrait alors développer sa puissance créatrice, chacune et chacun pourrait choisir son amoureux ou son amoureuse en pleine conscience, chacune et chacun pourrait devenir libre intérieurement. Elle se mettait à rêver que l'Europe pourrait devenir ce porte-flambeau pour les autres nations. L'Europe, comme le nom de sa princesse grecque « Europê », n'a peut-être pas fini de grandir sous la forme de la communauté européenne.

Ben voilà, c'est une prédiction positive, elle y est arrivée !

Je me suis souvent demandé pourquoi les millénaristes ne visionnaient pas le progrès au lieu de visionner des catas ? Prédire des fins du monde comme l'apôtre saint Jean ou les millénaristes l'avaient fait, c'est facile. C'est dans la nature de l'homme. Mais prévoir le meilleur ?

Pourquoi les millénaristes n'avaient-ils pas prédit l'invention de l'électricité dans les maisons et celle qui illumine nos villes la nuit ? Pourquoi ils n'avaient pas prédit l'école pour tous les enfants, la voiture pour le peuple, la machine à laver le linge et la vaisselle pour les femmes, le frigidaire qui a permis d'avoir toujours des aliments frais ?

À côté des drames, pourquoi saint Jean l'apôtre n'avait pas vu les avancées sociales, la fin des famines en Europe, le droit au travail, les allocations familiales, les aides aux plus démunis, les vacances ? Saint Jean aurait épargné des cauchemars et des déviances à bien des gens. En fait, les prophètes ne voyaient que le mal à venir, si c'est ça être un prophète de dieu, je leur laisse la voyance.

On me fait savoir que l'esprit humain a des antennes pour capter le négatif, c'est une question de survie. Admettons, je veux bien, vu que les ombres sont spécialisées dans l'art de capter avant nous ce qui ne va pas. Mais si des gens sont vraiment capables de prédire, ils devraient prédire le bien tout autant que le mal, tous les progrès autant que les risques de guerres. « Le pire n'est jamais certain » comme dit quelqu'un, mais quand il est annoncé, les gens s'attachent plus à croire au pire qu'au bien.

Il y a aussi la figure d'Isis représentée en déesse tenant dans ses bras un enfant mâle ; ça m'interpelle tout comme la Vierge Marie chez les chrétiens avec le petit Jésus. Pourquoi ces mères tiennent un enfant mâle sur leurs genoux et pas un bébé fille ? Après tout, si Isis représente la Grande déesse mère, elle aurait dû représenter sur ses genoux l'essence même du féminin : la petite fille. Je ne connais rien de plus gracieux au monde, de plus radieux qu'une petite fille aimée de ses parents. Alors, je me demande, pourquoi un garçon sur les genoux d'Isis au lieu d'une petite fille ?

Parce que, écrit Ève dans son journal, c'est le petit garçon qui doit être éduqué au principe féminin, au principe d'amour, c'est sur lui que repose l'évolution des mentalités en mieux pour la femme.

Bref, Ève me fait faire le tour du monde des idées avec ses remises en question de la culture occidentale et patriarcale. Mais elle m'a fait connaître des curiosités dans la culture pré-monothéiste. Elle les a trouvées dans l'Égypte des pharaons qui avait déjà identifié l'ombre. Les ombres sont présentes aussi dans la culture scandinave de l'ère viking, pour qui l'ombre semble s'appeler le « hamingia », un esprit autonome résidant dans le corps. Par contre, ils identifient comme esprit protecteur pour les hommes et les femmes, un esprit féminin, le

« fylgia » qui apparaît en rêve pour avertir d'un danger. D'après eux, le « fylgia » se transmettait au sein de la famille. Pour les uns comme pour les autres, la mort n'était pas la fin de la vie.

À présent, Ève se demande si elle n'a pas fait un transfert amoureux sur moi ? Son imaginaire, qu'elle voyait clairement puisqu'elle l'avait étiré jusqu'à son point de rupture, l'avait reconduite à la triste matière. Ève se méfiait des illusions. Même le ciel bleu était un leurre ! On croyait avoir un ciel bleu de toute éternité au-dessus de nos têtes alors qu'il devrait y avoir un ciel noir de jour comme de nuit, pareil au ciel de la lune. Si les rayons bleus du soleil, qui ont des longueurs d'onde plus courtes, n'étaient pas si nombreux, on verrait même le ciel d'une autre couleur, on verrait le ciel tout rouge. Un ciel rouge ! Quant aux étoiles, elles n'arrêtent pas d'exploser, elles sont déjà mortes quand on voit leur lumière. Le ciel de nuit, quand on a la chance de le voir comme elle pouvait le voir en étant petite, était rempli d'étoiles. Mais ces étoiles étaient déjà mortes ! On vivait dans un monde qui observait les évènements à retardement. Où était la vérité si cette lumière d'étoiles n'était qu'une illusion permanente ? Elle m'avait peut-être inventé de toutes pièces et peut-être que je n'existais même pas ! C'est vrai qu'il restait nos rendez-vous sur lesquels elle avait brodé des saynètes. Ève se demandait ce qu'il restait de moi à présent qu'elle refermait son imaginaire.

Ève a deux ou trois choses à comprendre à mon sujet. Elle ne sait pas encore que c'est en écrivant qu'elle me façonne. Je serai ce qu'elle veut que je sois parce c'est ainsi que fonctionne son écriture magique. Elle a sculpté une capsule temporelle pour nous deux et ça me va. Elle a imaginé un « doux nid » et je vais le lui fabriquer. Je pourrais même envisager de vivre seul, je l'ai fait jusqu'à présent ; mais j'ai fait un autre choix, celui de vivre à ses côtés. J'ai choisi librement, en pleine conscience. J'ai choisi Ève et je ferai en sorte qu'elle me choisisse.

Remonter le temps à deux peut prendre des années. Revenir au temps présent aussi. Rien n'est acquis dans les mythes, tout peut foirer à tout moment, surtout quand on n'a pas le mode d'emploi. Il change à chaque histoire.

C'est quand le monde « flottant » unit l'imaginaire au réel que le miracle se produit et il est fantastique. L'imaginaire d'Ève est en train de produire ses effets dans ma vie d'ego mortel. J'ai reçu le cadeau promis par les Dames : j'ai gagné le gros lot promis. Heureusement que je m'y étais préparé. Je vais pouvoir réaliser mes rêves et retrouver Ève, la femme de mes rêves. Je suis devenu gestionnaire de mon patrimoine et je ne chôme pas. Je gère aussi le patrimoine d'Ève en attendant qu'elle en prenne possession puisque je partage avec elle le bénéfice du doute.

Ève, la femme de mes rêves, la femme de ma vie

2022 ! L'année de tous les possibles ! J'espère comme elle que ce sera l'année de nos retrouvailles parce que ça fera dix ans depuis 2012, c'est ce que les Dames avaient dit. J'ai constaté tout au long de notre légende qu'elles ne sont pas précises sur les temps. Je dirais même que leur sens du temps est flou. Elles ne sont pas à un jour près ni à un mois près. De toute façon, qu'est-ce que je peux faire à part attendre ?

Les Dames ne m'ont pas fait filer la laine comme Hercule à son époque, mais elles m'ont fait repriser mes chaussettes, faire le ménage chez moi et laver mon linge sale sans attendre qu'il s'entasse dans un coin. J'étais déjà propre, mais elles en ont remis une couche sur le fait d'être propre sur soi et en soi. Quand on vivra ensemble avec Ève, il y aura le partage des tâches ménagères et tout ce que je peux partager comme les courses, faire à manger, etc. C'est normal que je le partage.

J'ai eu le temps de connaître la pandémie mondiale de grippe covid en 2020 justement. Une grippe dont le virus a apparemment fuité des labos chinois de Huan en 2019 et s'est propagé comme l'éclair partout dans le monde. No comment sur cette « chose ». Je reste focus sur Ève. Il faut qu'Ève arrête d'écrire sinon elle risque d'être victime de l'effet « Zeigarnik » et moi avec. Elle ne pourra plus vivre dans le présent, elle restera enfermée dans son imaginaire passé. J'espère qu'Ève ne va pas se contenter de vivre notre relation de papier.

De mon côté, je vais aller à sa rencontre pour arrêter de la faire fantasmer sur moi. Cela fait des années que nous faisons du développement personnel en privé avec les Dames. Nous avons été mis sur notre « voie de l'amour » et jour après jour, nous avons construit une relation spéciale qui nous a lié l'un à l'autre plus que toute autre personne. Cette relation est devenue amoureuse, et maintenant, il est indispensable de conclure ou alors nous allons rester tous les deux prisonniers d'un passé inachevé. Ève et moi serons prisonniers d'une légende avortée. En ayant perdu l'autre, nous aurons du mal à reconstruire une autre histoire heureuse avec quelqu'un. On errera en solitaire en ressassant ce qui aurait pu être, jusqu'à notre mort.

Ève est mon arbre de vie, elle est mon passé, mon présent et mon avenir tout à la fois. Mon passé, ce sont les racines de Mémoria, celles qui m'ancrent dans ma vie quotidienne ; c'est aussi mon présent, parce que ces racines me font aimer la matière, la vie et les gens simples. Mon présent s'en trouve enchanté malgré les problèmes du monde, malgré l'enfer qui est sur terre. Quant à mon avenir, mon passé et mon présent le rendent serein et lui donnent tout son sens. J'ai confiance. C'est ça le vrai sujet de ma vie et de ces notes. Cet arbre de vie au féminin qui a rendu mon existence plus passionnée et digne d'intérêt. Le reste, je veux dire mes opinions politiques, j'en fais une affaire privée, tout comme mes croyances. Je ne les impose à personne. Tout ce que je peux ajouter c'est que le principe féminin conduit vers le partage et la fraternité alors que les dieux, avec leur principe masculin, conduisent vers le nationalisme ou l'impérialisme et la séparation entre les êtres humains. Le principe féminin c'est la vie, les dieux, c'est la guerre. Est-ce qu'un jour, ces deux principes seront conciliables ? Je crois qu'il faut commencer par les concilier à l'intérieur de soi, peut-être qu'un jour, le monde entier sera alors pacifié et pas sur le dos des femmes. D'ici là, les dieux ont encore de beaux jours devant eux.

J'ai une bonne nouvelle pour Ève, j'existe en chair et en os et je vais le lui prouver, je vais sortir de ces pages pour le lui dire. À bientôt.

Quant à vous, mes enfants, le mot de la fin est pour vous. Je vous ai raconté à peu près ce qui s'est passé et comment ma vie a été bouleversée, et la vôtre aussi. J'espère que vous pourrez pardonner mon absence, à défaut de me comprendre. Je crois que je vous ai dit l'essentiel.

J'ai toujours gardé une place pour vous deux dans mon cœur et dans ma vie. Ma porte vous est ouverte, quel que soit le jour ou l'heure. Pas besoin de carton d'invitation. Ève est comme moi, elle vous accueillera les bras ouverts. Elle a hâte de vous connaître.

Petit lexique de psychanalyse (voir Freud et Jung)

Freud a divisé notre système de pensée en trois éléments :
- Le conscient (qui concerne le « Moi »)
- Le préconscient (qui concerne le « Surmoi »)
- L'inconscient (qui concerne le « ça »)
De façon plus visuelle, si on prend l'image d'un iceberg, on aurait le « Moi » à la surface, le « Surmoi » dessous et en-dessous le « ça » (ou inconscient profond).

Le « Moi » (en latin « ego »)
Chez Freud, il est considéré comme la partie la plus consciente de la personne. Le « moi » est guidé par le principe de réalité extérieure. Il est l'esprit du milieu entre deux forces, le « surmoi » et le « ça ». Freud dit que le « moi » ne contrôle pas en permanence ce qui se passe en lui. Il n'est pas le « maître » absolu de la personnalité parce qu'il n'est pas conscient de tout l'appareil psychique (préconscience et inconscient). Il n'est donc pas transparent à lui-même.

Le « Surmoi » (en latin « super ego »)
C'est une entité à part entière à l'intérieur du « moi ». Il représente la conscience morale et l'intériorisation des interdits. Il agit comme une barrière qui censure les désirs qu'il juge inappropriés à la société dans laquelle il vit.

Le « ça »
D'après Freud, c'est le pôle pulsionnel de la personnalité. Il se heurte au « surmoi » parce que son principe est le principe du plaisir. Or, les désirs les primitifs les plus fréquents du « ça » sont de nature sexuelle et agressive.

L'ombre

L'ombre est un concept qui appartient à la psychologie des profondeurs. D'après la psychanalyse, il a été inventé entre 1939 et 1958 par Freud. L'ombre est une partie du système de pensée, formée de la part individuelle du « moi ». Le « moi » ne connaît pas sa part d'ombre. Il l'ignore la plupart du temps. C'est Carl Gustav Jung qui fait de l'ombre l'un des principaux archétypes en psychologie analytique. Il en fait une entité autonome.

Il existe aujourd'hui des thérapeutes de l'ombre. Ils aident les patients à apprivoiser leur ombre. Le travail consiste à faire remonter dans la zone du conscient, du « moi », les éléments occultés de l'ombre. En se les réappropriant, le « moi » peut atteindre le plein épanouissement de sa personne. La part d'ombre fait partie intégrante de notre personnalité.

Le propos de l'auteure a été d'utiliser les données de psychanalyse et de mythologies de diverses cultures pour imaginer deux situations à travers son personnage principal :

1. Que se passe-t-il lorsque le « surmoi » est privé de la médiation du « moi » et que le « surmoi » est livré aux désirs incensurés du « ça » ? Freud dit que les désirs primitifs les plus fréquents sont de nature sexuelle et agressive.

2. Le « surmoi » peut-il être identifié comme l'ombre, notre part cachée du « moi » que l'on ne connaît pas ? Peut-il imposer au « moi » un autre type de tyrannie, celle des désirs qui vont à l'encontre des droits de la femme ?

Table des matières

Imprimé en Allemagne
Achevé d'imprimer en novembre 2022
Dépôt légal : novembre 2022

Pour

Le Lys Bleu Éditions
40, rue du Louvre
75001 Paris